Maya Banks

Auteur prolifique, elle figure en tête de liste des best-sellers du *USA Today* et s'est spécialisée dans l'écriture de romances contemporaines et historiques aux accents érotiques. Sa plume sensuelle a conquis le cœur de nombreuses lectrices à travers le monde. Très remarquée par la critique, elle obtient en 2009 le prix Romantic Times de la meilleure romance pour *Sweet persuasion*. Elle a également écrit sous le pseudonyme de Sharon Long.

La séduction du Highlander

Du même auteur
aux Éditions J'ai lu

LES McCABE

1 – Dans le lit du Highlander
N° 10167

MAYA

BANKS

LES McCABE – 2

La séduction du Highlander

Traduit de l'anglais (États-Unis)
par Daniel Garcia

AVENTURES
&PASSIONS

Vous souhaitez être informé en avant-première
de nos programmes, nos coups de cœur ou encore
de l'actualité de notre site *J'ai lu pour elle* ?

Abonnez-vous à notre *Newsletter* en vous connectant
sur **www.jailu.com**

Retrouvez-nous également sur Facebook
pour avoir des informations exclusives :
www.facebook/pages/aventures-et-passions
et sur le profil *J'ai lu pour elle*.

Titre original
SEDUCTION OF A HIGHLAND LASS

Éditeur original
Ballantine Books, an imprint of The Random House Publishing Group,
a division of Random House, Inc., New York

Pour T.J.

1

Alaric McCabe contemplait les vastes terres des McCabe dans l'espoir de surmonter l'indécision qui le rongeait. Levant les yeux au ciel, il respira une grande goulée d'air glacé. Il ne neigerait pas aujourd'hui. Mais bientôt. L'automne s'était installé sur les Highlands. Le temps avait considérablement fraîchi et les journées raccourcissaient.

Après des années de patients efforts, son frère aîné, Ewan, laird des McCabe, avait presque réussi à restaurer le clan dans son ancienne gloire. Cet hiver, les McCabe n'auraient pas à souffrir de la faim. Et les enfants du clan porteraient des vêtements chauds.

À présent, le moment était venu pour Alaric de s'acquitter de sa partie. Tout à l'heure, il se mettrait en route en direction des terres du clan McDonald, afin d'y demander officiellement la main de Rionna McDonald.

Ce serait pure formalité. Le mariage était déjà arrangé depuis plusieurs semaines. Mais le laird des McDonald, qui avançait en âge, voulait qu'Alaric passe un peu de temps au sein de son clan, qui deviendrait le sien dès qu'il aurait épousé la fille de McDonald – et son unique héritière.

Les préparatifs du voyage étaient achevés, et la douzaine de soldats désignés pour accompagner Alaric dans son périple s'étaient tous rassemblés dans la cour intérieure de la forteresse.

Ewan avait voulu lui déléguer ses meilleurs hommes pour escorter Alaric, mais celui-ci avait refusé. Mairin, la femme d'Ewan, était enceinte. De ce fait, le clan courait un grand danger.

Tant que Duncan Cameron vivrait, le clan McCabe ne connaîtrait jamais une totale sécurité. Car Cameron convoitait en même temps la femme d'Ewan et les terres de Neamh Alainn, qui faisaient partie de la dot apportée par Mairin – fille du précédent roi d'Écosse. Et bien sûr, Cameron ne pourrait pas supporter l'idée que Mairin engendre un héritier.

C'était en grande partie à cause de cette menace que Cameron faisait peser non seulement sur le clan McCabe, mais aussi sur le trône du roi David, qu'Alaric avait consenti à ce mariage avec la fille McDonald. Leur union cimenterait l'alliance entre les McCabe et le seul clan qui séparait leurs terres de celles de Neamh Alainn.

Sur le papier, l'alliance était équitable. Rionna McDonald n'était pas désagréable à regarder, malgré ses manières de garçon manqué et sa manie de vouloir s'habiller comme les hommes. Et par ce mariage, Alaric deviendrait un jour laird, ce qu'il ne pouvait pas espérer en restant auprès d'Ewan. Il serait maître de ses propres terres, qu'il pourrait ensuite transmettre à ses enfants.

Mais alors, pourquoi manquait-il autant d'enthousiasme à la perspective de monter sur son cheval pour galoper vers sa destinée ?

Un bruit, sur sa gauche, le fit se tourner. Mairin McCabe, un châle sur les épaules, gravissait la colline en pressant le pas, au grand dam de Cormac, le garde qui lui avait été assigné pour la journée et qui devait presque courir pour la suivre.

Dès que la jeune femme atteignit le sommet, Alaric lui tendit ses mains et elle s'y agrippa, la respiration haletante.

— Vous ne devriez pas être là, lui reprocha Alaric. Vous allez prendre froid.

— Si le laird s'en aperçoit, il sera furieux, renchérit Cormac.

Mairin roula des yeux, avant de demander à Alaric :

— Avez-vous tout ce qu'il vous faut pour votre voyage ?

Alaric sourit.

— Largement. Gertie a prévu des vivres pour un trajet deux fois plus long.

Mairin s'agrippait à lui d'une main et de l'autre elle frottait son ventre qui s'arrondissait déjà. Alaric l'attira dans ses bras pour la réchauffer de son corps.

— Ne pourriez-vous pas différer votre départ jusqu'à demain matin ? le supplia-t-elle. Il est déjà presque midi. Restez encore aujourd'hui.

Alaric savait que Mairin se chagrinait de son départ. Elle aimait voir le clan toujours réuni autour d'elle.

— Je ne serai pas absent longtemps, Mairin, répondit-il avec douceur. Pas plus de quelques semaines. Ensuite, je reviendrai ici, avant de me marier et de repartir vivre chez les McDonald.

Mairin fit la moue à l'idée qu'Alaric quitterait bientôt le clan de manière définitive, pour devenir un McDonald.

— Cessez de faire la tête, lui dit Alaric. C'est mauvais pour le bébé. Et ne restez pas dans le froid.

La jeune femme soupira, avant de l'enlacer. Alaric échangea un regard amusé avec Cormac. Mairin se montrait très émotionnelle, depuis qu'elle était enceinte, et les membres du clan devaient s'habituer à ses manifestations spontanées d'affection.

— Vous me manquerez, Alaric. Et je sais que vous manquerez aussi à Ewan, même s'il n'en dit rien.

— Vous me manquerez également, lui répondit Alaric avec solennité. Et ne vous inquiétez pas. Je serai rentré à temps pour assister à la naissance du nouveau petit McCabe !

Le visage de la jeune femme s'illumina soudain. Elle recula d'un pas et lui donna une petite tape affectueuse sur les joues.

— Soyez bons avec Rionna, Alaric. Je sais que vous pensez, comme Ewan, qu'elle aurait besoin d'être disciplinée. Pour ma part, je crois surtout qu'elle a besoin d'amour.

Alaric tressaillit de voir la conversation prendre un tour aussi intime.

Mairin s'esclaffa.

— N'en parlons plus, dit-elle. Je vois que je vous mets mal à l'aise. Mais n'oubliez pas mes paroles.

— Milady, intervint Cormac, le laird vous a repérée, et il n'a pas l'air content.

Alaric reporta son regard sur la forteresse. Ewan, debout dans la cour, les bras croisés, regardait dans leur direction.

— Venez, Mairin, dit Alaric en lui prenant la main. Je préfère vous ramener à mon frère avant qu'il ne vienne vous chercher.

Mairin marmonna quelque chose, mais elle laissa Alaric l'aider à redescendre la colline.

Lorsqu'ils pénétrèrent dans la forteresse, Ewan lança un regard noir à sa femme, avant de demander à Alaric :

— As-tu tout ce qu'il te faut ?

Alaric hocha la tête.

Caelen, le cadet des frères McCabe, les rejoignit.

— Tu es sûr que tu ne veux pas que je t'accompagne ?

— Ta présence sera plus utile ici, répondit Alaric. Les premières neiges tomberont bientôt, mais Duncan pourrait préparer une attaque quand il s'imaginera que nous nous y attendons le moins.

Mairin frissonna.

— Disons-nous adieu tout de suite, suggéra Alaric. Ensuite, vous rentrerez vous réchauffer. Mes hommes sont prêts, et je ne veux pas vous voir pleurer indéfiniment sur mon départ.

Comme il s'y attendait, Mairin se jeta de nouveau à son cou, pour l'enlacer très fort.

— Que Dieu soit avec vous, lui murmura-t-elle.

Alaric lui caressa les cheveux avec affection, avant de la pousser vers la porte du donjon. Ewan appuya son geste d'un autre regard noir, destiné à dissuader sa femme de protester.

Mairin lui lança un regard effronté avant de passer la porte. Cormac la suivit à l'intérieur.

— Si tu as besoin de moi, fais-le-moi savoir, dit Ewan à son frère. Je viendrai sur-le-champ.

Alaric étreignit le bras de son aîné et les deux frères se dévisagèrent un long moment, avant qu'Alaric ne laisse retomber sa main. Puis Caelen lui donna une tape dans le dos, tandis qu'il partait vers son cheval.

— C'est une bonne chose pour toi, lui assura Caelen, quand il fut en selle.

Alaric voulut s'en convaincre également.

— Oui, répondit-il.

Il prit une profonde inspiration. Il deviendrait laird. Il posséderait ses propres terres. Oui, c'était une bonne chose.

Alaric et la douzaine de soldats du clan McCabe qui l'accompagnaient chevauchèrent jusqu'au soir. Comme ils étaient partis tard, le trajet qui n'aurait pu durer qu'une seule journée en prendrait maintenant deux. Ils n'atteindraient pas les terres des McDonald avant le lendemain matin.

Sachant cela, Alaric prenait son temps. Le soleil n'était pas encore complètement couché qu'il ordonna à ses hommes de faire halte et de monter le camp pour la nuit.

Quand ils eurent dévoré la nourriture préparée par Gertie, Alaric sépara ses hommes en deux groupes de six et demanda au premier de monter la garde autour du camp ; le deuxième prendrait le relais plus tard dans la nuit, après s'être reposé.

Bien qu'Alaric se soit inscrit dans le deuxième groupe, il ne put trouver le sommeil. Allongé à même le sol, il contemplait le ciel étoilé. La nuit était claire, mais froide. Les vents avaient tourné au nord, annonçant un prochain changement de temps.

Bientôt, il serait marié... À Rionna McDonald. Malgré tous ses efforts, Alaric éprouvait de la difficulté à se représenter sa fiancée. Il se rappelait seulement ses cheveux blonds. Et aussi qu'elle était plutôt calme, ce qui constituait sans doute une qualité chez une femme. Mairin, elle, n'était pas quelqu'un de calme, ni de très obéissant et pourtant, Alaric était convaincu qu'Ewan l'aimait ainsi.

Mais Mairin était la féminité incarnée, alors que Rionna s'habillait en homme et affichait des manières masculines. Cependant, elle ne manquait pas de séduction, ce qui rendait son attitude d'autant plus surprenante.

Il lui faudrait éclaircir ce mystère...

Une légère vibration, dans l'air, l'alerta soudain. Alaric roula sur le côté – pas assez vite, hélas, pour éviter le coup d'épée qui lui entailla les chairs, au niveau de son flanc droit.

Une douleur aiguë lui vrilla le corps, mais il l'ignora et, se saisissant de son épée, il se redressa d'un bond. Ses hommes s'étaient réveillés et le silence de la nuit fut soudain brisé par le bruit des lames qui s'entrechoquaient.

Alaric se battait contre deux agresseurs. En reculant, il butta contre le corps d'un des soldats supposés monter la garde. Une flèche était fichée dans sa poitrine, preuve que l'embuscade avait été soigneusement ourdie.

Leurs agresseurs étaient très supérieurs en nombre. Aussi, malgré la vaillance de ses hommes, Alaric n'eut pas d'autre choix que de décider de battre en retraite, pour leur éviter d'être tous massacrés. À six contre un, ils n'avaient aucune chance de l'emporter.

Il cria à ses hommes de rejoindre leurs chevaux. Aussitôt qu'il se fut débarrassé de ses deux assaillants, il courut lui-même vers sa propre monture. Sa blessure le faisait souffrir et l'odeur âcre du sang qui en jaillissait lui montait jusqu'aux narines. Sa vision commençait à se brouiller. Il avait conscience qu'il mourrait s'il n'arrivait pas à remonter sur son cheval pour s'enfuir au plus vite.

Juste au moment où il atteignait enfin son étalon, un autre assaillant le chargea. Affaibli par tout le sang qu'il avait déjà perdu, Alaric combattit sans la discipline que lui avait inculquée Ewan. Mais il se battait pour sa vie.

Il brandit son épée à deux mains et l'abattit avec un énorme rugissement sur le cou de son adversaire, qu'il décapita littéralement.

Alaric ne perdit pas un instant à savourer sa victoire. Un autre assaillant approchait déjà. Rassemblant ses dernières forces, il monta sur son cheval et le lança au galop.

Plusieurs corps gisaient sur le sol. Alaric comprit qu'il avait perdu la plus grande partie de ses hommes, sinon tous, dans l'assaut.

— À la maison ! commanda-t-il à son cheval.

Il s'agrippait à l'encolure de l'animal, s'efforçant coûte que coûte de rester conscient, mais sa vision se brouillait de plus en plus.

Sa dernière pensée cohérente fut pour son frère : il devait l'avertir au plus vite. En espérant qu'une autre attaque surprise n'avait pas été lancée contre la forteresse.

2

Keeley McDonald s'était levée avant l'aube pour ranimer son feu et se préparer à sa journée. Elle se trouvait à mi-chemin entre le tas de bois et la porte de son cottage quand elle fut rattrapée, une fois de plus, par l'absurdité de sa situation.

La jeune femme s'immobilisa pour contempler la vallée qui s'étendait sous ses pieds. De la fumée montait du donjon des McDonald et des cottages implantés autour de la forteresse, dessinant un petit panache de brume qui s'attardait dans le ciel.

Quelle ironie du sort ! Keeley jouissait d'une vue imprenable sur l'endroit où elle n'était pas la bienvenue. Sa maison. Son clan. Ou, plus exactement, son ancienne maison et son ancien clan. Car tous lui avaient tourné le dos. Elle était devenue une paria.

Était-ce là son châtiment ? Être ainsi reléguée dans ce cottage situé tout près de la terre où elle était née, mais où elle ne pourrait jamais retourner vivre ?

Sans doute devrait-elle se réjouir de posséder au moins un toit. Son sort aurait pu être pire. Elle aurait pu être chassée de chez elle sans disposer de la moindre ressource.

L'épreuve était dure, mais ne l'anéantirait pas. Au contraire, Keeley se sentait très en colère. Elle ne pouvait rien changer au passé, mais elle regrettait de ne pas avoir obtenu justice contre ce bâtard de McDonald. Ni contre sa femme, Catriona. Car Catriona avait deviné la vérité – Keeley l'avait lu dans ses yeux. Pourtant, la maîtresse du château avait puni Keeley pour les péchés de son mari.

À présent, Catriona était morte depuis quatre ans. Mais Rionna n'avait toujours pas fait appeler Keeley. Pas plus qu'elle ne lui avait rendu visite. Pourtant, sa plus chère amie d'enfance connaissait, elle aussi, la vérité.

Keeley soupira. Elle était idiote de rester plantée là, à ruminer son amertume. De même qu'elle avait été idiote de penser qu'après la mort de la mère de Rionna, elle serait enfin réintégrée dans le clan.

Le renâclement d'un cheval la fit se retourner en sursaut – et elle lâcha les bûches qu'elle tenait à la main. L'animal s'approcha d'elle. Il était en nage. Ses yeux effrayés laissaient deviner qu'il avait vécu une épreuve.

Mais Keeley remarqua surtout le guerrier courbé sur la selle de l'animal, et le sang qui coulait goutte à goutte jusqu'au sol.

Avant qu'elle ait pu réagir, l'homme bascula et s'effondra lourdement par terre. Keeley grimaça. Sa chute avait dû lui faire très mal.

Le cheval rua de côté, abandonnant le guerrier inconscient aux pieds de Keeley. La jeune femme s'agenouilla pour chercher la cause de sa blessure. Elle repéra une déchirure sur le côté de sa tunique, et quand elle voulut en écarter les pans, elle ne put retenir un tressaillement.

Une plaie courait presque de sa hanche jusqu'à son aisselle. Heureusement, elle n'était pas trop profonde – deux bons centimètres, tout de même –, sinon elle n'aurait pas manqué d'être mortelle.

Il aurait besoin d'être recousu. Et aussi qu'on prie pour lui, afin qu'il ne succombe pas à la fièvre.

Keeley lui palpa le reste du corps. C'était un solide guerrier, mince mais très musclé. Il portait des cicatrices – l'une sur le ventre et l'autre dans le dos –, mais elles étaient anciennes, et beaucoup moins spectaculaires que sa présente blessure.

Comment allait-elle faire pour le tirer jusque dans sa maison ? Il était beaucoup trop grand et trop lourd pour qu'elle puisse le porter.

Une idée lui traversa l'esprit. Elle courut dans son cottage, arracha le drap de son lit et l'apporta dehors. Après l'avoir étendu par terre, à côté du guerrier, elle posa des pierres sur les coins, pour l'empêcher de s'envoler. Puis elle essaya de faire rouler le soldat dessus.

Mais c'était comme vouloir déplacer un rocher.

Keeley serra les dents et poussa de toutes ses forces. Sans succès.

— Bon sang, réveillez-vous et aidez-moi ! s'exclama-t-elle, au comble de la frustration. Je ne peux quand même pas vous laisser dans le froid. Il risque de neiger. Et votre blessure saigne encore.

Elle lui donnait des petites tapes dans les côtes, mais comme il ne réagissait toujours pas, elle lui asséna une gifle.

Le guerrier fronça les sourcils et laissa échapper un grognement menaçant. Keeley faillit détaler pour se réfugier dans son cottage.

Mais elle ne capitulait pas si facilement.

— Vous êtes têtu, hein ? lui souffla-t-elle dans l'oreille. Je vais vous montrer que je suis encore plus têtue que vous, guerrier. Vous feriez mieux de vous rendre tout de suite et de m'aider.

— Laissez-moi tranquille, grogna-t-il, sans rouvrir les yeux. Je ne vous aiderai pas à me conduire en enfer.

— Pour sûr, que vous irez tout droit en enfer, si vous ne vous bougez pas !

À la grande surprise de Keeley, il grommela encore, mais se laissa rouler en direction du drap.

— Je me doutais bien que l'enfer était peuplé de femmes, marmonna-t-il. Au moins, elles y sont à leur place.

— J'ai bien envie de vous laisser geler ici ! répliqua Keeley, ulcérée. Quel ingrat ! Et votre opinion sur les femmes est aussi déplorable que vos manières.

Contre toute attente, le guerrier s'esclaffa, avant de grimacer de douleur quand Keeley le fit rouler une nouvelle fois. La jeune femme en oublia sa colère. Il devait souffrir le martyre, et elle se disputait avec lui !

Dès qu'il fut allongé en bonne position, elle rassembla les coins du drap à deux mains pour les caler sur son épaule.

— Donnez-moi de la force, Seigneur, pria-t-elle. Je n'arriverai pas à le tirer jusqu'à la maison sans Votre aide.

Elle serra les dents et tira aussi fort qu'elle put. En vain. Le guerrier ne s'était pas déplacé d'un centimètre.

— Bon, murmura-t-elle, après tout, Dieu n'a jamais promis à personne une force surhumaine. Il n'accepte que des requêtes plus raisonnables.

Keeley regardait autour d'elle, à la recherche d'une solution, quand elle vit le cheval du guerrier, qui broutait l'herbe à quelques mètres du cottage.

Elle s'approcha de l'animal et s'empara de ses rênes. Au début, il refusa de bouger, mais elle tira plus fort en implorant l'animal d'obéir.

— N'as-tu donc aucune loyauté ? Ton maître est gravement blessé, et tu ne penses qu'à te remplir la panse ?

Le cheval ne parut guère impressionné par sa tirade, mais consentit à revenir vers son maître.

Si Keeley parvenait à attacher les extrémités du drap à la selle de l'animal, alors celui-ci pourrait tirer le guerrier jusqu'à l'intérieur de son cottage. Elle n'était pas très enthousiaste à l'idée que l'animal salisse son intérieur, mais dans l'immédiat, elle ne voyait pas de meilleure solution.

Son plan lui réclama plusieurs minutes de préparation. Quand elle se fut assurée que le drap était soigneusement attaché et que le guerrier ne risquait pas de rouler au sol, elle poussa le cheval en direction du cottage.

Et, Dieu soit loué, tout fonctionna à merveille ! Le cheval franchit la porte, tirant derrière lui le guerrier blessé. Keeley fermait la marche.

Une fois à l'intérieur, Keeley n'avait presque plus la place de bouger : le cheval et le guerrier occupaient tout l'espace. Aussi s'empressa-t-elle de détacher le drap et de renvoyer le cheval brouter à l'extérieur. Mais l'animal avait décidé qu'il se plaisait bien, au chaud. Keeley eut bien de la peine à le déloger.

Quand il eut enfin franchi le seuil, Keeley ferma la porte et s'adossa quelques instants au battant pour reprendre son souffle.

Ses efforts l'avaient exténuée. Mais son guerrier avait encore besoin d'elle.

« Son guerrier » ? Keeley s'esclaffa. Elle devrait plutôt dire « son fardeau ». Elle ne se faisait pas d'illusions : si jamais il mourait, elle en serait probablement tenue pour responsable.

Toutefois, après avoir inspecté ses vêtements de plus près, elle s'aperçut qu'il n'était pas un McDonald. Keeley fronça les sourcils, perplexe. Était-il, alors, un ennemi des McDonald ? Elle n'était plus supposée devoir la moindre loyauté à ces derniers, mais dans la mesure où elle se considérait toujours comme une McDonald, les ennemis du clan étaient ses ennemis. Dans ce cas, risquait-elle de sauver la vie d'un guerrier qui se retournerait ensuite contre elle ?

— Calme-toi, Keeley, se morigéna-t-elle.

Son imagination un peu trop fertile et sa tendance à toujours tout dramatiser lui jouaient souvent des tours.

Les couleurs du plaid du guerrier ne lui évoquaient rien. Mais il faut dire aussi que Keeley ne s'était jamais aventurée en dehors des terres des McDonald.

Comme elle ne réussirait jamais à l'installer sur son lit, elle eut la bonne idée de faire venir le lit à lui : elle glissa un oreiller sous sa tête et le recouvrit d'une couverture, pour qu'il soit bien au chaud. Puis elle rajouta des bûches dans le feu.

Ensuite, elle inspecta ses réserves. Par chance, elle était descendue au village quelques jours plus tôt, pour se réapprovisionner. Depuis son bannissement, Keeley subvenait seule à ses besoins. Et, grâce à Dieu, elle possédait des talents de guérisseuse qui lui permettaient de gagner un peu d'argent.

Car si les McDonald l'avaient exclue du clan, ils n'hésitaient pas à faire appel à elle dès que quelqu'un réclamait des soins. Elle avait ainsi l'habitude de recoudre les guerriers blessés à l'entraînement.

La forteresse McDonald possédait bien sûr sa propre guérisseuse, mais elle se faisait vieille et elle n'avait plus la main très habile pour recoudre les chairs. On racontait même qu'elle causait plus de dommages avec son aiguille qu'elle n'en réparait.

Si Keeley avait possédé plus d'audace, elle aurait tourné le dos aux McDonald comme ils lui avaient tourné le dos. D'un autre côté, les quelques pièces qu'elle récoltait ainsi lui permettaient de s'acheter ce qu'elle ne pouvait pas fabriquer elle-même, ou de garnir sa table si la chasse ne rapportait rien.

La jeune femme mélangea quelques herbes dans un mortier et y ajouta un peu d'eau, pour fabriquer un emplâtre. Quand la consistance lui parut bonne, elle laissa la pâte reposer et déchira des lanières de tissu dans un vieux drap qu'elle réservait précisément à des situations d'urgence.

Ses préparatifs terminés, elle revint auprès du guerrier et s'accroupit à côté de lui. Il n'avait pas repris conscience depuis qu'il avait été tiré dans la maison, mais Keeley ne songeait pas à s'en plaindre. Elle n'avait aucune envie que ce géant se montre combatif.

Elle commença par tremper un linge propre dans un bol d'eau, afin de nettoyer la blessure. Elle procéda méticuleusement, pour ne pas risquer de laisser la moindre saleté à l'intérieur des chairs, quand elle recoudrait les bords de la plaie.

C'était une vilaine blessure, qui laisserait une grande cicatrice mais il n'en mourrait pas – sauf, bien sûr, s'il contractait une mauvaise fièvre.

Une fois la blessure bien nettoyée, Keeley s'empara de son aiguille, dans laquelle elle avait passé du fil. Elle retint son souffle au moment de piquer pour la première fois dans les chairs. Mais le guerrier dormait si profondément qu'il ne se réveilla même pas. Keeley veilla à bien tirer sur le fil, et à faire des points bien serrés. Elle travaillait à genoux, penchée sur son labeur.

La tâche fut longue : la blessure devait mesurer dans les vingt-cinq centimètres de long, peut-être davantage. Elle ne manquerait pas de faire souffrir le guerrier pendant plusieurs jours, chaque fois qu'il voudrait effectuer un mouvement.

Quand Keeley en eut enfin terminé avec l'aiguille, elle s'assit par terre et soupira de soulagement. Le plus dur était fait. Mais elle se sentait épuisée.

Elle sortit pour s'étirer et respirer une grande goulée d'air frais. Puis elle descendit au torrent qui coulait près de sa maison, remplit un bol d'eau et le rapporta au cottage.

Elle lava une deuxième fois la blessure, avant d'appliquer l'emplâtre qu'elle avait préparé sur les chairs recousues. Après quoi, elle banda la blessure avec soin.

Le guerrier ne s'était toujours pas réveillé. Keeley vérifia que l'oreiller était bien positionné sous sa tête. Attirée par la beauté de son visage, elle ne put s'empêcher de laisser courir ses doigts le long de sa joue, jusqu'à son menton. C'était vraiment un bel homme. Parfaitement proportionné. Un fier et solide guerrier, au corps aiguisé par les combats.

La jeune femme se demanda de quelle couleur pouvaient bien être ses yeux. Bleus, sans doute. Avec ses cheveux noirs, des yeux bleus seraient fascinants. Mais peut-être étaient-ils tout simplement marron ?

Le guerrier battit soudain des cils, comme s'il avait décidé de répondre à la question muette de la jeune femme. Son regard flottait dans le vide, mais Keeley fut fascinée de découvrir deux prunelles vert pâle qui ajoutaient encore à la beauté de son visage.

Et encore : le mot même de beauté semblait ici bien faible. C'était un homme réellement magnifique.

— Un ange, murmura-t-il en fixant Keeley du regard. Si je vois un ange, c'est que je suis monté au ciel.

Keeley rosit de plaisir, avant de se souvenir que tout à l'heure, il l'apparentait plutôt aux enfers.

— Non, guerrier, vous n'êtes pas monté au ciel. Vous êtes toujours de ce monde.

— Ce n'est pas possible. Les anges tels que vous ne résident pas ici-bas.

Keeley, souriante, lui caressa la joue. Il ferma les yeux et une expression de plaisir éclaira son visage.

— Dormez, maintenant, murmura-t-elle. Vous aurez besoin de beaucoup de repos pour vous rétablir.

— Vous ne m'abandonnerez pas, n'est-ce pas ?

— Non, guerrier. Je ne vous abandonnerai pas.

3

Alaric percevait une douleur, à son flanc droit, qui s'intensifiait à mesure qu'il reprenait conscience. La souffrance était si atroce qu'il voulut se tourner, dans l'espoir de l'atténuer.

— Ne vous agitez pas, lui dit une voix douce comme du miel. Vous allez rouvrir votre blessure.

La voix s'accompagnait de caresses sur sa peau en feu. La brûlure était à peine supportable, mais il n'avait pas envie que l'ange cesse de le toucher, car c'était son unique source de réconfort.

Alaric n'aurait pas su dire comment il pouvait endurer en même temps les flammes de l'enfer et jouir des caresses du plus merveilleux des anges. Peut-être se trouvait-il à la confluence des deux univers, sans que quiconque lui ait encore indiqué la direction qu'il devrait suivre.

— J'ai soif, murmura-t-il d'une voix rauque, avant de passer sa langue sur ses lèvres desséchées.

— Je veux bien vous laisser boire un peu, dit l'ange. Mais pas trop. Sinon, vous allez tout rendre sur mon plancher.

Elle passa une main sous sa nuque pour lui soulever la tête. Alaric avait honte de se sentir si faible au point de n'être même pas capable de boire tout seul, mais sans l'aide de la jeune femme il n'aurait pas pu se redresser.

De son autre main, son bon ange approcha un gobelet de ses lèvres. Alaric but avec avidité. Mais le contraste entre la froideur de l'eau et la chaleur de son corps brûlant lui donna de violents frissons.

— Là, là, murmura l'ange. C'est assez pour maintenant. Je sais que vous souffrez, mais je vais vous préparer une tisane pour atténuer vos douleurs. Elle vous aidera aussi à mieux dormir.

Alaric n'avait pas envie de dormir. Il préférait demeurer dans les bras de l'ange, la tête tout près de sa poitrine. Une belle poitrine, bien rebondie, comme auraient dû en posséder toutes les femmes. Il respira une grande goulée d'air, pour s'enivrer de son parfum, et ses douleurs parurent refluer, chassées par un intense sentiment de paix. Cette fois, c'était sûr : il prenait la direction du paradis.

— Comment vous appelez-vous ? demanda-t-il.

Toutefois, il n'était pas certain que les anges aient un nom.

— Keeley. Je m'appelle Keeley, guerrier. Mais taisez-vous, à présent. Il vous faut vous reposer, si vous voulez recouvrer vos forces. Je ne me suis quand même pas donné tout ce mal pour que vous vous laissiez mourir.

Non, il n'avait pas l'intention de mourir. Il avait des choses à faire. Des choses urgentes, même si son esprit provisoirement engourdi l'empêchait de se les rappeler avec précision.

Peut-être l'ange avait-il raison. Mieux valait qu'il se repose un moment. Avec un peu de chance, ses idées seraient plus claires à son réveil.

Il inspira encore un grand coup, avant de se détendre. Il sentit que son ange lui reposait la tête sur un oreiller. Il inspira de nouveau, pour se repaître de son parfum. C'était comme goûter au plus délicieux des nectars, et une agréable sensation de bien-être irrigua ses veines.

Il renonça à lutter. Son ange ne le laisserait pas mourir.

— Non, guerrier, dit-elle, comme si elle avait deviné ses pensées. Je ne vous laisserai pas mourir.

Et elle lui embrassa la tempe.

Alaric tourna la tête, pour lui offrir ses lèvres. Il avait la certitude qu'il mourrait *réellement*, si elle ne l'embrassait pas sur la bouche.

Elle hésita quelques instants, qui lui parurent durer une éternité, puis finit par poser ses lèvres sur les siennes. Oh, très furtivement. Et avec beaucoup d'innocence – comme un baiser d'enfant.

Alaric retint une protestation. Il n'était pas question qu'il se contente d'un petit baiser de rien du tout !

— Embrassez-moi, l'ange. Embrassez-moi vraiment.

Alaric l'entendit soupirer, mais elle resta près de lui. Il sentait son souffle chaud sur son visage.

Puisant dans sa volonté, il réussit à lever un bras pour lui saisir la nuque et l'empêcher de bouger. Puis, redressant la tête, il l'embrassa à pleine bouche.

Dieu, que ses lèvres étaient douces ! Alaric essaya de forcer leur barrage avec sa langue, pour qu'elle s'ouvre davantage à son baiser. Finalement, après un autre petit soupir, elle se décida à lui donner ce qu'il réclamait. Elle entrouvrit la bouche, et Alaric put y glisser sa langue.

Cette fois, il était au paradis. Ou alors, si c'était ça l'enfer, n'importe quel Écossais aurait été prêt à s'y jeter la tête la première.

Mais, déjà, Alaric perdait le peu de forces qu'il avait pu rassembler. Lourdement, il laissa sa tête retomber sur l'oreiller.

— Vous avez tort de vouloir vous surmener, guerrier, le réprimanda-t-elle d'une voix altérée.

— Cela en valait la peine, murmura-t-il.

Il crut la voir sourire, mais sa vision était si floue qu'il n'aurait pas pu le jurer. Puis il sentit qu'elle se redressait et s'éloignait du lit. Il était trop faible pour protester. Quelques minutes plus tard, cependant, elle revint près de lui, pour approcher un autre gobelet de ses lèvres.

Cette fois, ce n'était plus de l'eau, mais une boisson amère, et la première gorgée le fit tousser. Mais elle insista, versant le liquide dans sa bouche.

Quand elle eut terminé de le faire boire, elle reposa sa tête sur l'oreiller.

— Et maintenant, dormez pour de bon, dit-elle.

— Restez près de moi, l'ange. J'ai moins mal, quand vous êtes là.

Il sentit qu'elle s'allongeait contre lui – du côté qui ne le faisait pas souffrir. Alaric se détendit. Un sentiment de paix l'envahit à nouveau. Oui, elle était son bon ange, descendu tout exprès du ciel pour le protéger de l'enfer.

Mais au cas où elle aurait voulu encore s'éloigner, Alaric lui enlaça la taille, pour la serrer contre lui. Puis il nicha sa tête dans sa chevelure et il inspira son odeur.

L'obscurité s'empara de lui.

Keeley se trouvait dans une situation délicate. Allongée contre son guerrier, dont le bras entourait sa taille, tel un cercle d'acier. Elle n'avait pas bougé, espérant qu'il relâcherait sa pression une fois endormi. Mais pas du tout. Il la serrait toujours aussi fort.

Son corps musclé était agité de frissons trahissant une forte fièvre. Plusieurs fois, il grommela des sons inintelligibles. Dans ces moments-là, Keeley lui caressait le front et lui murmurait des paroles apaisantes. Sa voix semblait avoir un effet lénifiant sur lui.

Elle se servit de son bras comme oreiller, et cala son visage contre son torse. C'était péché, bien sûr, de s'allonger ainsi auprès d'un homme – et d'y prendre du plaisir. Mais personne ne pouvait les voir et Dieu ne saurait lui en porter rigueur, si elle réussissait à sauver la vie du guerrier.

Un coup d'œil en direction de la fenêtre la fit grimacer. Le soir tombait déjà et l'atmosphère fraîchissait rapidement. Keeley devrait se relever, pour couvrir la fenêtre et ranimer le feu, s'ils voulaient profiter d'une bonne nuit au chaud.

Il lui fallait aussi régler le problème du cheval – à supposer que l'animal n'ait pas eu la mauvaise idée de s'enfuir. Les guerriers ne supportaient pas qu'on maltraite leurs montures. Celui-ci ne ferait pas exception à la règle : il pardonnerait plus facilement à Keeley de l'avoir mal soigné que d'avoir négligé son cheval. Les hommes avaient leurs priorités.

Avec un soupir de regret, la jeune femme se libéra de l'étreinte du guerrier. Ce qui n'était pas facile, car même dans son sommeil, il semblait déterminé à ce qu'elle reste auprès de lui.

Il fronça les sourcils et grommela même quelques vagues protestations dans son sommeil. Mais finalement, Keeley réussit à se libérer.

Elle se releva et s'étira avant d'aller couvrir la fenêtre avec un volet de bois. Dehors, le ciel était plombé. Il neigerait sans doute pendant la nuit.

Keeley s'empara de son châle, le serra sur ses épaules et se risqua dehors. À son grand soulagement, le cheval était resté près de la maison, comme s'il attendait sagement son maître.

La jeune femme lui flatta l'encolure.

— Je me doute que tu es habitué à ce qu'on s'occupe mieux de toi mais hélas, je n'ai pas d'abri à t'offrir. Crois-tu que tu pourras passer la nuit à la belle étoile ?

L'animal renifla bruyamment et agita la tête de haut en bas, soufflant de la vapeur par ses naseaux. C'était un solide cheval et il avait sans doute déjà connu des conditions plus extrêmes. De toute façon, Keeley ne possédait pas d'écurie et elle ne pouvait pas davantage l'accueillir dans son cottage.

Après une dernière caresse, elle abandonna l'animal pour collecter quelques bûches. Son tas de bois s'amenuisait dangereusement. Il lui faudrait fendre de nouvelles bûches dès demain matin pour continuer à se chauffer.

Le vent s'était levé, soulevant les pans de son châle et la mordant au visage. Keeley s'empressa de rentrer à l'intérieur, pour déposer son bois près de l'âtre. Puis elle referma sa porte avant d'ajouter quelques bûches dans le feu, qu'elle tisonna pour lui donner plus d'ardeur.

Son estomac gargouillait, lui rappelant qu'elle n'avait rien avalé depuis son petit déjeuner. Elle sortit de son garde-manger une tranche de poisson séché et un morceau de pain et elle s'accroupit sur le plancher, entre le guerrier et la cheminée, pour les déguster bien au chaud.

Pendant qu'elle mastiquait machinalement son repas, Keeley ne put s'empêcher d'admirer à nouveau les traits du guerrier. Puis elle laissa dériver ses pensées, s'imaginant qu'elle appartenait à un tel homme. L'idée avait de quoi la séduire. Elle se voyait dîner avec lui tous les soirs, après une journée de dur labeur. Ou bien, l'accueillir alors qu'il revenait d'une bataille – dont il serait, bien sûr, sorti victorieux.

Il serait si ravi de la revoir qu'il la serrerait très fort dans ses bras et l'embrasserait jusqu'à en perdre le souffle. Puis il lui dirait qu'elle lui avait manqué et qu'il avait souvent pensé à elle.

Keeley ne put retenir un sourire nostalgique. Avec Rionna, elles avaient souvent rêvé, enfants, au jour où elles épouseraient leur guerrier. Mais cet espoir avait été cruellement retiré à Keeley et, dans le désastre qui avait suivi, son amitié avec Rionna, si chère à son cœur, avait volé en éclats.

À présent, Keeley avait peu de chances d'épouser qui que ce soit. Aucun McDonald ne voudrait d'elle. Or elle ne s'était jamais aventurée en dehors des frontières du clan…

Ce beau guerrier tombé devant sa porte n'était-il pas un signe du destin ? Peut-être incarnait-il l'unique chance, pour elle, d'avoir un homme dans sa vie ? Certes, il n'était pas impossible qu'il cherche simplement à prendre du bon temps pendant sa convalescence, avant de repartir courir l'aventure. Quoi qu'il en soit, Keeley ne voulait pas s'interdire de rêver. Car ses rêves l'aidaient à supporter la réalité.

Elle sourit de nouveau. Tout à l'heure, le guerrier l'avait appelée son ange. Il la croyait très belle. La fièvre l'aveuglait, bien sûr. N'empêche : Keeley était émue qu'un si bel homme ait rassemblé toutes ses forces, malgré sa blessure, pour l'embrasser.

La jeune femme promena un doigt sur ses lèvres, là où le guerrier avait posé les siennes. Elle n'avait pas cherché à le repousser. Était-ce la preuve qu'elle était bien la catin que les McDonald avaient bannie ? Pour autant, Keeley refusait d'éprouver la moindre culpabilité. De toute façon, plus personne ne croyait en sa moralité, alors elle ne risquait pas de chuter davantage dans l'estime de qui que ce soit.

Et puis, elle n'avait pas eu l'impression de pécher.

Deux ou trois baisers volés et des rêves de jeune fille ne pouvaient faire de mal à personne. Et Keeley était lasse de toujours se répéter qu'elle devait renoncer à l'amour. Elle soignerait le guerrier de son mieux. Et s'il décidait de l'embrasser encore durant sa convalescence…

Une fois son repas terminé, elle s'essuya les mains à ses jupes et décida de se rallonger là où elle était si bien, tout à l'heure.

Elle souleva le bras du guerrier, pour se nicher contre lui. Aussitôt, il referma son bras sur sa taille.

— Mon ange, murmura-t-il, et Keeley en éprouva une onde de chaleur dans tout le corps.

Elle sourit et se lova tout contre lui.

— Oui, dit-elle. Votre ange est revenu.

4

Avec quelle rapidité l'ange pouvait se transformer en démon ! Le lendemain, le guerrier fut toute la journée en proie à une forte fièvre, alternant les moments où il vouait Keeley aux gémonies et ceux où il l'attirait dans ses bras pour lui murmurer qu'elle était l'ange le plus délicieux de la Création.

Épuisée, Keeley ne savait jamais s'il allait essayer de l'embrasser ou au contraire s'il la repousserait avec violence. Par chance, son état de faiblesse l'empêchait de s'en prendre trop rudement à elle.

Keeley s'inquiétait de son état. Sincèrement. Aussi ne quittait-elle pas son chevet. Elle épongeait la sueur qui coulait de son front et elle en profitait, de temps en temps, pour lui embrasser les sourcils. Il semblait beaucoup apprécier ces petits baisers.

Une fois, il s'empara de ses lèvres avec une telle fougue qu'elle en resta le souffle coupé. Il devait avoir un grand appétit pour les choses de la chair, car quand il ne la maudissait pas, il passait son temps à essayer de lui voler des baisers.

Et Keeley – Dieu lui pardonne – ne cherchait pas à l'en dissuader. Après tout, il était très malade : l'excuse était toute trouvée pour qu'elle s'autorise à tolérer ses débordements d'affection.

Dans l'après-midi, elle recueillit un bol de bouillon du ragoût de gibier qu'elle faisait cuire au-dessus du feu. Ce matin, elle avait eu le bonheur de trouver devant sa porte une demi-carcasse d'animal sauvage déposée par l'un des bénéficiaires de ses soins. Avec cette viande, elle aurait de quoi se nourrir pendant plusieurs jours.

Le bol à la main, elle s'agenouilla auprès du guerrier, pour lui faire boire le bouillon.

Heureusement, il n'était pas d'humeur belliqueuse. Keeley était redevenue son bon ange. Et il but le bouillon comme s'il s'agissait d'un nectar offert par Dieu en personne. Sans doute le croyait-il, dans son esprit enfiévré.

Keeley faillit lâcher le bol quand quelqu'un frappa soudain à la porte. Prise de panique, elle chercha frénétiquement des yeux un endroit où cacher le guerrier. Hélas, c'était impossible.

Elle posa le bol par terre et se releva pour aller entrouvrir sa porte. Le soleil disparaissait déjà derrière la crête des montagnes et le vent s'engouffra avec violence dans l'interstice.

Keeley soupira de soulagement en reconnaissant une fermière des environs. Puis elle se souvint que le cheval du guerrier paissait à côté de la maison.

La jeune femme sortit sur le pas de sa porte et regarda de droite et de gauche, mais elle ne vit pas trace de l'animal. Où diable était-il passé ? Le guerrier serait furieux d'apprendre qu'il avait disparu. Et si quelqu'un l'avait volé ?

— Je suis désolée de te déranger par ce temps glacial, Keeley, commença Jane McNab.

Keeley reporta son attention sur sa visiteuse et s'obligea à sourire.

— Tu ne me déranges pas du tout, répondit-elle. Mais tu ferais mieux de garder tes distances. Je crois que je couve quelque chose, et je ne voudrais pas te contaminer.

Jane McNab s'empressa de reculer d'un pas. Au moins, elle ne s'étonnerait plus que Keeley ne l'invite pas à rentrer chez elle.

— Je voulais te demander si tu pouvais me donner un peu de ton remède pour Angus, dit-elle. Il tousse beaucoup. En fait, il tousse ainsi chaque fois qu'il y a un changement de temps.

— Mais bien sûr, acquiesça Keeley. J'en ai justement préparé avant-hier. Attends ici, je vais t'en chercher un peu.

Elle rentra chez elle et fouilla dans les étagères où elle entreposait ses différentes potions, mixtures et autres décoctions. Celle qu'utilisait Angus était très recherchée, car elle servait à d'autres patients qui souffraient de la même affection. Ouvrant le grand pot dans laquelle elle la conservait, Keeley en préleva une portion suffisante pour une semaine et l'offrit à Jane, qui tremblait dans le froid.

— Merci, Keeley. Je prierai pour que tu sois réintégrée dans le clan.

Elle glissa une pièce dans la main de la jeune femme et tourna les talons avant que celle-ci ait pu répondre quoi que ce soit.

Keeley haussa les épaules, referma sa porte et déposa la pièce dans la petite bourse où elle rassemblait sa maigre fortune. Avec l'hiver qui approchait, elle aurait besoin de tout cet argent pour s'acheter de quoi se nourrir, quand les légumes du potager viendraient à manquer.

Le guerrier dormait toujours, mais il ne s'agitait plus dans son sommeil et il avait cessé de proférer des paroles incohérentes. Keeley soupira de soulagement. Elle n'avait pas eu à mentir pour convaincre Jane qu'elle ne se sentait pas très bien. Elle était exténuée et elle aurait donné n'importe quoi pour une bonne nuit de sommeil.

Elle s'agenouilla auprès du guerrier et posa une main sur son front. Sa peau était toujours brûlante au toucher. Mais la fièvre lui donnait des frissons, comme s'il était transi.

La jeune femme coula un regard en direction du feu. Elle devrait ressortir encore une fois pour s'approvisionner en bois avant la nuit.

Autant le faire tout de suite, avant que le froid ne devienne encore plus mordant. Keeley resserra son châle sur sa poitrine et s'arma de courage pour affronter la bise.

À son retour, son châle, malmené par le vent, avait pratiquement glissé de ses épaules. La jeune femme déposa ses bûches à côté de l'âtre et s'affaira à ranimer le feu.

Elle avait faim, mais elle était trop fatiguée pour manger. Elle n'avait qu'une envie : s'allonger et fermer les yeux. Cependant, si elle voulait dormir, elle devait d'abord s'assurer que le guerrier ne troublerait pas son sommeil.

Elle prépara donc une décoction soporifique à son intention.

— Buvez, dit-elle d'une voix persuasive, approchant le bol de ses lèvres. Vous passerez une meilleure nuit. Vous avez besoin de dormir en paix.

Et moi aussi.

Il but docilement la potion, ne grimaçant qu'après la dernière gorgée. Soulagée, Keeley lui reposa avec douceur la tête sur l'oreiller, puis elle le recouvrit d'une fourrure pour qu'il ait bien chaud, avant de s'allonger contre lui.

Ce n'était pas très convenable, à l'évidence. Si quelqu'un les avait surpris ainsi, il aurait été scandalisé et Keeley aurait de nouveau été traitée de catin. Mais personne n'était là pour la décrier – de toute façon, elle ne permettrait pas qu'on la juge sous son propre toit.

Puisqu'elle avait renoncé à son lit pour le guerrier, au moins pouvait-elle profiter de sa chaleur.

La potion commençait à faire effet. Et peut-être aussi sa présence, songea Keeley, car le guerrier frissonnait moins. À un moment, il laissa même échapper un petit soupir de contentement, avant d'enlacer la jeune femme à la taille pour la serrer contre lui.

Keeley brûlait d'envie de lui rendre la pareille, mais elle n'osait, de peur de toucher sa blessure et de raviver ses douleurs. Aussi se contenta-t-elle de poser une main sur son torse.

— Vous êtes très séduisant, guerrier, murmura-t-elle. J'ignore d'où vous venez, et si vos intentions sont pacifiques, mais une chose est sûre : je n'avais encore jamais vu un aussi bel homme de ma vie.

Elle s'endormit peu après, sans voir que le guerrier souriait dans l'obscurité.

5

Un mauvais pressentiment réveilla Keeley quelques instants avant qu'elle ne rouvre les yeux. Et elle aurait crié d'effroi si une grosse main ne s'était pas plaquée sur sa bouche pour la faire taire.

Plusieurs hommes les entouraient, elle et le guerrier blessé. À en juger par leurs mines, ils n'avaient pas du tout l'air contents.

Dans son affolement, c'est à peine si Keeley remarqua que deux des intrus avaient presque les mêmes traits que son guerrier.

De toute façon, elle n'eut pas le temps de s'attarder sur le sujet, car un homme armé d'une épée si grande qu'elle aurait pu facilement la trancher la mit debout sur ses pieds.

La jeune femme voulut lui demander ce qu'ils faisaient tous là, mais l'homme lui jeta un regard qui la dissuada d'ouvrir la bouche.

En revanche, il semblait avoir lui aussi des questions à lui poser.

— Qui êtes-vous, et que lui avez-vous fait ? demanda-t-il, désignant le guerrier blessé, toujours étendu au sol.

Keeley ne put retenir son indignation.

— Ce que je lui ai fait ? Je lui ai tout simplement sauvé la vie !

L'homme plissa les yeux et lui serra si fort le bras qu'elle faillit hurler de douleur.

— Lâche-la, Caelen, dit celui qui semblait être le chef.

Caelen la relâcha, mais pour l'envoyer bouler contre le torse d'un autre guerrier, qui la saisit lui aussi au bras – avec à peine moins de rudesse – pour l'empêcher de s'éloigner.

Le chef s'agenouilla auprès du guerrier blessé. Il semblait inquiet et il promena sa main sur son corps, comme s'il cherchait à comprendre la cause de son état.

— Alaric ! cria-t-il, assez fort pour réveiller un mort.

Alaric ? C'était un joli nom, pour un guerrier. Mais Alaric ne cilla même pas. L'homme se tourna alors vers Keeley et ses yeux – du même vert que ceux d'Alaric – s'assombrirent dangereusement.

— Que lui est-il arrivé ? Pourquoi ne se réveille-t-il pas ?

Keeley regarda le guerrier qui la retenait prisonnière, avant de baisser les yeux à l'endroit où il lui tenait le bras. Le guerrier finit par comprendre et la relâcha.

La jeune femme s'agenouilla à son tour auprès d'Alaric.

— Il a la fièvre, expliqua-t-elle.

— Je m'en étais rendu compte, répliqua l'homme. Mais pourquoi est-il malade ?

Keeley repoussa la fourrure qui recouvrait Alaric et écarta les pans de sa tunique pour montrer la blessure qu'elle avait recousue. Les autres guerriers s'approchèrent pour mieux voir.

— J'ignore ce qui lui est arrivé, expliqua encore Keeley. Son cheval l'a amené ici et il s'est effondré à terre, juste devant ma porte. Il avait une vilaine plaie, sur le côté. Je l'ai recousue de mon mieux et depuis, je m'occupe de lui et je le garde au chaud.

— Elle l'a bien recousu, grommela Caelen, de mauvaise grâce.

Keeley se retint de répliquer, mais elle mourait d'envie de lui donner un bon coup de pied au derrière. Elle avait encore mal au bras, là où Caelen l'avait serré.

— Oui, elle a fait du bon travail, acquiesça le chef. Mais tout ça ne nous dit pas pourquoi il est arrivé ici dans cet état.

Il scrutait Keeley du regard, comme s'il cherchait à savoir s'il pouvait ou non lui faire confiance.

— Si je le savais, je vous le dirais, assura Keeley. À mon avis, il est tombé dans une embuscade, parce qu'il a l'air tout à fait capable de se défendre tout seul dans un combat à la loyale.

Une lueur brilla furtivement dans les yeux du chef et Keeley aurait juré qu'il esquissait un sourire.

— Je suis le laird McCabe, dit-il. Alaric est mon frère.

Keeley baissa les yeux en signe d'allégeance. Il n'était pas son laird, mais un homme de son rang exigeait de toute façon le respect.

— Qui êtes-vous ? lui demanda-t-il d'un ton impatient.

— Keeley… juste Keeley.

Après tout, les McDonald ne la revendiquaient plus comme l'une des leurs.

— Eh bien, juste Keeley, il semblerait que mon frère vous doive la vie.

Keeley se sentit rougir. Elle n'était pas habituée à de tels compliments.

Laird McCabe se tourna vers ses hommes, pour distribuer ses ordres afin qu'Alaric puisse être ramené chez eux. Keeley se doutait bien qu'ils étaient venus le chercher, mais elle ne put s'empêcher d'éprouver de la tristesse à l'idée qu'Alaric ne dormirait plus sous son toit.

— Son imbécile de cheval s'est enfui, précisa-t-elle, pour ne pas qu'on lui reproche de n'avoir pas su s'occuper de l'animal. J'ai pourtant fait ce que j'ai pu pour le retenir.

Une autre amorce de sourire éclaira furtivement le visage du laird McCabe.

— C'est cet imbécile de cheval qui nous a prévenus qu'Alaric avait eu des problèmes, répliqua-t-il, non sans ironie.

Keeley les écouta organiser leur départ d'une oreille distraite. Si distraite qu'elle faillit ne pas se rendre compte qu'ils mentionnaient son nom dans leur discussion. Oui, c'était bien cela : ils venaient une deuxième fois de faire référence à elle.

La jeune femme se tourna vers Caelen – probablement le troisième frère McCabe, car il ressemblait à s'y méprendre à Alaric. À ceci près que ce dernier était plus agréable à regarder. Caelen avait l'air si féroce que les femmes devaient fuir sa présence.

— Je n'irai pas avec vous, protesta-t-elle, bien qu'elle ne fût pas certaine d'avoir bien entendu.

Pour toute réponse, Caelen la saisit à la taille et la fit basculer sur son épaule, tel un vulgaire sac de blé. Et il sortit de la maison.

Keeley était si stupéfaite qu'elle en resta d'abord sans réaction. Mais voyant qu'il l'amenait jusqu'à son cheval, elle commença à se débattre.

Caelen la reposa par terre.

— Vous avez le choix, exposa-t-il : Soit vous me laissez gentiment vous asseoir sur mon cheval, soit je vous ligote et je vous bâillonne pour vous jeter en travers de ma selle.

— Pourquoi voulez-vous m'enlever ? Je n'ai rien fait de mal à votre frère ! Au contraire, je lui ai sauvé la vie. Où est votre gratitude ?

— Nous avons besoin d'une bonne guérisseuse pour notre clan, expliqua Caelen avec calme. Vous avez fait de l'excellent travail avec mon frère. Désormais, vous soignerez les McCabe.

— Je ne partirai pas avec vous, s'entêta Keeley, affichant un air farouche.

Et elle croisa les bras sur sa poitrine, pour donner plus de poids à ses paroles.

— Très bien...

Caelen la souleva de nouveau de terre, pour la confier à un autre guerrier, déjà en selle.

— Vous voilà contente ? lui lança Caelen. Vous voyagerez avec Gannon.

Gannon installa Keeley devant lui, mais il ne semblait pas ravi d'avoir à se charger d'un tel fardeau.

La jeune femme n'était pas davantage satisfaite et elle entendait le faire savoir à Caelen.

— Je vous déteste ! Vous n'êtes qu'un grossier personnage.

Il haussa les épaules, comme s'il se moquait éperdument de ce qu'elle pouvait penser de lui. Puis il tourna les talons, afin d'inspecter la litière confectionnée par les autres guerriers pour transporter Alaric.

— Prenez garde à ne pas rouvrir sa blessure ! leur cria Keeley.

Elle voulut descendre de cheval pour les rejoindre, mais Gannon l'enlaça fermement à la taille, pour l'en empêcher.

— À votre place, je me tiendrais tranquille.

— Je refuse de partir d'ici ! protesta Keeley.

Gannon haussa les épaules.

— Puisque le laird a décidé de vous emmener, vous feriez mieux de l'accepter de bonne grâce. Après tout, le clan McCabe n'est pas si mauvais. Et notre guérisseuse est morte il y a quelques semaines. Nous cherchions justement sa remplaçante.

Keeley songea à lui répondre qu'on ne pouvait pas disposer des gens comme cela, mais elle préféra s'abstenir, convaincue qu'il resterait sourd à ses arguments.

Gannon sembla se détendre, comme s'il était soulagé qu'elle ne cherche plus à se débattre.

Un clan. Keeley se voyait proposer d'intégrer un clan. Mais avec quel statut ? Serait-elle considérée comme un membre à part entière, ou comme une vulgaire prisonnière privée de toute liberté de mouvements ? Et ne serait-elle correctement traitée que jusqu'à la guérison complète d'Alaric ?

Mais s'il ne guérissait pas, les McCabe la tiendraient-ils pour responsable ?

Keeley ne put réprimer un frisson à cette idée.

Mais non. Elle ne laisserait pas mourir Alaric. Du reste, elle l'avait décidé dès l'instant où elle avait posé pour la première fois son regard sur le beau guerrier blessé.

Gannon dut la sentir frissonner, car il lança à ses compagnons :

— Trouvez quelque chose pour couvrir la fille, sinon elle sera gelée avant que nous arrivions chez nous.

L'un des guerriers apporta une couverture que Gannon drapa soigneusement sur les épaules de Keeley, qui en resserra les bords et s'adossa au torse du guerrier, bien qu'il fût son ravisseur et elle, sa captive.

Pas vraiment, en réalité. Il n'était pas son ravisseur, car il ne semblait pas davantage se féliciter de la situation qu'elle. Si elle devait s'en prendre à quelqu'un, c'était plutôt à Caelen. Et au laird.

Elle jeta un regard noir dans leur direction, pour qu'ils sachent bien qu'elle était furieuse après eux. Mais ils ne parurent même pas s'en apercevoir, occupés à superviser l'installation d'Alaric sur la litière.

Quand tous furent prêts à partir, le laird prit la parole.

— Soyez vigilants, ordonna-t-il à ses hommes. Nous ignorons ce qui est arrivé à Alaric, mais il est le seul à en avoir réchappé. Tous ses compagnons ont péri. Nous devons donc rentrer chez nous le plus vite possible.

Keeley frissonna à ces paroles. Ainsi, elle ne s'était pas trompée : on avait bel et bien voulu tuer son beau guerrier.

— Ne vous inquiétez pas, lui murmura Gannon, se méprenant sur sa réaction. Nous vous protégerons. Il ne vous arrivera aucun mal.

Bizarrement, elle le crut. S'il pouvait sembler ridicule d'accorder sa confiance à ces hommes qui l'enlevaient de chez elle, Keeley était convaincue qu'elle serait en sécurité tant qu'elle resterait en leur compagnie.

Aussi, à peine se mirent-ils en route qu'elle commença à se détendre. Ses deux dernières nuits blanches, passées à veiller sur Alaric, l'avaient épuisée. En outre, elle avait froid et faim. Mais pour l'instant, elle n'avait aucun moyen d'y remédier.

Alors, elle fit la seule chose qui était à sa portée : elle s'endormit.

6

— Tu aurais au moins pu trouver une femme plus accommodante ! marmonna Caelen.

Ewan sourit avant de jeter un regard aux deux cavaliers qui portaient la litière d'Alaric entre leurs chevaux. Alaric ne s'était toujours pas réveillé, mais de toute évidence la jeune femme à l'esprit vif s'était très bien occupée de lui. Ce qui la désignait à merveille pour ce qu'il avait en tête.

— Elle paraît douée pour guérir les gens, répondit-il évasivement, afin que Caelen ne se lance pas dans une diatribe contre la gent féminine, comme il en avait si souvent l'habitude.

Tandis qu'il parlait, son regard s'était porté sur Gannon, qui chevauchait en tenant la jeune femme contre lui. Elle s'était endormie et elle ballotait entre ses bras.

— Il semblerait qu'elle ne se soit pas beaucoup reposée pendant qu'elle veillait sur Alaric, ajouta Ewan. Nous avons besoin de quelqu'un comme elle, qui se consacre tout entière à sa tâche. Avec l'accouchement de Mairin qui approche, je serai soulagé de savoir que nous pouvons compter sur une sage-femme compétente. Je ne veux prendre aucun risque ni avec Mairin ni avec le bébé.

Caelen hocha la tête. Il ne pouvait qu'acquiescer.

Soudain, Gannon ralentit son cheval, car la jeune femme menaçait de tomber de selle. Heureusement, il réussit à la rattraper. Elle rouvrit les yeux en se redressant.

Le regard noir qu'elle lui lança donna à Ewan l'envie d'éclater de rire. Elle ne manquait pas d'insolence ! Et le plus amusant, c'est qu'elle ne semblait pas du tout se réjouir de l'honneur qu'il lui faisait. Pour être franc, il avait du mal à comprendre qu'elle préfère continuer à vivre misérablement, dans un cottage isolé, alors qu'il lui offrait une très belle position dans le clan McCabe.

— Êtes-vous déjà intervenue en tant que sage-femme ? lui demanda-t-il.

Elle fronça les sourcils, interloquée.

— Oui, cela a dû m'arriver une ou deux fois, répondit-elle, sur la défensive.

— Et êtes-vous douée pour les accouchements ?

— Aucun des bébés que j'ai aidés à venir au monde n'en est mort, si c'est ce que vous voulez savoir, répliqua-t-elle d'un ton sec.

Ewan rapprocha son cheval de celui de Gannon et vrilla son regard dans celui de la jeune femme.

— Écoutez-moi bien, jeune harpie : deux personnes très importantes à mes yeux ont besoin de vos soins. Mon frère, qui est gravement blessé, et ma femme, qui accouchera pour la première fois durant l'hiver. Je compte sur votre compétence, et pas sur votre insolence. Une fois que vous serez sur mes terres, ma parole aura force de loi et vous m'obéirez. Ou sinon, vous passerez l'hiver dehors, sans toit pour vous abriter !

Keeley pinça les lèvres, mais elle hocha légèrement la tête.

— Vous feriez mieux de ne pas mettre le laird en colère, lui murmura Gannon. La grossesse de sa femme l'a rendu très nerveux. Vous comprenez, c'est l'avenir du clan McCabe qui en dépend.

Keeley se reprocha son irrévérence. En revanche, elle n'éprouvait aucune culpabilité vis-à-vis des McCabe. Ils l'avaient tout de même enlevée de chez elle sans lui demander son avis ! Si le laird lui avait patiemment expliqué son problème, elle aurait sans doute volontiers accepté de le suivre. Mais Keeley était lasse de devoir toujours subir sa destinée, sans jamais avoir le choix.

— En tout, j'ai aidé à naître plus d'une vingtaine d'enfants, et tous en bonne santé, précisa-t-elle. Je n'en ai perdu aucun. Je veillerai sur votre femme et je ne laisserai pas mourir votre frère. J'ai fait de sa survie une affaire personnelle, et croyez-moi, je n'ai pas l'intention de renoncer.

— Eh bien, pour une entêtée, c'est une entêtée ! marmonna Caelen. Je parierais qu'elle va très bien s'entendre avec Mairin.

Keeley haussa les sourcils.

— Mairin ?

— La femme du laird, expliqua Gannon.

Keeley scruta le laird, car elle était convaincue qu'il avait dit vrai. Sa femme et son frère comptaient beaucoup pour lui. Elle pouvait d'ailleurs voir, à ses traits, qu'il était soucieux. Le cœur romantique de la jeune femme ne pouvait qu'en être bouleversé.

Après tout, c'était très attentionné de sa part de kidnapper une guérisseuse pour s'assurer que sa femme aurait quelqu'un de compétent à ses côtés lorsqu'elle accoucherait !

Keeley grimaça. Elle s'égarait. Le laird McCabe l'avait kidnappée, un point c'est tout. Il ne s'était pas soucié un instant de ses désirs.

— Quelle imbécile tu fais ! marmonna-t-elle.

— Pardon ? fit Gannon, qui semblait offusqué.

— Pas vous. Je me parlais à moi-même, répondit Keeley, avant de demander, à haute voix : À quelle distance se trouve votre forteresse, laird ?

Le laird reporta son attention sur elle.

— À moins d'une journée de cheval. Mais comme nous devons porter Alaric, le trajet prendra davantage de temps. Nous n'arriverons que demain. Pour ce soir, nous essaierons quand même de bivouaquer le plus près possible des terres McCabe.

— Quand j'aurai guéri votre frère et délivré l'enfant de lady McCabe, serai-je libre de rentrer chez moi ?

Le laird plissa les yeux. Caelen semblait mourir d'envie de crier « Oui ! » à sa place.

— J'y réfléchirai, répondit finalement le laird. Mais je ne vous promets rien. Notre clan a besoin d'une bonne guérisseuse.

Keeley n'était qu'à moitié satisfaite. Toutefois, c'était toujours mieux qu'un refus clair et net.

Comme la fatigue la saisissait de nouveau, elle s'adossa de nouveau à Gannon, sans se soucier de savoir si c'était convenable ou non. De toute façon, elle avait été enlevée contre son gré, et personne ne songerait à lui reprocher sa conduite.

Elle décida de s'intéresser au paysage. Après tout, c'était la première fois qu'elle s'éloignait autant du lieu où elle était née et où elle avait toujours vécu. Mais la différence n'était guère perceptible : à perte de vue, elle n'apercevait que les mêmes collines rugueuses, hérissées de rochers et de bosquets de conifères, alternant avec des vallées plus verdoyantes. Avec, en toile de fond, les sommets des Highlands.

C'était magnifique, bien sûr. Mais très semblable à ce qu'elle connaissait.

Quand ils atteignirent le bord d'un ruisseau qui reliait deux petits lacs, le laird McCabe ordonna de faire halte et demanda à ses hommes de préparer leur campement pour la nuit.

Chacun s'attela alors à une tâche précise, comme si la manœuvre était savamment huilée. Bientôt, un grand feu crépita dans l'air et des gardes furent postés à tous les coins du campement.

Dès qu'on déposa Alaric non loin du feu, Keeley s'empressa de le rejoindre pour l'examiner.

Elle s'inquiétait qu'il n'ait pas repris une seule fois connaissance durant leur trajet. Elle se pencha sur sa poitrine, pour écouter sa respiration. Elle était laborieuse. Son front était toujours brûlant au toucher et ses lèvres desséchées.

Keeley se tourna vers ses frères, devinant qu'ils la regardaient.

— Apportez-moi de l'eau. Et j'ai besoin que l'un de vous m'aide à le faire boire.

Caelen s'occupa d'aller chercher l'eau, pendant qu'Ewan s'agenouillait de l'autre côté d'Alaric et passait une main sous le cou de son frère. Il lui leva la tête dès que Caelen apporta un gobelet rempli d'eau à Keeley.

La jeune femme porta le gobelet aux lèvres d'Alaric, mais quand elle voulut verser l'eau dans sa bouche, il la recracha immédiatement.

— Montrez-vous un peu coopératif, guerrier, le gronda-t-elle. Si vous buvez, nous dormirons tous mieux ce soir. Je commence à me lasser de passer des nuits blanches à cause de vous.

— Diable, marmonna Alaric, sans rouvrir les yeux. Diable…

Ewan haussa les sourcils.

— Appelez-moi comme bon vous semble, répliqua Keeley. Je m'en moque, du moment que vous buvez !

— Qu'avez-vous fait à mon ange ? marmonna encore Alaric.

Keeley profita de ce qu'il avait ouvert la bouche pour le forcer encore à boire. Il toussa un peu, mais cette fois, presque toute l'eau descendit dans sa gorge.

— Ah, voilà qui est mieux. Encore un peu. Vous verrez que ça vous fera du bien.

Alaric vida docilement presque tout le gobelet. Quand Keeley s'estima satisfaite, elle fit signe à Ewan de lui reposer la tête.

Puis elle trempa un morceau de tissu dans ce qui restait d'eau pour lui éponger le front et les sourcils.

— Reposez-vous, maintenant, guerrier.

— Mon ange, murmura-t-il, vous êtes revenue. Je m'inquiétais que le diable ne vous ait jeté un sort.

Keeley soupira.

— Je suis bien contente d'être redevenue un ange.

— Restez près de moi.

Keeley vit Caelen froncer les sourcils. Mais Ewan semblait au contraire s'amuser de la situation. Quoi qu'il en soit, l'un et l'autre ne désiraient qu'une chose : que leur frère recouvre rapidement la santé. Et pour cela, il devait rester calme, afin de bien se reposer. S'il fallait que Keeley dorme à côté de lui, pour l'apaiser, elle n'hésiterait pas une seconde.

Ewan avait sans doute compris son raisonnement, car il dit :

— Je vais vous chercher des couvertures, pour que vous ayez chaud tous les deux. J'apprécie que vous restiez près de lui pour le veiller.

À ces paroles, Keeley comprit que le laird n'était pas un mauvais homme. Concernant Caelen, elle réservait encore son jugement. Le laird, en revanche, cherchait à la mettre à l'aise. Après tout, il était très inconvenant qu'elle dorme auprès d'un guerrier, mais elle le faisait par devoir.

Les autres guerriers ne paraissaient pas avoir prêté l'oreille à leur conversation, et encore moins se soucier de savoir où Keeley dormirait. Eux-mêmes ne songeaient qu'à remplir leur propre devoir : ils commençaient à se rassembler en cercle autour d'Alaric afin de le protéger durant son sommeil.

Deux hommes apportèrent des couvertures, dont une qu'ils roulèrent sur elle-même.

— Pour votre tête, expliqua un guerrier. La terre vous paraîtra moins dure.

— Comment vous appelez-vous ? demanda Keeley, touchée par sa sollicitude.

Il lui sourit.

— Cormac.

— Merci, Cormac.

Keeley arrangea les couvertures et s'installa près d'Alaric, en veillant toutefois à garder une distance entre eux. Une fois sa tête posée sur la couverture qui lui servait d'oreiller, elle se trouva très à son aise.

Malgré sa sieste durant la chevauchée, la jeune femme se mit à bâiller sitôt allongée. Elle resta un long moment à veiller dans l'obscurité, en écoutant la respiration d'Alaric. Quand le feu commença à mourir, des gardes le nourrirent pour la nuit. Mais Keeley, cette fois, n'était plus capable de garder les yeux ouverts.

Elle s'endormit en songeant qu'elle s'apprêtait à tourner une page de sa vie. Demain, elle ouvrirait un nouveau chapitre, mais elle ignorait encore de quoi il serait fait.

7

Quand Keeley rouvrit les yeux, elle ne vit qu'un torse d'homme. Et sentit un bras d'acier lui encercler la taille. Elle poussa un soupir d'exaspération. C'était bien la peine d'avoir voulu garder ses distances ! Pendant la nuit, Alaric McCabe l'avait attirée tout contre lui, si bien que maintenant plus rien ne les séparait.

Résignée, Keeley dégagea un bras pour lui palper le front. Elle fronça les sourcils, inquiète. Il était toujours brûlant. Beaucoup trop brûlant à son goût.

Tournant la tête, elle vit que les premières lueurs de l'aube teintaient le ciel d'une aura grisâtre. Autour d'elle, le campement s'éveillait peu à peu. Des guerriers préparaient déjà les chevaux, tandis que d'autres commençaient à ranger leur matériel.

Keeley fit discrètement signe au laird McCabe de la rejoindre.

— Nous devons nous dépêcher, lui dit-elle. Il a besoin d'une chambre bien chaude. Il ne guérira pas tant qu'il restera dans cet air froid et humide. Sa fièvre n'est toujours pas retombée.

— Nous partons dans quelques minutes. Et les terres McCabe ne sont plus très loin. Nous atteindrons la forteresse en début d'après-midi au plus tard.

Dès qu'il eut tourné les talons, Keeley, plus détendue, se lova contre Alaric. C'était quand même très agréable d'être dans ses bras.

Elle lui caressa le torse.

— Il faut vous ressaisir, guerrier. Vos frères m'en voudront terriblement si vous ne guérissez pas. J'ai déjà eu assez d'ennuis comme cela par le passé. J'aimerais bien un peu de tranquillité, désormais.

— Madame, il est temps d'y aller.

Keeley leva les yeux vers Cormac qui la dominait de toute sa hauteur. Il semblait s'impatienter, comme si elle avait l'intention de rester allongée toute la journée !

Elle lui désigna le bras d'Alaric, qui lui entourait toujours la taille.

Cormac la dégagea doucement, avant d'installer Alaric sur la litière avec l'aide de Caelen. Keeley eut à peine le temps de se lever qu'elle se trouva soulevée de terre par Gannon, qui la jucha devant lui, sur sa selle.

Elle protesta.

— J'aimerais que vous cessiez tous de me considérer comme une vulgaire marchandise ! Je suis tout à fait capable de monter toute seule sur un cheval.

Gannon sourit d'un air amusé.

— Oui, mais cette méthode est plus rapide. Maintenant, ne bougez plus, et tout se passera bien.

Le vent s'était levé et Keeley sentait la neige arriver. Le ciel était gris, chargé de lourds nuages menaçants qui semblaient prêts à se vider à tout instant.

Voyant qu'elle frissonnait, Gannon, d'une seule main, maintint fermement la couverture sur ses épaules, tandis qu'il manœuvrait les rênes de l'autre main. Keeley, reconnaissante, s'appuya contre son torse, pour absorber sa chaleur.

Après une bonne heure de chevauchée, McCabe donna l'ordre à Cormac de partir en avant, afin de prévenir la forteresse de leur arrivée. Aussitôt, les guerriers poussèrent des cris de joie.

Ils venaient de pénétrer sur les terres des McCabe.

— Assure-toi que ma femme ne mette pas le nez dehors par un temps pareil ! lança le laird à Cormac.

Cormac soupira lourdement. Les autres guerriers lui jetèrent des regards apitoyés, tandis qu'il prenait déjà de la distance.

Gannon s'esclaffa. Keeley, intriguée, tourna la tête, pour l'interroger du regard.

— Notre laird a chargé Cormac d'une mission impossible. Et il le sait très bien.

— Lady McCabe ne se plie-t-elle pas aux désirs de son mari ?

Plusieurs guerriers éclatèrent de rire. Même Caelen parut s'amuser de cette innocente question.

Gannon prit un air solennel.

— Il serait déloyal de ma part de vous répondre, dit-il.

Keeley haussa les épaules. Elle savait, d'expérience, que les femmes enceintes avaient souvent tendance à se montrer plus obstinées. Et elle comprenait que l'épouse du laird n'ait pas envie de passer tout son temps enfermée dans une forteresse. Dans son état, il y avait de quoi devenir folle.

En tout début d'après-midi, ils atteignirent le sommet d'une colline et Keeley découvrit une vallée au fond de laquelle miroitaient les eaux noires d'un loch. Il était surplombé d'une forteresse bâtie sur une presqu'île. La bâtisse semblait avoir connu des heures plus glorieuses. Certains murs étaient en piteux état, d'autres étaient en réfection.

La jeune femme en déduisit que le clan McCabe traversait une période délicate. Keeley n'était elle-même pas riche, mais elle n'avait jamais eu faim et elle avait toujours réussi à subvenir à ses besoins.

Le laird se tourna vers elle, comme s'il avait suivi le cours de ses pensées.

— Vous ne manquerez de rien chez les McCabe, assura-t-il. Tant que vous vous acquitterez de la tâche que nous vous avons confiée, vous aurez toujours un toit pour vous abriter et de la nourriture dans votre assiette.

Keeley faillit ricaner. À l'entendre, on aurait juré qu'il avait fait appel à ses services en toute légalité, au lieu de l'enlever comme un soudard.

— Travaillerez-vous pendant l'hiver ? demanda-t-elle, alors qu'ils descendaient la colline en direction du petit pont de pierre qui enjambait un bras du loch et menait à la presqu'île.

Il ne répondit pas. Son attention était focalisée droit devant lui, comme s'il cherchait quelque chose des yeux – ou quelqu'un.

Alors qu'ils approchaient du pont, quelques soldats s'étaient déjà rassemblés dans la cour de la forteresse. Des femmes et des enfants surgirent à leur tour. Tous semblaient inquiets.

Dès que la petite troupe franchit la grille qui donnait sur la cour, Ewan fronça les sourcils. Keeley suivit son regard : une femme, visiblement enceinte, jouait des coudes pour arriver au premier rang. Un homme la suivait de près, l'expression hagarde.

— Ewan ! s'écria la jeune femme. Qu'est-il arrivé à Alaric ?

Ewan mit pied à terre tandis que la femme se précipitait vers la litière.

— Mairin, tu étais censée rester à l'intérieur. Il fait froid, dehors !

Mairin se tourna vers lui et fronça les sourcils, du même air farouche que son mari.

— Rentrez-le tout de suite ! Il a l'air en piteux état.

— J'ai amené quelqu'un qui s'occupera de lui, expliqua Ewan, d'une voix radoucie.

Mairin scruta les gardes qui descendaient de cheval un à un, avant de découvrir Keeley. Elle écarquilla alors les yeux de surprise.

— Crois-tu qu'elle soit qualifiée pour soigner les blessures d'Alaric ?

À ces mots, Keeley se raidit. Devinant qu'elle voulait se libérer, Gannon l'aida à descendre de cheval. Dès que ses pieds eurent touché le sol, la jeune femme alla se planter devant Mairin pour laisser éclater son indignation.

— Sachez que je suis très recherchée pour mes qualités de guérisseuse. J'ajoute que je ne souhaitais pas venir avec le laird McCabe. Mais je n'ai pas eu le choix ! Enfin, la question n'est pas de savoir si je suis qualifiée, mais si j'ai envie ou non de soigner Alaric.

Mairin cligna des yeux et en resta un instant bouche bée. Puis elle demanda à son mari, dont le regard lançait des éclairs meurtriers :

— C'est vrai, Ewan ? Tu as enlevé cette femme ?

L'air plus menaçant que jamais, Ewan s'avança vers Keeley, qui campa solidement ses deux pieds sur le sol. Pas question de lui montrer qu'elle avait peur de lui !

— Adressez-vous à lady McCabe avec respect, dit-il. Et choisissez : soit vous acceptez votre sort, soit vous mourrez. Mais si jamais vous vous montrez de nouveau insolente envers ma femme, je vous promets que vous le regretterez. Je n'ai pas de temps à perdre en futilités. Mon frère se bat pour sa survie. Et votre devoir est de l'aider à s'en sortir. Est-ce bien clair ?

Keeley se mordit la langue pour retenir une réplique bien sentie. Elle se contenta de hocher la tête.

Mairin les regardait tour à tour, son mari et elle. Elle semblait très embarrassée.

— Ewan, tu n'aurais pas dû kidnapper cette femme. Pense à sa famille ! Il existait sûrement un autre moyen.

D'un geste autoritaire, Ewan posa la main sur l'épaule de son épouse – mais la douceur de son geste n'échappa pas à Keeley. Déjà, ses traits avaient perdu de leur sévérité. Il aimait sincèrement sa femme !

Keeley aurait voulu soupirer.

— Pendant que nous nous disputons, Alaric reste exposé au froid, dit Ewan. Dépêche-toi de lui faire préparer sa chambre, pour que mes hommes puissent le porter jusqu'à son lit. D'autre part, Keeley aura besoin d'ingrédients. Assure-toi que les servantes lui fourniront tout ce qu'elle réclamera. Il lui faudra aussi un endroit pour dormir. Donne-lui la chambre contiguë à celle d'Alaric, de façon qu'elle soit toujours près de lui.

Sa voix dissimulait mal une exaspération impossible à voir sur son visage.

Mairin jeta un dernier regard à Keeley, et celle-ci aurait juré que c'était un regard d'excuse. Puis elle tourna les talons et pénétra dans le donjon, appelant une certaine Maddie.

Dès que sa femme eut disparu, Ewan reporta son attention sur Keeley.

— Désormais, vous m'obéirez sans poser de questions. Et vous ferez tout ce qui est en votre pouvoir pour soigner Alaric et ensuite aider ma femme à accoucher, quand son terme sera venu.

Keeley hocha la tête.

Quand Ewan lui tourna le dos pour ordonner à ses hommes de porter Alaric à l'intérieur de la forteresse, elle resta quelques instants immobile, sans trop savoir quoi faire.

Mais Gannon lui donna un petit coup de coude dans les côtes et lui fit signe de suivre les porteurs d'Alaric. Lui-même lui emboîta le pas, tandis qu'ils gravissaient tous un étroit escalier. Puis Gannon lui demanda d'attendre dans le couloir, le temps que les gardes installent Alaric sur son lit. Après quoi, il la poussa à l'intérieur de la chambre.

Mairin et une autre femme, d'âge mûr, se tenaient devant le feu qui crépitait dans l'âtre. La pièce était encore glaciale, car le feu venait juste d'être allumé. Ewan se trouvait au chevet de son frère. Il fit signe à Keeley de le rejoindre.

— Demandez tout ce dont vous avez besoin à Maddie. Ensuite, vous examinerez sa plaie pour vous assurer qu'elle ne s'est pas rouverte.

Keeley se retint encore de lui répliquer qu'elle connaissait son devoir, sans qu'il soit besoin de l'abreuver sans cesse d'ordres. Une fois de plus, elle se contenta d'acquiescer d'un signe de tête.

Puis elle s'approcha d'Alaric, tandis que le laird quittait déjà la pièce.

Le front du blessé était moins brûlant. Mais c'était peut-être simplement parce qu'il était resté des heures en plein air, exposé au froid.

— Va-t-il guérir ? demanda Mairin, qui semblait beaucoup s'inquiéter à son sujet.

— Oui, répondit Keeley. De toute façon, je n'ai pas le choix.

Maddie haussa les sourcils.

— Vous êtes bien jeune, pour vous montrer aussi arrogante, ma petite, dit-elle.

— Arrogante ? répéta Keeley, stupéfaite. Je ne me suis jamais considérée comme arrogante. Surtout lorsqu'une vie est en danger et qu'elle dépend de moi. Dans ces cas-là, je me sens au contraire très humble. J'ai toujours peur de ne pas me montrer à la hauteur. En revanche, j'ai du caractère. Ce qui n'a rien à voir avec l'arrogance. Et je vous dénie le droit de me juger sans me connaître !

Mairin sourit et vint lui prendre la main pour l'étreindre.

— Arrogance ou caractère bien trempé, peu m'importe, madame. Ce que je sais, c'est que je lis dans votre regard une détermination qui me donne à penser que vous ne laisserez pas mourir Alaric. Et je vous en remercie d'avance. Si vous remettez Alaric sur pied, sachez que vous aurez toute ma gratitude.

Keeley sentit son cœur se réchauffer.

— Je vous en prie, appelez-moi Keeley.

— En retour, appelez-moi Mairin.

Keeley secoua la tête.

— Oh non, milady ! Votre mari n'aimerait pas cela.

Mairin s'esclaffa.

— Ewan aboie souvent, mais il mord très rarement. Et s'il est parfois bourru, je vous assure que c'est un brave homme.

Keeley haussa un sourcil tandis que Mairin rosissait.

— Ce qu'il vous a fait est répréhensible, reprit-elle, mais il n'a pas dû réaliser toute la portée de son geste. Son inquiétude pour Alaric l'aveuglait.

— Je crois que son inquiétude à votre sujet entrait aussi en ligne de compte, précisa Keeley.

— Pour moi ?

Keeley abaissa son regard sur le ventre rebondi de Mairin.

— Il veut que je vous aide à accoucher.

— Oh, mon Dieu ! murmura Mairin. C'est de la folie ! Il ne peut quand même pas enlever des gens parce qu'il a peur pour moi ! Il est en train de perdre la raison.

Keeley sourit.

— Il agit simplement en bon mari qui s'inquiète pour sa femme. Et maintenant que j'ai fait votre connaissance, je n'éprouve plus aucune répugnance à l'idée de rester ici jusqu'à la naissance de votre bébé.

— Vous avez bon cœur, Keeley, intervint Maddie. Et vous tombez à pic. Lorna, notre guérisseuse, est morte il y a quelques semaines, et nous n'avions pas encore trouvé à la remplacer. Le laird sait recoudre les plaies, mais il n'y connaît rien en herbes médicinales. Et il n'a jamais assisté à un accouchement.

Keeley était stupéfaite.

— Le laird se chargeait lui-même de recoudre les plaies ?

— Oui, répondit Mairin avec fierté. Il m'a recousue, quand j'ai reçu une flèche. Et il a fait de l'excellent travail.

— Dites-nous ce dont vous avez besoin, reprit Maddie. Je veillerai à ce que tout vous soit apporté le plus rapidement possible.

Keeley se tourna vers le guerrier endormi pour réfléchir quelques instants. Il lui faudrait des herbes et des racines, mais elle préférait les récolter elle-même. Elle n'avait pas confiance dans les autres pour savoir reconnaître les plantes dont elle se servait.

Aussi se contenta-t-elle de demander à Maddie de l'eau, des bandages et du bouillon, pour qu'Alaric ait de quoi se sustenter. Il était important qu'il ne perde pas ses forces. Un homme affaibli ne luttait pas aussi efficacement contre la maladie qu'un guerrier disposant de toute sa vigueur.

Puis elle demanda à Maddie de veiller Alaric en son absence.

Mairin fronça les sourcils.

— Où comptez-vous aller ?

— Je vais sortir chercher les herbes et les racines qui me seront nécessaires. Si je n'y vais pas maintenant, pendant qu'il fait encore bien clair, je devrai remettre ma cueillette à demain, et il sera peut-être trop tard.

— Ewan n'aimera pas ça, murmura Mairin. Il interdit que nous nous aventurions loin des murs de la forteresse.

— S'il veut que son frère survive, il faudra bien qu'il ferme les yeux.

Maddie grimaça un sourire.

— J'ai l'impression que notre laird a trouvé à qui parler, dit-elle.

— N'empêche, reprit Mairin. Il serait préférable que vous partiez avec une escorte. J'adorerais vous accompagner – Dieu sait si une bonne promenade me ferait le plus grand bien –, malheureusement Ewan ne voudra jamais en entendre parler.

— Vous n'avez même pas le droit de marcher un peu autour de la forteresse ? demanda Keeley, incrédule.

Mairin soupira.

— Ce n'est pas par sévérité de sa part, croyez-le bien. Mon mari a de bonnes raisons de s'inquiéter. Nous avons des ennemis et tant que je n'aurai pas donné naissance à mon enfant, je constituerai une cible privilégiée.

Comme Keeley la regardait sans comprendre, Mairin soupira encore.

— C'est une longue histoire. Je vous la raconterai peut-être ce soir, pendant que nous veillerons Alaric.

— Oh, non ! milady. Votre devoir ne vous oblige pas à le veiller. Ne vous inquiétez pas, je m'occuperai bien de lui. Une femme dans votre état a besoin de beaucoup de repos.

— Je vous tiendrai quand même compagnie un petit moment. Cela m'aidera à passer le temps. Sinon, je sens que je n'arriverai pas à trouver le sommeil. Je me fais trop de souci pour Alaric.

Keeley lui sourit.

— Très bien. Dans ce cas, je serai ravie de vous avoir auprès de moi. Maintenant, si vous le permettez, je vais me dépêcher de sortir avant la tombée du soir.

— Maddie, suis les instructions de Keeley, ordonna Mairin à sa servante. Je vais descendre avec elle dans la cour et demander à Gannon et Cormac de l'escorter pour sa cueillette. De toute façon, Ewan ne la laissera jamais sortir seule.

Maddie s'esclaffa.

— Vous connaissez le laird mieux que personne, milady, lança-t-elle avant de s'éclipser.

Keeley palpa une dernière fois le front d'Alaric, avant de suivre Mairin hors de la chambre.

Comme elle s'y attendait, le laird ne protesta pas longtemps. Dès qu'il comprit qu'elle avait besoin de récolter elle-même ses herbes pour soigner Alaric, il ordonna à trois de ses hommes de l'escorter.

Aucun des trois, cependant, ne parut se réjouir d'une telle mission.

— Ils détestent avoir à s'occuper des femmes, murmura Mairin à Keeley. Je leur gâche la vie, car ils sont à tour de rôle assignés à ma surveillance.

Keeley sourit.

— J'ai beaucoup entendu parler de vous, pendant mon voyage jusqu'ici.

Mairin grimaça.

— C'est déloyal de leur part de parler de moi dans mon dos.

— Ils se sont surtout exprimés par allusions, corrigea Keeley. Et Gannon a refusé de répondre à une question de ma part. En arguant justement du fait que ce serait « déloyal ».

Mairin éclata de rire, ce qui provoqua quelques froncements de sourcils chez les gardes.

Gannon s'approcha de Keeley d'un air résigné.

— Venez, madame. Dépêchons-nous d'aller dans la forêt pour rentrer avant la nuit.

— Ce n'est pas la peine de vous comporter comme si vous étiez condamné à mort ! railla Keeley.

Mairin sourit.

— Je vous attendrai dans la chambre d'Alaric, Keeley. Et pendant votre absence, je m'assurerai que vos instructions sont suivies à la lettre.

Keeley hocha la tête, avant de rejoindre les trois guerriers désignés pour sa protection. Tout à l'heure, elle était furieuse à l'idée de ne pas pouvoir s'aventurer seule hors de la forteresse. Mais à présent, elle éprouvait une certaine satisfaction de se savoir assez importante pour nécessiter une escorte de guerriers chevronnés.

Aussi, c'est en toute sécurité qu'elle retraversa le pont de pierre, pour prendre la direction d'un massif forestier sur les collines entourant le loch.

Finalement, son séjour au sein du clan McCabe ne serait sans doute pas aussi pénible qu'elle l'avait imaginé. La femme du laird était plus aimable qu'elle ne l'avait craint. Et malgré les circonstances particulières de son arrivée à la forteresse, Keeley n'avait pas à se plaindre d'être maltraitée. Au contraire.

Avec un peu de chance, il n'était même plus exclu qu'elle se plaise ici. De toute façon, elle n'avait pas à se préoccuper de rentrer rapidement chez elle : personne ne l'attendait, là-bas. Son clan l'avait bannie.

Keeley secoua la tête. Son imagination lui jouait encore des tours, et elle mettait la charrue avant les bœufs. Le laird ne l'avait pas enlevée pour lui faire plaisir. Et il n'avait aucunement l'intention qu'elle se sente ici chez elle, ni qu'elle devienne un membre à part entière de son clan. Il voulait recourir à ses talents de guérisseuse, rien de plus. Keeley ferait bien de ne pas l'oublier. Quand sa présence ne serait plus jugée utile, elle serait sans doute renvoyée.

L'expérience aurait dû lui servir. Si elle n'avait pas pu compter sur la loyauté de son propre clan, comment pourrait-elle faire confiance à des étrangers ?

Mieux valait donc ne pas se faire d'illusions. Elle était prisonnière. Un point c'est tout.

8

Quand Keeley regagna la forteresse, le soleil avait déjà été avalé par l'horizon. Le froid la gelait jusqu'aux os, ses doigts étaient gourds et elle était épuisée d'avoir marché dans la forêt, le dos plié en deux pour repérer les plantes qui l'intéressaient. Mais sa récolte avait dépassé ses espérances. Les terres des McCabe étaient riches en herbes et racines de toutes sortes, et elle rentrait les jupes pleines d'une belle moisson.

Elle faillit trébucher dans l'escalier et Cormac dut lui tenir le bras pour l'aider à recouvrer son équilibre. Keeley marmonna un remerciement et continua son ascension, impatiente de se retrouver au chaud.

— La soirée s'annonce glaciale, dit Gannon. Je ne serais pas étonné qu'il neige cette nuit.

— Ça fait deux jours qu'on croit qu'il va neiger, et il n'est toujours pas tombé un flocon, objecta Cormac.

— Gannon a raison, acquiesça Keeley. Il neigera cette nuit.

— Heureusement, nos greniers sont pleins, reprit Gannon. Même si l'hiver doit être long, cette année nous ne manquerons pas de vivres.

Keeley se retourna vers lui.

— Que s'est-il passé, ici ? La forteresse est en travaux et vous évoquez une période de disette.

Gannon grimaça.

— Ma langue est allée trop vite. Je n'aurais pas dû en parler à haute voix. Mon laird serait furieux d'apprendre que j'ai dit cela.

Keeley haussa les épaules.

— Ce n'est pas comme si vous m'aviez révélé vos secrets de batailles ! J'ai le droit de savoir où je me trouve, tout de même !

— Ce n'est plus très important, intervint Cormac, qui se tenait juste derrière Gannon. Tout va bien, depuis que le laird a épousé lady McCabe. C'est une bénédiction pour notre clan de pouvoir compter sur elle.

Keeley perçut une note de sincère affection dans sa voix. Mairin McCabe avait bien de la chance : elle n'était pas seulement aimée de son mari, mais du clan tout entier.

— Pourquoi vous attardez-vous dans l'escalier, pendant que mon frère a besoin d'aide ? aboya Caelen, depuis le haut des marches.

Keeley leva les yeux dans sa direction.

— Êtes-vous donc obligé de vous montrer toujours aussi revêche ? J'ai passé deux heures à récolter des plantes médicinales pour votre frère. Je suis fatiguée. J'ai faim. Je n'ai pas connu une seule vraie nuit de sommeil depuis trois jours. Pourtant, cela ne m'empêche pas de me montrer plus polie que vous.

Caelen cligna des yeux avant de s'esclaffer. Puis il fit mine de lui répondre quelque chose, avant de sagement se raviser. Il ne l'intimidait pas du tout, et elle n'était guère disposée à supporter ses manières grossières. Épuisée, elle ne supporterait pas qu'on critique ses moindres faits et gestes.

Parvenue en haut de l'escalier, elle poussa Caelen de côté, avec un regard noir. Puis elle pénétra dans la chambre d'Alaric et referma la porte derrière elle.

— Keeley, vous voilà revenue ! s'exclama Mairin.

Elle baignait le front d'Alaric avec l'aide de Maddie. Le feu crépitait dans l'âtre et Keeley se planta devant pour se réchauffer.

— Laissez-moi vous débarrasser, proposa Maddie en la rejoignant. Et dites-moi s'il vous faut autre chose.

Keeley baissa les yeux sur sa récolte amassée dans ses jupes.

— Oui, vous pouvez tout prendre. Je ferai le tri quand mes doigts seront dégelés. J'aurais aussi besoin d'un ou deux bols, ainsi que d'un mortier et d'un pilon.

— Vous avez entendu ? lança Maddie à Gannon, qui se tenait sur le seuil. Allez lui chercher ce qu'elle réclame !

Gannon ne semblait pas apprécier de recevoir des ordres d'une femme. Il tourna cependant les talons, pour s'exécuter, non sans avoir manifesté son mécontentement par une grimace.

— Keeley, demanda Mairin, croyez-vous vraiment que vous pourrez veiller Alaric cette nuit ? Vous paraissez épuisée. Et vous tremblez de froid.

Keeley s'obligea à lui sourire.

— Je vais vite me réchauffer. Mais j'aimerais bien manger quelque chose.

— Bien sûr, acquiesça Maddie. Je vais voir ce que Gertie peut vous donner.

À peine Maddie avait-elle quitté la chambre que Gannon revenait déjà avec le matériel demandé. Keeley disposa ses herbes dans les bols avant de retourner réchauffer ses mains devant le feu.

— Vous aurez besoin de vêtements propres, si vous restez ici, grommela Gannon. Je vais en avertir le laird.

— Oui, vous avez raison ! s'exclama Mairin, du remords dans la voix. J'aurais dû y penser moi-même. Puisque mon mari vous a enlevée, j'imagine que vous n'avez pas eu le temps de préparer quoi que ce soit avant de partir. J'en parlerai aux autres femmes. À nous toutes, nous trouverons bien une solution.

Keeley dansait d'un pied sur l'autre devant la cheminée.

— C'est très aimable à vous deux. J'apprécie grandement votre sollicitude.

— Désirez-vous autre chose ? demanda Gannon.

Keeley secoua la tête.

— Non, merci. J'ai tout ce qu'il me faut.

Gannon acquiesça, avant de tourner les talons et de quitter la pièce.

Keeley n'était pas fâchée que la chambre se soit vidée de la plupart de ses occupants. Elle s'assit sur un tabouret, au chevet d'Alaric, tandis que Mairin la regardait, à distance, examiner le blessé.

La plaie était rouge et enflée. Keeley fronça les sourcils et retint un juron. Puis elle ferma les yeux.

— Qu'y a-t-il ? s'inquiéta Mairin. Son état aurait-il empiré ?

Keeley rouvrit les yeux, pour contempler de nouveau la plaie enflammée. Elle soupira.

— Je vais être obligée de rouvrir sa blessure, pour la nettoyer du pus qu'elle contient. Ensuite, je recoudrai une nouvelle fois. Ce ne sera pas une tâche facile, mais elle est indispensable.

— Voulez-vous que je reste pour vous aider ?

Keeley contempla le ventre rebondi de lady McCabe, avant de secouer la tête.

— Non. Je ne voudrais pas qu'Alaric vous fasse du mal, si jamais il se réveille et qu'il essaie de se débattre. Je préférerais la présence d'un de ses frères, pour le tenir solidement en cas de besoin.

Mairin fronça les sourcils.

— S'il se débat, il faudra plus d'un homme pour le maîtriser. Je vais demander à Ewan et Caelen de monter.

Keeley fit la grimace, ce qui amusa Mairin.

— Caelen est un brave garçon. Vous verrez, quand vous serez habituée à ses manières un peu rustres, vous trouverez qu'il n'est pas si terrible que cela.

— Si vous le dites, marmonna Keeley, visiblement peu convaincue.

Mairin sourit de plus belle.

— Je vous aime déjà beaucoup, Keeley. Mais au fait, quel est votre nom de famille ?

Keeley se figea et n'osa plus croiser le regard de Mairin. Sentant que celle-ci la scrutait, elle croisa nerveusement les mains.

— McDonald, finit-elle par murmurer. Enfin, j'étais une McDonald, mais je ne le suis plus. Désormais, je m'appelle juste Keeley.

— McDonald ? répéta Mairin. Oh, mon Dieu ! Je me demande si Ewan sait qu'il a enlevé la guérisseuse du clan dont Alaric est destiné à devenir le laird !

Keeley releva les yeux.

— Laird ? Mais les McDonald ont un laird.

Elle était bien placée pour le savoir. Ce bâtard était le premier responsable de son bannissement. S'il lui était arrivé quelque chose, Keeley l'aurait forcément appris. À moins, bien sûr, qu'elle ne soit condamnée à vivre pour l'éternité séparée de sa propre famille ?

Des larmes montaient à ses yeux, mais Keeley préférait encore rôtir en enfer que de les laisser couler. Ils pouvaient bien tous crever, après tout ! Y compris Gregor McDonald. *Surtout* Gregor McDonald.

Mairin soupira.

— C'est une longue histoire, commença-t-elle. Il est prévu qu'Alaric épouse Rionna McDonald. Il se rendait à la forteresse des McDonald, pour demander officiellement la main de Rionna, quand il a été attaqué. Le laird McDonald, qui n'a pas d'héritier, a décidé que le mari de Rionna prendrait sa succession.

Alaric marié à Rionna, son amie d'enfance, sa seule amie ! Rionna qui, comme les autres, lui avait tourné le dos. Depuis le temps, Keeley aurait dû s'y habituer, mais la trahison de son amie – et cousine – lui était toujours aussi douloureuse. Keeley avait beaucoup aimé

Rionna, qui occupait encore aujourd'hui une place à part dans son cœur.

La jeune femme jeta un regard à son guerrier endormi. Non, pas *son* guerrier. Il appartenait à Rionna. Quelle ironie du sort ! Cet homme dont elle s'était autorisée à rêver comme une gamine énamourée, lui était interdit. Si un McDonald apprenait qu'elle avait hébergé Alaric, elle serait bannie une deuxième fois du clan !

— Ai-je dit quelque chose de mal ? s'alarma Mairin.

Keeley secoua la tête.

— Ainsi, il doit épouser Rionna ?

— Oui. Au printemps prochain. À vrai dire, je ne suis pas ravie à l'idée qu'Alaric nous abandonne, mais c'est une bonne occasion, pour lui, de s'émanciper. Un jour, il dirigera son clan. Il possédera ses propres terres et pourra les transmettre à ses héritiers.

Même si c'était ridicule de sa part, Keeley avait du mal à contenir sa tristesse. Déjà, son beau guerrier sortait de sa vie, aussi vite qu'il y était entré.

— Je vais avertir Ewan de ce qu'il a fait, reprit Mairin, visiblement très inquiète. Il faut qu'il répare son erreur.

— Non ! s'exclama Keeley, bondissant sur ses pieds. Je n'appartiens plus au clan McDonald. Croyez-moi, je ne manquerai à personne, là-bas. Les McDonald font souvent appel à mes talents de guérisseuse, c'est vrai, mais je ne vis plus parmi eux. Je suis entièrement libre d'aller où bon me semble.

Mairin la regardait maintenant avec curiosité.

— Ils seraient fous de ne pas garder une guérisseuse. Pourquoi ne vous appelez-vous plus McDonald ?

— Ce n'est pas moi qui l'ai décidé, répondit Keeley, à voix plus basse. Je n'ai pas tourné le dos à mon clan, c'est eux qui m'ont chassée.

Elles furent interrompues par le retour de Maddie, qui apportait une collation pour Keeley. Elle déposa son plateau sur une table.

— Mangez tout de suite, ma petite, dit Maddie. Vous aurez besoin de toutes vos forces, si vous voulez veiller Alaric durant la nuit.

Tout à l'heure, Keeley avait faim. Mais elle avait perdu tout appétit depuis qu'elle avait appris le prochain mariage d'Alaric. Elle s'obligea quand même à manger. Et elle trouva délicieux le ragoût de viande parfumé et la tranche de pain frais – en vérité, il y avait bien longtemps qu'elle n'avait pas dégusté un aussi bon repas.

— Je vais chercher Ewan et Caelen, dit Mairin. Venez, Maddie. Laissons Keeley savourer tranquillement son repas. Une tâche pénible l'attend.

Après le départ des deux femmes, Keeley se retrouva seule avec Alaric. Elle se tourna vers le guerrier endormi.

— Vous n'auriez pas pu appartenir à une autre ? lui lança-t-elle sur un ton de reproche. Rionna est ma sœur de cœur, même si elle m'a trahie. Au lieu de me laisser indifférente, le fait de vous savoir fiancés suscite en moi une cruelle déception. Je vous connais à peine et pourtant, vous avez très vite occupé une grande place dans mon cœur.

Alaric ouvrit ses beaux yeux verts. Il la dévisagea un long moment, comme s'il se demandait qui elle était et où il se trouvait.

Puis ses lèvres remuèrent, et il murmura, si faiblement que Keeley l'entendit à peine :

— Ange. Mon ange…

9

Keeley aurait juré n'être couchée que depuis cinq minutes, quand on frappa à sa porte. Ouvrant les paupières, elle cligna plusieurs fois des yeux, le temps de rassembler ses esprits.

L'aube ne devait plus être très loin. Keeley avait passé deux bonnes heures à nettoyer méticuleusement la plaie d'Alaric, avec l'aide de ses deux frères, avant de la recoudre. Puis elle était restée un long moment à le veiller. Elle titubait de fatigue, quand elle s'était enfin décidée à rejoindre sa chambre pour prendre un repos bien mérité.

Keeley avait envie d'écraser l'oreiller sur sa tête et d'ignorer les coups frappés à sa porte, mais avant qu'elle ait pu esquisser le moindre mouvement, le battant s'ouvrit à la volée.

La jeune femme remonta instinctivement ses couvertures jusqu'à son menton, bien qu'elle se fût couchée tout habillée, et jeta un regard irrité aux deux intrus qui venaient d'apparaître.

Ewan et Caelen McCabe s'étaient plantés sur le seuil et ils ne semblaient pas plus ravis de la voir qu'elle n'était heureuse de leur présence.

— Alaric réclame son ange, annonça Caelen d'un ton dédaigneux.

Keeley cligna des yeux et se tourna vers Ewan.

— Vous savez bien que dans cinq minutes, je serai redevenue son démon !

Ewan soupira.

—. Il est très nerveux. J'ai peur qu'il ne rouvre lui-même sa blessure à force de s'agiter dans son lit. Nous devons absolument l'apaiser. Et le meilleur moyen... c'est que vous restiez auprès de lui.

Keeley en resta un instant bouche bée.

— Ce que vous suggérez est parfaitement inconvenant. Vous avez beau m'avoir enlevée sans scrupules, je ne permettrai pas que ma réputation souffre davantage encore. Je n'ai aucune envie que votre clan s'imagine que je suis une femme immorale.

Ewan leva la main pour l'arrêter.

— Mon clan ne dira rien, pour la bonne raison que personne ne sera au courant. Je vais prendre des dispositions pour interdire l'accès de la chambre d'Alaric à quiconque. Sauf à moi, à Caelen, à ma femme et bien sûr, à vous. Et je ne vous demanderais pas une chose pareille si ce n'était pas très important, Keeley. Je vous assure, il est urgent de calmer mon frère.

Keeley se massa le front.

— J'ai besoin de dormir. Je n'ai pas connu une seule vraie nuit de sommeil depuis qu'Alaric s'est effondré devant ma porte. Si je me rends dans sa chambre, pouvez-vous me jurer que je ne serai pas dérangée ?

Keeley ne cherchait pas à cacher sa lassitude. À cet instant précis, elle était prête à n'importe quoi pour qu'on la laisse tranquille.

— En fait, reprit-elle, j'apprécierais beaucoup d'être la seule à m'occuper d'Alaric. Quand j'aurai besoin de quelque chose, je vous le ferai savoir.

Keeley rêvait déjà à plusieurs heures de sommeil ininterrompu. Si elle devait partager la chambre d'Alaric, c'est en tout cas le cadeau qu'elle se promettait.

Ewan esquissa un sourire.

— Oui, Keeley. Vous pourrez dormir tout votre soûl. Je veillerai à ce que vous ne soyez pas dérangée. Et je vous donne ma parole que nous ne reviendrons pas voir Alaric avant le début de l'après-midi.

Keeley rejeta ses couvertures et sortit précautionneusement du lit, pour garder ses jambes bien couvertes par ses jupes. Une fois debout, elle remit de l'ordre dans ses cheveux.

— Allons-y, dans ce cas...

Ewan n'avait pas menti. À peine eut-elle poussé la porte de la chambre d'Alaric que Keeley le trouva dans un état d'agitation extrême. Il avait rejeté ses couvertures en boule au pied de son lit, et il tournait sans cesse la tête d'un côté et de l'autre, tout en marmonnant des paroles inintelligibles.

Son visage et son torse perlaient de sueur. Et ses mouvements désordonnés mettaient à rude épreuve les points de suture de sa plaie.

Keeley se précipita à son chevet.

Il se figea aussitôt et ouvrit les yeux.

— Ange ?

— Oui, guerrier. Votre ange est venu vous apaiser. Dites-moi une chose : si je m'allonge près de vous, consentirez-vous à vous reposer calmement ?

— Content de vous revoir, murmura-t-il, d'une voix faible. Ce n'est pas pareil quand vous êtes loin.

Keeley se sentit fondre. Elle le laissa lui prendre le bras.

— Je ne vous abandonnerai plus, dit-elle. Je vais rester auprès de vous.

Il lui enlaça la taille, l'obligeant à la rejoindre sur le lit.

— Et cette fois, jura-t-il, je ne vous laisserai plus partir.

Keeley préféra ne pas regarder dans la direction de ses deux frères. Elle n'avait aucune envie de voir de l'irritation ou de la réprobation dans les yeux de Caelen. De toute façon, s'il se permettait un seul mot désagréable, après l'avoir tirée sans ménagement de son lit, elle n'hésiterait pas à le gifler, quelles qu'en soient les conséquences.

Heureusement, elle n'entendit rien de tel, sinon le bruit de la porte qui se refermait. Elle en conclut qu'elle se trouvait désormais seule avec Alaric.

Elle se lova contre lui et posa une main sur son ventre.

— Dormez, à présent, guerrier. Votre ange sera tout près de vous.

Il laissa échapper un soupir de contentement et son corps se détendit – à l'exception de son bras, qui la maintenait fermement contre lui.

Il s'endormit presque aussitôt. Keeley, en revanche, malgré sa fatigue, resta longtemps éveillée, à savourer le plaisir d'être dans les bras de son guerrier.

Quand elle rouvrit les yeux, les rayons du soleil filtraient à travers les fourrures qui couvraient la fenêtre. Le feu s'était presque éteint et il ne restait plus que quelques braises qui rougeoyaient encore. Probablement la chambre était-elle devenue glaciale, cependant Keeley baignait dans une chaleur si agréable qu'elle n'osait pas faire le moindre mouvement.

Le bras d'Alaric l'enlaçait toujours à la taille et la jeune femme se trouvait collée contre son flanc, la tête nichée dans le creux de son épaule.

Keeley lui caressa la joue et fut heureusement surprise de constater que sa peau était moins brûlante qu'auparavant. Très excitée, elle se libéra de son étreinte pour se lever.

Il ouvrit aussitôt les yeux. Ils étaient d'une clarté stupéfiante.

Puis il sourit, et, à la stupéfaction de Keeley, la fit basculer sur lui.

— Vous êtes fou ! se récria la jeune femme, qui se débattait pour ne pas toucher son côté blessé. Vous allez rouvrir votre plaie !

— Alors, mon ange est bien réel, murmura-t-il, sans la relâcher.

— Je croyais que j'étais un démon ?

Il s'esclaffa, avant de grimacer de douleur.

— Vous voyez ? répliqua Keeley, exaspérée. Vous feriez mieux de ne pas bouger.

— Mais j'aime vous avoir sur moi, répliqua-t-il. J'aime vraiment beaucoup. Maintenant que vous êtes là, j'en ai presque oublié ma blessure. Tout ce que je sens, c'est votre poitrine pressée contre mon torse, et c'est très agréable.

Keeley sentit un délicieux frisson courir sur son dos, et préféra s'absorber dans la contemplation de l'épaule d'Alaric, plutôt que de risquer de croiser son regard.

— Savez-vous ce qui serait encore plus agréable ? ajouta-t-il.

Cette fois, la jeune femme tourna les yeux vers les siens. Il la scrutait avec attention.

— Quoi ? demanda-t-elle, avec nervosité.

— Un baiser.

Elle secoua la tête et voulut se libérer de son étreinte. Ignorant ses protestations, Alaric la serra contre lui et, de sa main libre, il lui prit le menton. Puis, redressant légèrement la tête, il pressa ses lèvres sur celles de la jeune femme.

À cet instant précis, il était difficile de dire qui, de lui ou d'elle, avait le plus de fièvre. Car Keeley avait l'impression que son sang s'embrasait dans ses veines.

En même temps, elle se sentait incroyablement légère, comme si elle s'était soudain envolée dans les nuages.

Alaric lui caressa le dos, avant de laisser remonter sa main plus haut, jusqu'à sa nuque, qu'il étreignit pour intensifier son baiser.

— Alaric, murmura la jeune femme, quand il relâcha ses lèvres.

— J'aime vous entendre prononcer mon nom. À présent, dites-moi le vôtre, que je sache comment s'appelle mon bon ange.

— Keeley.

— Keeley, répéta-t-il. C'est un très joli nom. Il vous va à ravir.

— Vous devriez me laisser me relever. Vos frères peuvent revenir d'un instant à l'autre. Ils s'inquiètent beaucoup pour votre blessure. J'ai besoin de regarder l'état de vos points de suture pour m'assurer qu'ils tiennent bien. Il faudrait aussi que vous mangiez quelque chose, afin de reprendre des forces.

— Je préfère vous embrasser.

Keeley lui donna une petite tape sur la poitrine. Il éclata de rire mais, à sa grande surprise, il accepta de la libérer.

La jeune femme se redressa et remit tant bien que mal de l'ordre dans sa toilette, puis elle reporta son attention sur la poitrine dénudée de son guerrier. Elle avait déjà vu plus d'un homme torse nu. En fait, à force de soigner des gens, elle n'ignorait plus rien de l'anatomie masculine. Mais celui-ci était différent. Il était tout simplement magnifique.

Keeley le détaillait sans grande discrétion, espérant qu'Alaric serait trop fiévreux pour s'en apercevoir.

— Je vais examiner votre plaie, dit-elle, d'une voix rauque qui, hélas, trahissait son trouble.

Il roula docilement sur le côté, pour mieux exposer son flanc.

— Je dois vous remercier, Keeley, dit-il. Je ne me souviens plus de grand-chose, sinon que j'avais besoin d'aide. Quand j'ai ouvert les yeux et que je vous ai vue penchée au-dessus de moi, j'ai compris que Dieu m'avait dépêché l'un de ses anges.

— Je suis désolée de vous décevoir, mais je ne suis pas un ange, répliqua la jeune femme d'un ton léger. Je ne suis qu'une modeste guérisseuse, qui tient ses maigres talents du savoir transmis par d'autres guérisseuses qui l'ont précédée.

— Non, objecta Alaric, lui prenant la main, pour la porter à ses lèvres et la baiser. Vous êtes beaucoup plus que cela.

Keeley frissonna de plaisir. Comment ne pas être émue devant un si beau guerrier, qui savait tourner les compliments avec autant d'aisance qu'il maniait l'épée ?

Elle lui prit le bras pour le placer au-dessus de sa tête, puis elle se pencha pour examiner la plaie récemment recousue. Elle fut ravie de constater qu'elle avait désenflé, et qu'elle était beaucoup moins rouge.

— Alors, quel est votre verdict ? demanda-t-il, d'un ton amusé. Vais-je survivre ?

— Oui, guerrier. Vous allez guérir.

— Je suis bien heureux de l'apprendre.

Elle relâcha son bras et il en profita pour se masser le ventre.

— Vous avez faim ?

— Oui. Mon estomac crie famine.

Keeley hocha la tête.

— C'est bon signe. Je vais demander qu'on vous monte quelque chose à manger.

— Ne m'abandonnez pas.

Ce n'était pas une requête : à son ton, il était clair qu'il s'agissait d'un ordre.

Keeley haussa les sourcils.

— S'il vous plaît, ajouta-t-il, d'une voix presque suppliante, pour tempérer son ton autoritaire.

De nouveau, Keeley se sentit fondre.

— Non, guerrier, je ne vous abandonnerai pas.

Il la récompensa d'un grand sourire. Mais ses paupières se fermaient d'elles-mêmes et il était évident qu'il luttait pour ne pas se rendormir.

— Reposez-vous, guerrier. Je vais vous chercher à manger et je reviens aussitôt.

Keeley se leva du lit et remit une nouvelle fois de l'ordre dans sa toilette. Au moment où elle se dirigeait vers la porte, celle-ci s'ouvrit à la volée. La jeune femme fusilla l'intrus du regard, pour lui signifier que ce n'étaient pas des manières d'entrer.

Caelen renifla avec dédain, afin qu'elle sache bien qu'elle ne l'impressionnait pas le moins du monde.

— Comment va-t-il ?

Keeley tendit le bras en direction du lit.

— Voyez-vous même. Il s'est réveillé il y a quelques minutes. Et maintenant, il a faim.

Caelen s'approcha du lit. Keeley lui tira la langue dans son dos, mais au moment de franchir la porte, elle faillit heurter Ewan.

— J'espère que vous n'avez rien vu, marmonna-t-elle.

Ewan esquissa un sourire complice.

— Vu quoi ?

Keeley hocha la tête, soulagée, et sortit dans le couloir. Elle ignorait où aller, mais elle avait besoin de prendre l'air. Elle pouvait encore sentir les lèvres d'Alaric se presser sur les siennes et son corps n'était toujours pas retombé à sa température normale.

10

Alaric suivit la jeune femme des yeux, jusqu'à ce qu'elle ait disparu dans le couloir, avant de reporter son attention sur ses frères.

— Vous vouliez quelque chose ? demanda-t-il, d'une voix qui cachait mal son irritation.

— En effet, ironisa Caelen. Par exemple, savoir si tu étais toujours en vie.

— Comme tu peux le constater, la réponse est oui. Quoi d'autre ?

Ewan s'assit sur le tabouret au chevet du lit.

— Oublie un instant ta fascination pour cette fille, Alaric. Nous avons besoin de te poser des questions. Et pour commencer, qui t'a fait ça ?

Alaric soupira. Sa blessure le faisait souffrir. Son crâne était douloureux comme s'il avait passé une semaine entière à respirer des relents de bière et son ventre criait famine. Il n'avait aucune envie de se plier à un interrogatoire.

— Je l'ignore, répondit-il sincèrement. Nous sommes tombés dans une embuscade au milieu de la nuit. Ils étaient beaucoup plus nombreux que nous. C'est une chance que j'aie réussi à m'échapper vivant. Ensuite, je ne me souviens plus très bien de ce qui s'est passé.

Quand j'ai repris connaissance, un ange s'occupait de ma blessure.

Caelen s'esclaffa avec dédain.

— Parle plutôt d'un démon ! Je ne serais pas étonné qu'elle soit parente avec Lucifer.

— Elle m'a sauvé la vie, lui rappela Alaric.

— C'est vrai, acquiesça Ewan. Elle semble douée pour soigner les gens. Je compte sur elle pour aider Mairin à accoucher.

Ces quelques mots provoquèrent chez Alaric un plaisir inattendu – ainsi qu'une bouffée de désir comme il n'en avait pas éprouvé depuis longtemps pour une femme. Il n'était pourtant pas en manque : il avait du succès avec le beau sexe et il trouvait toujours à satisfaire ses pulsions. Mais Keeley éveillait ses sens comme aucune autre. Et son absence le mettait de mauvaise humeur.

— Elle est d'accord pour rester ici et devenir notre guérisseuse ? demanda-t-il, feignant presque l'indifférence.

Caelen s'esclaffa encore.

— Pas tout à fait.

Alaric plissa les yeux.

— Que veux-tu dire ?

— Il veut dire que nous ne lui avons pas vraiment laissé le choix, expliqua Ewan en haussant les épaules. Tu avais besoin qu'elle te soigne. Et je voulais une sage-femme compétente pour Mairin. Alors, je l'ai amenée ici.

Alaric reconnaissait bien là Ewan qui, quand il avait pris une décision, l'exécutait sans se soucier des détails. Et, s'il était bien content de savoir que Keeley allait rester, il n'approuvait pas les méthodes de son frère aîné. Il comprenait mieux, maintenant, pourquoi elle se montrait aussi mordante à son égard !

— Renonce à cette fille, lui dit Ewan, comme s'il avait lu dans ses pensées. Aurais-tu oublié que tu dois épouser l'héritière McDonald ?

Non, Alaric ne l'avait pas oublié. Il l'avait juste momentanément occulté. En revanche, il n'avait pas oublié la raison de cette expédition au cours de laquelle il avait perdu quelques-uns de ses meilleurs hommes.

— J'ai reçu tout à l'heure une lettre de Gregor, reprit Ewan. Il s'inquiétait de ne pas te voir arriver. Mais j'attendais, pour lui répondre, de savoir avec précision ce qui s'était passé.

Alaric soupira de lassitude et se massa le front.

— Je ne peux pas t'en dire beaucoup plus. Nous nous étions arrêtés pour la nuit. J'avais posté six hommes pour monter la garde. Nous avons été agressés avec une rapidité et une férocité que je n'avais plus revue depuis l'attaque de notre forteresse, il y a huit ans de cela.

— Ce serait donc l'œuvre de Cameron ? grommela Caelen.

Le regard d'Ewan s'était fait menaçant.

— Qui d'autre aurait pu ourdir un traquenard aussi vicieux ? Les agresseurs d'Alaric ne cherchaient pas à obtenir une rançon. Sinon, ils n'auraient pas massacré tout le monde.

Caelen s'adossa au mur.

— Mais pourquoi s'en prendre à Alaric ? Cameron convoite Mairin et son héritage. Il serait plus logique qu'il cherche à te tuer, Ewan. Se débarrasser d'Alaric ne lui sert à rien.

— Il n'a pas intérêt à voir notre clan s'allier à celui des McDonald, fit valoir Alaric. Nous deviendrions si puissants, dans la région, que les autres clans se rallieraient à nous en cas de conflit.

— Je vais avertir McDonald de ce qui s'est passé, et le mettre en garde contre une possible agression de Cameron. Nous déciderons ensuite du parti à prendre pour ton mariage avec Rionna.

Caelen hocha la tête pour signifier son assentiment.

— Dans l'immédiat, le plus urgent est de nous assurer que Mairin accouchera dans de bonnes conditions. Tout le reste peut attendre.

Alaric acquiesça à son tour, soulagé d'un grand poids. Cependant, il demeurait conscient que leur clan avait besoin de cette alliance avec les McDonald pour assurer son avenir. En outre, ce mariage lui donnerait la possibilité de devenir laird. Mais il n'était pas pressé d'abandonner tout ce qu'il chérissait le plus pour épouser une femme qui ne lui inspirait rien.

Cela expliquait sans doute son attirance irrationnelle pour Keeley. Outre qu'elle lui avait sauvé la vie, la jeune femme lui offrait un dérivatif bienvenu. En réalité, c'était tout simple : elle représentait une distraction pour lui, et rien de plus.

Alaric se sentait déjà beaucoup mieux, maintenant qu'il avait compris pourquoi cette fille l'intéressait. Il reporta alors son attention sur ses frères.

— Je ne garderai pas la chambre très longtemps, assura-t-il. Ma blessure n'est qu'une vilaine estafilade au flanc. D'ici à une semaine, au plus tard, je devrais reprendre l'entraînement à l'épée. Et dès que je serai totalement rétabli, nous nous mettrons en campagne pour abreuver la terre du sang de Cameron !

Caelen s'esclaffa.

— Une estafilade ? Tu as failli en mourir. Tu vas te reposer jusqu'à ce que Keeley t'autorise à te lever. Ou sinon, je me chargerai moi-même de t'attacher à ce lit.

Alaric fronça les sourcils à l'intention de son frère cadet.

— En tout cas, ma blessure ne m'empêchera pas de t'infliger une solide correction !

Caelen roula des yeux.

— Arrêtez de vous comporter comme des gamins, tous les deux, intervint Ewan.

— Ah, écoutons les conseils d'un homme marié ! ironisa Alaric.

Caelen hocha la tête, amusé. Et, dans le dos d'Ewan, il fit un geste grivois, pour signifier que Mairin tenait leur aîné par la culotte. Alaric se retint d'éclater de rire, mais son effort le fit grimacer de douleur.

— Il est évident que tu dois encore rester quelques jours au lit, reprit Ewan, l'air sévère. Caelen a raison : s'il le faut, nous n'hésiterons pas à t'attacher.

Alaric soupira.

— Je n'ai pas besoin de vous pour me dorloter. Laissez-moi donc tranquille. Je sortirai de ce lit quand je me sentirai en état de marcher. Mais rassurez-vous, je ne suis pas trop pressé. Je préfère savourer encore quelque temps les attentions de Keeley.

Caelen secoua la tête, incrédule.

— Je ne vois pas ce que tu trouves à cette fille. Elle est aussi attirante qu'un hérisson.

Alaric sourit.

— Parfait. Dans ce cas, je n'aurai pas à t'interdire de t'en approcher.

— N'oublie pas ton engagement matrimonial, lui rappela Ewan.

Alaric redevint sérieux.

— Je ne pense qu'à cela, Ewan.

Ewan se releva.

— Nous allons te laisser te reposer. Keeley ne devrait plus tarder à revenir avec ton repas. Ensuite, ce serait bien qu'elle regagne sa propre chambre. Voilà des jours qu'elle te veille, sans pratiquement dormir.

Alaric hocha la tête, bien qu'il n'eût pas du tout l'intention de laisser la jeune femme dormir seule dans sa chambre. Elle resterait avec lui. Dans ses bras.

Keeley réapparut juste au moment où ses frères s'apprêtaient à sortir. Alaric s'aperçut qu'elle avait les traits tirés. Elle était vraiment fatiguée, preuve qu'elle n'avait pas ménagé sa peine pour le soigner.

Alaric était encore en convalescence – la vérité, c'est qu'il se sentait beaucoup plus faible qu'il ne l'avait fait croire à ses frères. Mais à partir de dorénavant, il prendrait garde à ce que Keeley puisse se reposer.

La jeune femme coula un regard irrité à ses frères, ce qui l'amusa beaucoup. Quand ils eurent disparu, elle le rejoignit à son chevet.

— J'ai de la soupe, du pain et de la bière, dit-elle. Je voulais de l'eau, mais Gertie a insisté pour me donner de la bière. Elle prétend que les guerriers doivent boire de la bière pour conserver leurs forces.

— Gertie a raison. Une bonne bière peut soigner presque n'importe quoi.

Keeley grimaça mais renonça à argumenter.

— Pouvez-vous vous asseoir ?

Alaric planta vaillamment ses coudes sur le matelas, pour se redresser. Mais une douleur lui cisailla aussitôt le flanc, lui coupant la respiration.

Keeley, voyant cela, se précipita pour l'aider. Alaric sentit sa douleur refluer dès que la jeune femme le toucha.

Elle disposa plusieurs oreillers dans son dos, puis elle le soutint par les épaules pour qu'il s'adosse.

— Allez-y doucement, guerrier, dit-elle. Je sais que vous avez mal.

Alaric avait le souffle court. Des gouttes de sueur perlaient à son front et une nausée lui soulevait le cœur. Doux Jésus ! Cette maudite blessure lui faisait souffrir le martyre.

La jeune femme s'éloigna. Il voulut protester, mais avant qu'il ait pu ouvrir la bouche, elle revenait déjà, avec la collation. Elle lui tendit le gobelet de bière puis elle s'assit à côté de lui sur le lit.

— Buvez lentement, pour ne pas brusquer votre estomac, murmura-t-elle.

Par quel mystère savait-elle qu'il avait la nausée et envie de rendre ? Quoi qu'il en soit, il suivit ses conseils et il goûta à sa bière.

Après quelques petites gorgées, il grimaça et reposa le gobelet.

— Je crois que c'est vous qui aviez raison, Keeley. De l'eau aurait beaucoup mieux convenu à mon estomac. La bière est trop amère.

Keeley lui tendit le bol de soupe.

— Mangez votre soupe pendant qu'elle est encore chaude. Je vais redescendre vous chercher de l'eau. J'en ai pour un instant.

Alaric lui saisit le bras.

— Non, ne bougez pas, dit-il.

Et, renversant la tête en arrière, il appela Gannon.

Il avait crié si fort que Keeley ne put s'empêcher de sursauter.

— Désolé, s'excusa-t-il. Je ne voulais pas vous faire peur.

Ils n'attendirent que quelques instants avant que Gannon n'ouvre la porte pour passer sa tête. Voyant que Keeley était stupéfaite, Alaric s'esclaffa joyeusement.

— Sa mission est de rester toujours devant ma porte, au cas où j'aurais besoin de quelque chose. Je savais qu'il ne pouvait pas être très loin.

— Était-ce juste pour vérifier ? grommela Gannon.

— Non. Je voudrais de l'eau fraîche et je désirais éviter que Keeley descende la chercher. Elle est fatiguée, et elle a déjà assez couru dans les escaliers pour aujourd'hui.

— Je reviens tout de suite, répondit Gannon, qui se retirait déjà.

— Si vous vous décidiez à manger votre soupe ? suggéra Keeley, au lieu de crier après vos hommes.

Alaric s'amusa de son ironie.

— Je crois que j'aurai besoin de votre aide. Je me sens trop faible.

Keeley roula des yeux, mais elle approcha le bol de soupe de ses lèvres.

— Ne buvez pas trop vite. Laissez chaque gorgée couler dans votre estomac, avant d'avaler la suivante.

La soupe était bonne et revigorante. Alaric en savoura chaque cuillerée. Mais plus encore que la soupe, c'était le regard attendri de Keeley qui l'aidait le mieux à oublier sa douleur au flanc droit.

Elle s'était rapprochée de lui, pour le faire boire, et du même coup elle lui offrait une vue imprenable sur sa poitrine. Fasciné, Alaric devinait deux seins parfaits sous le tissu de sa robe.

La jeune femme lui souleva le menton, pour l'obliger à croiser son regard.

— Finissez votre soupe, lui ordonna-t-elle.

Il s'exécuta. Il aimait lui obéir. À son grand étonnement, il sentit son membre durcir, ce qu'il aurait cru impossible alors que, par ailleurs, son corps souffrait le martyre. La douleur causée par cette érection était presque aussi intolérable que celle de sa blessure.

Quand il eut terminé la soupe, Keeley éloigna le bol de ses lèvres et recula.

Alaric grommela une protestation.

— Vous en voulez encore ?

— Oui, murmura-t-il.

— Je vais appeler pour qu'on vous apporte un autre bol.

— Non.

— Non ?

— Ce n'est pas la soupe, que je veux.

Elle le dévisagea.

— Que voulez-vous, guerrier ?

Alaric lui prit la main, pour la plaquer contre sa joue.

— Je vous veux près de moi.

— Je vous ai dit que je ne vous quitterais pas.

La porte se rouvrit, et Alaric étouffa un juron en voyant Keeley s'écarter prestement de lui. Elle s'empressa de rassembler le gobelet de bière et le bol de soupe vide pendant que Gannon tendait à Alaric un gobelet d'eau.

Il le but d'une traite, pour se débarrasser de Gannon au plus vite. Dès qu'il l'eut vidé, il le lui rendit.

— Assure-toi que nous ne soyons pas dérangés. Keeley a besoin de se reposer.

La jeune femme en resta un instant bouche bée.

— Moi ? Mais... il me semble que c'est vous qui êtes blessé.

Alaric hocha la tête.

— Oui. Mais à cause de ma blessure, vous manquez de sommeil.

Elle ne répondit rien. D'ailleurs, Alaric voyait bien qu'elle était fatiguée et qu'elle avait autant besoin que lui de se reposer.

Il fit signe à Gannon d'approcher.

— Qu'on lui prépare un bain, chuchota-t-il à son garde. Tu feras monter le tub ici, et tu le placeras dans un coin, pour qu'elle ait un peu d'intimité.

Gannon haussa un sourcil, mais ne discuta pas. Dès qu'il eut quitté la pièce, Alaric reporta son attention sur la jeune femme, qui s'affairait dans la pièce, comme si elle cherchait à tout prix à l'éviter.

Deux minutes plus tard, on frappait de nouveau à la porte. Keeley fronça les sourcils, mais alla ouvrir. Alaric s'amusa de la voir reculer, les yeux écarquillés, tandis que deux hommes installaient un grand tub dans la pièce. Ils étaient suivis d'une cohorte de servantes portant chacune un seau d'eau fumante.

Keeley se tourna vers Alaric.

— Ce n'est pas raisonnable de vouloir prendre un bain. Vous ne devez pas mouiller votre plaie.

— L'eau chaude ne m'est pas destinée.

La jeune femme fronça les sourcils.

— Mais alors, c'est pour qui ?

— Pour vous.

Elle écarquilla de nouveau les yeux, regardant tour à tour Alaric et le coin de la pièce où le tub se remplissait déjà, comme si elle ne savait pas quoi répondre. Quand elle ouvrit enfin la bouche, Alaric posa un doigt sur ses lèvres, pour lui faire signe de se taire.

Elle revint vers le lit.

— Alaric ! Je ne peux pas prendre un bain dans cette chambre !

— Je ne regarderai pas, assura-t-il d'un air de parfaite innocence.

Elle jeta un regard d'envie au tub d'où montait une épaisse vapeur, tandis qu'une servante y vidait le dernier seau d'eau.

— Si vous ne vous dépêchez pas, l'eau va refroidir, plaida Alaric.

Gannon déploya un paravent de bois devant le tub.

— Je l'ai emprunté à Mairin, expliqua-t-il à Keeley.

Alaric le fusilla du regard, mais Gannon fit mine de ne pas s'en apercevoir.

Keeley fut ravie de constater que le paravent obstruait complètement la vue.

— C'est parfait ! s'exclama-t-elle.

Gannon lui rendit son sourire, avant de lui tendre un paquet de tissu replié.

— Mairin vous prête cette robe pour ce soir, et elle vous fait dire que demain matin, les dames auront d'autres vêtements à vous donner.

Keeley se sentit submergée de gratitude.

— Remerciez Mairin et les autres dames pour moi.

Gannon hocha la tête. Puis il suivit les servantes, qui s'étaient déjà éclipsées, et referma la porte derrière lui.

Keeley caressa d'un air mélancolique l'étoffe de la robe, avant de lancer à Alaric :

— Je vais faire vite.

Alaric secoua la tête.

— Non, prenez tout votre temps, au contraire. Je me sens mieux, maintenant que j'ai mangé. Je vais me rallonger et vous attendre confortablement.

Mais la fièvre ne tarda pas à le reprendre : Keeley s'était glissée derrière le paravent et la minute d'après, elle y accrochait sa robe...

Maintenant, elle était nue derrière cette petite cloison de bois ! Et dire que par la faute de Gannon, il était cloué au lit, réduit à imaginer les longues jambes de la jeune femme, ses seins parfaits, ses hanches généreuses et le triangle, entre ses cuisses, qui devait être de la même couleur que sa chevelure...

Il ferma les yeux quand il l'entendit s'immerger dans l'eau chaude avec un soupir de contentement qui raviva instantanément son érection.

Il glissa une main sous les draps et se débattit avec le cordon de son pantalon pour accéder à son membre et se caresser.

Derrière le paravent, la jeune femme fredonnait avec insouciance. Alaric l'imagina en train de tendre une jambe hors de l'eau pour la savonner.

Doux Jésus ! C'était insupportable.

Il aurait donné n'importe quoi pour la rejoindre dans le bain et la laver avec autant de soin qu'elle avait nettoyé sa blessure.

Il serra plus fermement son membre dans sa main, réprimant à peine les gémissements de plaisir que lui arrachaient ses propres caresses. À présent, il imaginait Keeley agenouillée devant lui, lèvres entrouvertes, prête à le recevoir dans sa bouche.

Alaric lui empoignait les cheveux en même temps qu'il enfonçait son membre dans sa bouche et qu'elle le caressait avec sa langue.

Ignorant la douleur qui lui cisaillait le flanc, il se caressa de plus en plus vite et de plus en fort, impatient de libérer la pression qui le taraudait.

Tout à coup, sa jouissance éclata enfin. Il arqua les reins et contracta les orteils, tandis que sa semence se répandait sur son ventre.

C'était la libération la plus douloureuse – tant elle avait été intense – qu'il ait jamais connue. Et pourtant, il n'avait même pas touché la jeune femme ! Que seraitce, alors, s'il la pénétrait ?

Un bruit d'eau qui cascadait l'avertit qu'elle sortait de son bain. Alaric s'empressa d'arracher les dernières gouttes de semence à son membre, avant de le laisser pendre contre sa cuisse, puis il remonta son pantalon qu'il referma.

Keeley montra sa tête d'un côté du paravent.

— Ça va ? J'ai cru vous entendre.

— Tout va très bien, répliqua-t-il, d'une voix étranglée. Si vous avez fini, j'aimerais me laver un peu, moi aussi. Ne vous inquiétez pas, je prendrai garde à ne pas mouiller ma plaie.

Elle fronça les sourcils, mais renonça à discuter. Elle disparut de nouveau derrière le paravent, et Alaric l'entendit terminer de se sécher, puis se rhabiller. Cinq minutes plus tard, elle réapparaissait, vêtue d'une robe propre et la peau rougie d'avoir séjourné dans l'eau chaude. Sa longue chevelure, encore humide, retombait dans son dos jusqu'à ses reins.

— Pendant que vous vous laverez, je sécherai mes cheveux devant le feu, dit-elle.

Alaric voulut se redresser pour sortir du lit, mais la douleur le rattrapa et il s'arrêta à mi-chemin, le souffle court.

La jeune femme se précipita pour lui offrir son bras.

— Laissez-moi vous aider à vous lever. Attrapez-moi par la taille et je vais vous tirer hors du lit.

Alaric n'avait pas besoin d'une autre invitation pour l'enlacer et presser sa tête contre son ventre. Une délicieuse fragrance de rose lui titilla les narines. Elle s'était lavée avec le savon de Mairin, mais, sur la peau de Keeley, son parfum lui paraissait tout à coup plus enivrant que jamais.

— Allons-y, maintenant.

Elle le tira hors du lit. Alaric la tenait fermement, pour l'empêcher de tituber, car il pesait bien trop lourd pour elle. Quand ses pieds touchèrent enfin le sol, il marqua une pause, le temps de reprendre sa respiration, avant de se mettre debout.

Dès qu'il se leva sur ses deux jambes, la pièce commença à tourner devant ses yeux. Alaric dut faire appel à toute sa volonté pour ne pas se laisser retomber sur le matelas.

Il ressentit alors un besoin pressant.

— J'ai besoin du pot de chambre, dit-il, s'appuyant sur l'épaule de Keeley pour rester droit. Il serait peut-être préférable que vous sortiez de la chambre quelques instants.

Il n'avait pas envie de la dégoûter en lui infligeant ces moments pénibles.

Elle lui sourit.

— À votre avis, guerrier, qui vous a aidé à satisfaire vos besoins naturels, pendant que vous étiez inconscient ?

Alaric sentit le feu lui monter aux joues. Bonté divine ! Il rougissait comme un gamin !

— Je préfère ne pas le savoir.

Elle rit de bon cœur, avant de s'écarter.

— Vous êtes sûr que ça ira ? Je vais rester dans le couloir. Si vous avez besoin de mon aide, n'hésitez pas à appeler. Je reviendrai dès que vous serez dans le tub.

Alaric acquiesça et la regarda s'éloigner vers la porte. Arrivée sur le seuil, elle se retourna pour lui offrir un sourire qui lui réchauffa le cœur. Puis elle sortit et referma la porte derrière elle.

Alaric se rendit d'abord au pot de chambre, après quoi il se dirigea vers le tub avec une démarche de vieillard et réussit tant bien que mal à s'immerger dedans.

Il n'avait jamais compris le plaisir que l'on pouvait éprouver à se laver dans ces conditions. Il préférait plonger dans le loch, avec ses frères. Le tub lui paraissait beaucoup trop petit pour sa taille, et une fois dedans, il lui était presque impossible de bouger.

Il parvint tout de même à se laver du mieux possible. Quand il s'estima satisfait du résultat, il posa ses deux mains sur les rebords du tub, pour se redresser. Mais la manœuvre lui arracha un grognement.

— Alaric ?

La voix de Keeley provenait de l'autre côté du paravent. Alaric se figea, une serviette à la main.

— Oui ?

— Ça va ? Vous n'avez pas besoin d'aide ?

Il avait très envie de répondre « si », mais il ne supportait pas l'idée d'être réduit à un tel état d'impuissance.

— Regardez dans le coffre en bois au pied de mon lit et apportez-moi un pantalon propre, je vous prie.

La minute d'après, elle passait son bras derrière le paravent, pour lui tendre son pantalon.

— Vous pourrez l'enfiler tout seul ?

— Je vais me débrouiller.

Il se débrouilla, non sans douleur et en prenant dix fois plus de temps qu'il ne lui en fallait d'ordinaire. Quand il émergea enfin de derrière le paravent, il était convaincu d'être pâle comme un linge. Du reste, dès qu'elle le vit, Keeley s'empressa de passer un bras autour de sa taille pour le soutenir.

— Vous auriez dû me laisser vous aider, le réprimanda-t-elle. Vous souffrez inutilement.

Elle le raccompagna jusqu'au lit, où il se rallongea sur le dos.

Puis il tendit sa main à la jeune femme.

— Couchez-vous près de moi, Keeley. Nous avons tous les deux besoin de repos. Je dormirai mieux, en vous sachant à mes côtés.

Elle rougit légèrement. Mais elle prit sa main et s'étendit contre lui.

— C'est vrai que je suis fatiguée, dit-elle.

— Vous avez toutes les raisons de l'être.

Alaric lui caressa le dos, en même temps qu'il posait son menton sur le dessus de sa tête. Il la sentit se détendre peu à peu.

— Keeley ?

— Oui ? demanda-t-elle, d'une voix déjà endormie.

— Merci de m'aider. Et merci d'avoir suivi mes frères pour me soigner.

Elle resta silencieuse un moment, avant de prendre la main d'Alaric dans la sienne.

— De rien, guerrier.

11

Keeley se rapprocha de la source de chaleur avec un petit soupir de contentement. Puis elle bâilla, et il s'en fallut de peu qu'elle se mît à ronronner en sentant une grande main lui caresser le dos. Quelle merveilleuse façon de se réveiller !

Tout à coup, elle se souvint qu'elle partageait le lit d'Alaric McCabe et que c'était donc lui qui lui caressait le dos.

La jeune femme ouvrit les yeux et s'aperçut qu'Alaric la contemplait. Sa main remonta plus haut, pour lui masser doucement la nuque. Keeley hésitait à parler, de peur de rompre le charme de l'instant.

Un peu de lumière filtrait par les rebords de la fourrure qui obstruait la fenêtre et le feu s'était de nouveau réduit à quelques braises rougeoyantes.

Alaric se tenait dressé sur un coude, sa longue chevelure retombant sur ses épaules. Il semblait satisfait. Plus aucune douleur n'assombrissait son regard et ses beaux yeux verts brillaient d'une lueur qui fit frissonner Keeley. Soudain nerveuse, elle s'humecta les lèvres, tandis que le regard d'Alaric se faisait plus intense. Il lui enserra la nuque et, avant qu'elle ait pu réagir, approcha sa bouche de la sienne.

Ce ne fut d'abord qu'un effleurement très tendre – et ô combien délicieux ! Mais, après s'être retiré un instant, il revint à la charge, avec plus de détermination, usant cette fois de sa langue pour l'inciter à ouvrir les lèvres.

Keeley, incapable de lui refuser quoi que ce soit, se soumit à son injonction muette. Leurs langues s'entremêlèrent, dans une danse enfiévrée.

— Vos lèvres sont merveilleuses, murmura Alaric.

De nouveau, sa voix rauque fit courir des frissons dans tout le corps de Keeley, mais lui fit aussi prendre pleinement conscience de la situation : ils étaient couchés ensemble dans le lit d'Alaric et il l'embrassait.

Alors qu'il était fiancé à une autre !

Keeley recouvra ses esprits aussi sûrement que si elle avait reçu une douche froide.

— Qu'y a-t-il ? demanda Alaric, alors qu'elle se dégageait de son étreinte pour mettre de la distance entre eux.

— Ce que nous faisons est mal, dit-elle. Vous êtes fiancé à une autre femme.

Alaric fronça les sourcils.

— Qui vous a raconté cela ?

— Peu importe de savoir qui me l'a dit, du moment que c'est vrai. Vous appartenez à une autre. Ce n'est pas bien de votre part de m'attirer dans votre lit.

— Nous ne sommes pas encore officiellement fiancés.

Keeley soupira.

— Ce n'est pas une excuse valable et vous le savez bien. Auriez-vous renoncé à l'épouser ?

Alaric plissa les lèvres, mais il secoua la tête.

— Non. C'est un mariage d'intérêt. Destiné à consolider notre alliance avec les McDonald.

En principe, cela n'aurait pas dû affecter Keeley d'entendre la confirmation de ce qu'elle savait déjà. Après tout, que représentait cet homme pour elle ? Il n'était qu'un blessé qui avait besoin de ses services.

Rien d'autre. Quelques baisers échangés n'engageaient à rien, et surtout pas à l'avenir. Elle n'allait tout de même pas rêver à une histoire d'amour avec ce guerrier !

Elle secoua la tête, pour chasser cette idée absurde de son esprit. Rionna était fille de laird. Keeley n'était rien. Elle n'avait rien à donner en mariage, sinon elle-même. Pas de titre, pas de dot généreuse. Pas même le soutien de son clan.

— Dans ce cas, vous embrassez la mauvaise femme, répondit-elle, d'une voix qu'elle voulait légère.

Alaric soupira et laissa retomber sa tête sur l'oreiller.

— Vous ne pouvez pas me forcer à ignorer l'attirance qui existe entre nous, Keeley. Ce serait de toute façon impossible. Je n'ai jamais désiré une femme autant que vous.

La gorge de Keeley était soudain si sèche qu'elle avala péniblement sa salive. Elle ferma les yeux. Quand elle les rouvrit, ceux d'Alaric brillaient de désir.

— Avez-vous pensé à ce qu'il adviendrait de moi, guerrier ? Dois-je me donner à vous, uniquement pour vous voir ensuite en épouser une autre ? Et que deviendrai-je, quand vous serez le nouveau laird des McDonald ?

Alaric tendit la main, pour lui caresser la joue.

— Je veillerai sur votre sort, ne vous inquiétez pas. Je ne ferai jamais rien qui pourrait vous nuire ou causer votre disgrâce.

Keeley ne put s'empêcher de sourire avec amertume. La disgrâce, elle connaissait déjà.

— Si vous ne voulez pas me nuire, alors vous devez renoncer à aller plus loin avec moi.

Il voulut protester, mais Keeley posa un doigt sur ses lèvres, pour lui intimer le silence.

— Le jour se lève. Nous avons dormi toute la nuit. Je vais examiner votre blessure et ensuite je commanderai votre petit déjeuner. Puis j'irai demander au laird quelle place il m'assigne dans cette forteresse.

— Ewan s'occupera bien de vous, assura Alaric, d'un air déterminé. Sinon, il devra m'en répondre.

Pour toute réponse, Keeley se pencha sur sa blessure.

— L'inflammation a presque entièrement disparu, dit-elle. Encore quelques jours de repos, et je vous autoriserai à quitter la chambre. Mais à condition que vous me promettiez de ne pas reprendre tout de suite l'entraînement.

Elle avait espéré détourner la conversation, mais quand elle releva les yeux elle vit qu'Alaric la regardait avec tristesse et regret. Keeley préféra détourner la tête et descendre du lit.

Elle se dirigea vers la fenêtre et écarta la fourrure, afin de laisser rentrer dans la chambre un peu d'air frais avec le soleil du matin. Elle resta un moment immobile, à maudire le destin et ses griffes implacables.

Chez les McDonald, sa vie – et son avenir – avaient été déterminés par les actions des autres. Elle s'était juré que cela ne se reproduirait plus jamais. Mais à présent, elle s'apercevait que décider de son propre destin pouvait vous laisser un goût de cendres dans la bouche.

Pourtant, Keeley était convaincue d'avoir agi avec raison. Elle avait préféré prendre ses distances avec Alaric, pour se protéger… Se protéger de quoi, au juste ? D'un possible chagrin ? D'une disgrâce probable ?

Elle aurait dû se sentir rassérénée d'avoir été capable de maîtriser toute seule la situation. Cependant, elle n'éprouvait qu'un sentiment d'immense gâchis – et de vide.

La jeune femme risqua un regard en direction d'Alaric. Il avait fermé les yeux et semblait se reposer. Oui, c'était mieux ainsi. De toute façon, il ne serait jamais à elle. Si elle s'engageait dans une liaison avec lui, leur rupture serait encore plus douloureuse. Dans ces conditions, mieux valait ne jamais connaître les joies de l'amour.

Keeley prit une profonde inspiration, carra les épaules et partit vers la porte. Il était grand temps qu'elle prenne en main son propre destin. Ewan McCabe s'était lourdement trompé en croyant kidnapper une femme sans ressources. Keeley exigerait de lui des garanties solides, s'il voulait qu'elle reste jusqu'à l'accouchement de lady McCabe.

Alors qu'elle sortait de la chambre, la jeune femme faillit heurter Gannon, assis dans le couloir à même le sol, la tête appuyée contre le mur. Il ne dormait qu'à moitié et il s'empressa de se relever. Alaric n'avait pas exagéré, en prétendant que Gannon était toujours là pour veiller sur lui.

— Désirez-vous quelque chose ? s'enquit poliment le garde.

Keeley secoua la tête.

— Non. Alaric va beaucoup mieux. Je vais descendre parler au laird. J'en profiterai pour demander qu'on monte le petit déjeuner d'Alaric.

Gannon parut soudain mal à l'aise.

— Si vous avez une requête à formuler au laird, il serait préférable que je la transmette moi-même.

Keeley plissa les yeux. Elle ne se laisserait pas intimider par ce guerrier, malgré sa stature imposante.

— Je ne pense pas que cela soit nécessaire. Mais si vous voulez vous rendre utile, descendez plutôt dans les cuisines, pour commander le petit déjeuner d'Alaric. Pendant ce temps, j'irai m'entretenir avec le laird.

Et, sans laisser au garde le temps de répliquer, elle partit vers l'escalier.

Elle s'arrêta dans le grand hall du rez-de-chaussée, qui fourmillait d'activité, plusieurs servantes y vaquant à leurs tâches. Malgré la détermination qu'elle avait affichée devant Gannon, Keeley ignorait où trouver le laird. Et sa bravade ne l'empêchait pas d'être très nerveuse.

— Keeley ! s'exclama Maddie, qui arrivait des cuisines. Puis-je vous aider ?

Keeley se tourna vers elle.

— Où pourrais-je trouver le laird ?

— Il est dans la cour, à s'entraîner avec ses hommes.

Keeley lui sourit.

— Merci !

Elle s'éloignait déjà quand Maddie lui lança :

— Le laird n'aime pas être dérangé lorsqu'il s'entraîne au combat !

— Pour ma part, je n'aime pas être dérangée quand je dors tranquillement chez moi, marmonna Keeley, assez bas pour ne pas être entendue de Maddie.

Ce qui n'avait pas empêché Ewan McCabe de faire irruption chez elle et de la tirer hors de son lit pour l'amener ici !

Elle ouvrit la porte donnant sur la cour intérieure de la forteresse et marqua une pause sur le seuil, impressionnée par la vue de tous ces guerriers qui s'entraînaient à combattre à l'épée ou à mains nues, ou encore à tirer à l'arc. Ils étaient plusieurs dizaines, peut-être une centaine, et le vacarme qu'ils produisaient était assourdissant.

Les mains plaquées sur les oreilles, la jeune femme descendit les quelques marches qui menaient dans la cour et elle commença d'en faire le tour, à la recherche du laird. Elle s'immobilisa en croyant sentir un flocon de neige s'écraser sur son nez. Elle leva les yeux au ciel et vit qu'il neigeait vraiment. Dans sa préoccupation à trouver Ewan, elle ne s'en était même pas aperçue !

Elle frissonna, mais reprit ses recherches.

Au bout d'un moment, elle finit par trouver le laird et son frère, côte à côte, occupés à surveiller les manœuvres de leurs hommes.

Caelen fronça aussitôt les sourcils en la voyant. Le laird se montra à peine plus civilisé.

— J'espère qu'il n'y a rien de grave ? demanda-t-il, sans même la saluer. Comment va Alaric ?

— Alaric va bien. Sa blessure se cicatrise et sa fièvre est retombée. Mais je ne suis pas venue pour vous parler de lui.

— Je suis occupé, répliqua sèchement le laird. Quel que soit le sujet, ça peut attendre.

Et il lui tourna le dos, pour la congédier.

Malgré le temps glacial, Keeley sentait son sang bouillir dans ses veines.

— Non, laird, ça ne peut pas attendre.

Et elle tapa du pied, pour donner plus de force à son propos, mais aussi pour s'assurer de couvrir le vacarme ambiant.

Le laird se raidit, avant de se retourner vers elle. Tous les combattants, à proximité, s'immobilisèrent, l'épée baissée, pour regarder Keeley.

— Qu'avez-vous dit ? demanda le laird, d'une voix si calme qu'elle en était terriblement menaçante.

Caelen dévisagea Keeley avec incrédulité, avant de regarder son frère, comme s'il avait besoin de se voir confirmer qu'elle avait osé défier le laird.

Keeley redressa fièrement le menton. Ses genoux tremblaient, mais elle n'entendait pas montrer qu'elle avait peur.

— J'ai dit que ça ne pouvait pas attendre.

— Dans ce cas, expliquez-moi votre problème. Qu'y a-t-il donc de si important, que vous vous permettiez d'interrompre l'entraînement de mes hommes ? Parlez, maintenant que vous avez toute mon attention. Ne soyez pas timide.

— Oh, on ne m'a jamais reprochée d'être timide, répliqua Keeley, amusée. Et ce qui est si important, ce sont vos projets me concernant. Vous m'avez enlevée de chez moi pour que je soigne votre frère, mais vous attendez aussi que j'aide lady McCabe à mettre son bébé au monde. Je refuse d'être traitée en prisonnière, aussi je veux connaître la place que vous me réservez au sein de votre clan.

Ewan McCabe haussa un sourcil.

— Auriez-vous été maltraitée, jusqu'à présent ? Quelqu'un vous aurait-il manqué de respect ? Croyez-moi, je n'accorde jamais de chambre à mes prisonniers. Leur place est dans les caves du donjon.

Refusant de se laisser impressionner par la dureté de son ton, Keeley chercha bravement son regard et carra les épaules.

— Je souhaite connaître ma position exacte, laird, afin qu'il n'y ait aucun malentendu par la suite. J'ai dû renoncer à ma maison pour vous suivre. J'étais habituée à subvenir à mes propres moyens et à vivre selon mes règles. Il ne m'est donc pas facile d'obéir aux ordres de quelqu'un.

Le visage d'Ewan s'assombrit et Keeley se demanda s'il n'allait pas exploser de fureur. Mais, à son grand étonnement, il renversa la tête en arrière et il éclata de rire.

— Dites-moi, Keeley, avez-vous parlé à ma femme ? Ne serait-ce pas elle qui vous aurait inspiré cette scène ?

Autour de lui, ses hommes se mirent à rire également. Même Caelen en oublia quelques instants sa sévérité coutumière.

Keeley les regardait tous avec stupéfaction.

— Pourquoi lady McCabe m'aurait-elle parlé ? Je ne l'ai pas encore vue de la matinée.

Ewan McCabe poussa un soupir théâtral.

— Doux Jésus ! Ce n'était pas assez d'une femme pour me défier à chaque instant. Voilà que j'hérite d'une deuxième.

— Je te rappelle que c'était ton idée, marmonna Caelen.

De nouveau, les guerriers éclatèrent de rire. Ewan leva la main pour les faire taire. Keeley commençait à s'alarmer. Ils semblaient tous prendre ses récriminations sur le ton de la plaisanterie, sans s'apercevoir qu'elle était parfaitement sérieuse. Elle enrageait à l'idée qu'ils puissent rire de la situation, alors qu'elle avait été kidnappée de chez elle et privée de son indépendance.

Les dents serrées, elle tourna les talons pour rentrer dans la forteresse. Elle avait très envie de s'ouvrir de ses frustrations à Alaric, mais elle craignait de provoquer une dissension entre lui et ses frères – ce qui risquait de se retourner contre elle.

Alors qu'elle regagnait la porte par laquelle elle était sortie, une main lui agrippa fermement l'épaule, pour l'obliger à se retourner. Keeley, aveuglée par sa colère, serra les poings et frappa au jugé. Caelen eut juste le temps de pencher la tête de côté pour parer le coup.

— Bon sang, femme ! s'exclama-t-il, ahuri. Calmez-vous !

Il lui saisit le bras pour l'empêcher de recommencer.

— Lâchez-moi ! protesta Keeley.

— Keeley, je voudrais vous parler, intervint Ewan, qui arrivait derrière son frère.

Keeley libéra son bras et se tourna vers lui.

— Je crois que vous m'avez déjà tout dit, laird.

— Ce n'est pas mon avis. Rentrons. Nous parlerons pendant que je prendrai mon petit déjeuner. Vous-même, avez-vous mangé ? Je prends toujours mes repas avec ma femme, mais en ce moment elle paresse au lit, à cause de son état. Alors j'ai décalé l'horaire de mon petit déjeuner pour ne pas enfreindre la tradition.

Keeley se résigna à hocher la tête et emboîta le pas au laird. Caelen leur jeta un dernier regard, avant de partir rejoindre les guerriers à l'entraînement.

Mairin était déjà attablée dans le grand hall. Son visage s'illumina dès qu'elle vit arriver Ewan et elle voulut se lever.

— Non, chérie, reste assise, dit-il, posant une main sur son épaule avant de l'embrasser sur la tempe et de lui offrir un sourire qui toucha Keeley au cœur.

Puis il s'assit à côté de sa femme et il fit signe à Keeley de prendre place en face d'eux.

— Bonjour, Keeley, dit Mairin, avec un grand sourire.

— Bonjour, Mairin.

— Comment va Alaric ?

Keeley la rassura d'un sourire.

— Beaucoup mieux ce matin. Sa fièvre est presque entièrement retombée. Mais je lui ai ordonné de garder la chambre encore quelques jours.

— Voilà une excellente nouvelle ! s'exclama Mairin. Et c'est grâce à vous.

Ewan s'éclaircit la voix pour s'adresser à Keeley, tandis que des domestiques arrivaient pour les servir.

— Je sais que les circonstances de votre arrivée ici ont été… particulières, commença-t-il. Cependant, je souhaite que vous restiez avec nous, au moins jusqu'à ce que Mairin ait accouché de notre enfant. Elle est tout, pour moi, et je ne voudrais pas qu'il lui arrive quoi que ce soit.

— Votre sollicitude vous honore, laird. Votre femme a beaucoup de chance d'avoir un mari à ce point préoccupé par son bien-être.

— J'ai l'impression qu'il y a un « mais » qui se cache derrière votre argumentation, devina Ewan.

— Vous avez raison, acquiesça Keeley. Je veux des garanties sur mon statut chez vous. Notamment, j'exige d'être libre de mes déplacements.

Ewan s'adossa à son siège et la dévisagea quelques instants.

— Si je vous accorde cette liberté, me donnerez-vous, en échange, votre parole de ne pas quitter mes terres ?

Keeley prit son temps avant de répondre. Une fois qu'elle aurait donné sa parole, elle ne pourrait plus revenir en arrière. Ce qui voudrait dire qu'elle passerait tout l'hiver chez les McCabe. Et donc, qu'elle resterait à proximité d'Alaric, soumise à une tentation comme elle n'en avait jamais connu.

La jeune femme regarda Mairin, qui semblait à la fois délicate et fatiguée, puis elle lut dans les yeux du laird l'amour qu'il lui portait. Il était foncièrement attaché à son épouse. Et il s'inquiétait pour elle. Keeley serait ravie de pouvoir alléger son fardeau en aidant Mairin à mettre son enfant au monde.

— Oui, dit-elle. Je vous donne ma parole.

Ewan hocha la tête.

— Il est important que vous ayez conscience que votre liberté s'accompagne de conditions. Vous ne pourrez pas sortir de la forteresse sans escorte. Nous avons des ennemis, prêts à tout pour nous nuire et qui ne reculeront devant aucun expédient.

— Je saurai m'accommoder de ces conditions.

— Parfait. Dans ce cas, Keeley, votre position au sein de notre clan sera tout à fait respectable et respectée. D'autant que, comme je vous l'ai déjà expliqué, nous n'avons plus de guérisseuse. En dehors d'Alaric et de Mairin, d'autres membres du clan auront besoin de vos services. J'espère que vous consentirez à les soigner. Quoi qu'il en soit, si vous nous faites allégeance, vous serez traitée comme une McCabe, ce qui veut dire que vous ne manquerez jamais de rien.

Son discours respirait la sincérité. Ewan McCabe ne dupait pas son monde. Keeley était convaincue que c'était un homme d'honneur.

— Je vous fais allégeance, laird, répondit-elle.

Mairin battit des mains pour manifester sa joie.

— Voilà qui est magnifique ! Je suis heureuse de savoir que vous allez rester, Keeley. Peut-être accepterez-vous de m'enseigner quelques-uns de vos secrets médicinaux ? Quoi qu'il en soit, c'est agréable de savoir qu'il y aura une femme de plus dans nos murs.

— Comme s'il n'y en avait pas déjà assez, grommela Ewan. Vous êtes déjà plus nombreuses que les hommes.

Mairin se retint d'éclater de rire.

— Quand nous aurons fini de manger, reprit-elle, je vous montrerai les vêtements que Maddie a rassemblés pour vous. Ensuite, je vous ferai visiter la forteresse et je vous présenterai aux membres du clan. Tout le monde sera très excité d'apprendre que nous avons une nouvelle guérisseuse.

Keeley lui sourit.

— Cela me semble un excellent programme.

Le repas terminé, Ewan se leva de table le premier et il embrassa sa femme sur la joue.

— Je dois rejoindre mes hommes. Prends Gannon et Cormac avec toi, pendant que tu feras visiter la forteresse à Keeley.

Mairin leva les yeux au ciel, alors qu'Ewan s'éloignait déjà.

— Je t'ai vue, lança-t-il cependant.

Mairin le salua de la main, avec un sourire espiègle, avant de reporter son attention sur Keeley :

— Voulez-vous monter voir Alaric, pour vous assurer que tout va bien, avant que nous commencions notre tour ?

— Il ne court aucun danger, assura Keeley. Il se reposait, quand je l'ai quitté, et Gannon s'occupait de lui faire monter son petit déjeuner. J'irai lui rendre visite quand nous aurons achevé la visite de la forteresse.

Mairin hocha la tête.

— Alors, allons-y, dit-elle, se relevant. Je vais commencer par vous présenter aux femmes.

12

Mairin était bavarde. Durant toute la visite de la forteresse et des cottages nichés au pied de ses remparts, elle ne cessa de parler de choses et d'autres. Keeley avait l'impression que la tête lui tournait, cependant elle s'efforça de mémoriser les noms de toutes les personnes que Mairin lui présentait.

La plupart des McCabe l'accueillirent avec chaleur. Quelques-uns, cependant, se montraient circonspects. Sans doute parce que Mairin ne l'appelait que « Keeley », sans mentionner le patronyme de son clan.

Christina, une jeune femme de l'âge de Keeley à peu près – elle ne devait avoir qu'un ou deux ans de moins qu'elle – était très vive, avec un beau sourire et des yeux pétillants d'intelligence. Keeley sentit tout de suite qu'elle s'entendrait très bien avec elle. Elle remarqua, aussi, que Cormac et Christina flirtaient ensemble : ils se dévoraient littéralement du regard, malgré leur air innocent.

Alors qu'elles revenaient vers la forteresse, par l'arrière, Keeley et Mairin tombèrent sur un groupe d'enfants qui s'employaient vaillamment à mettre en tas la neige répandue sur le sol. Les flocons s'étaient arrêtés de tomber, mais le ciel menaçant indiquait qu'ils ne tarderaient pas à revenir.

L'un des garçons, apercevant Mairin, abandonna ses camarades pour courir vers les deux femmes.

— Maman !

Le garçonnet se jeta dans les jupes de Mairin, qui le serra très fort contre elle. Keeley était stupéfaite. Mairin semblait beaucoup trop jeune pour être la mère d'un enfant de cet âge.

Mairin caressa la tête du garçonnet, avant de sourire à Keeley.

— Crispen, j'aimerais te présenter Keeley. Elle va habiter quelque temps avec nous et nous faire profiter de ses talents de guérisseuse.

Keeley tendit la main avec solennité.

— Je suis enchantée de faire ta connaissance, Crispen.

Le garçonnet pencha la tête de côté et dévisagea Keeley avec intensité. La jeune femme fut surprise de discerner de l'anxiété dans ses yeux.

— Vous êtes venue aider ma maman à accoucher ?

Keeley sentit son cœur fondre de le voir ainsi s'inquiéter pour sa mère. Quel adorable garçon ! Elle aurait voulu le serrer dans ses bras.

— Oui, Crispen. J'ai déjà aidé plusieurs bébés à naître, et j'assisterai ta mère quand le moment sera venu.

Les yeux du garçonnet trahirent son soulagement.

— C'est merveilleux ! s'exclama-t-il, avec un grand sourire. Papa a bien raison de dire que maman mérite le meilleur. Elle porte dans son ventre mon futur petit frère ou ma future petite sœur !

Keeley lui sourit.

— En effet. As-tu une préférence, Crispen ? Garçon, ou fille ?

Crispen se frotta le nez, avant de jeter un regard en direction des autres enfants qui lui criaient de les rejoindre.

— Ça ne m'embêterait pas d'avoir une sœur, du moment qu'elle n'est pas comme Gretchen. Mais un garçon, c'est mieux pour jouer.

Mairin s'esclaffa.

— Tu sais bien que Gretchen est unique. Maintenant, va retrouver tes camarades. Je dois terminer de faire visiter la forteresse à Keeley.

Crispen donna une dernière étreinte à sa mère, avant de courir rejoindre ses amis.

Keeley coula un regard curieux à Mairin – elle ne savait pas trop par quelle question commencer. Mais Mairin, devinant sa confusion, se hâta d'expliquer :

— Gretchen est une petite fille au caractère bien trempé qui n'hésitera pas à conquérir le monde. Elle est la bête noire de Crispen et des autres garçons de son âge. Quand elle ne les bat pas à leurs propres jeux, elle les fait enrager en leur assurant qu'elle deviendra une guerrière.

Keeley chercha des yeux Gretchen dans le groupe d'enfants. C'était probablement celle qui s'était assise à califourchon sur l'un des garçons, sans se soucier de ses protestations véhémentes.

— Quant à Crispen, reprit Mairin, il est le fils d'Ewan, né de son premier mariage. Sa mère est morte quand Crispen n'était encore qu'un bébé.

— Il vous aime manifestement beaucoup.

Mairin hocha la tête.

— J'attends un enfant, mais dans mon cœur Crispen restera toujours le premier. Même s'il n'est pas sorti de mon ventre. C'est lui qui m'a fait rencontrer Ewan.

Keeley étreignit la main de Mairin.

— Vous avez beaucoup de chance. Votre mari vous adore. Cela saute aux yeux.

— Arrêtez, vous allez me faire pleurer ! protesta Mairin. Ces derniers temps, je sanglote pour un oui ou pour un non. Ça rend Ewan fou. Et ses hommes m'évitent, de peur de dire ou de faire quelque chose qui ferait jaillir mes larmes.

Keeley s'esclaffa joyeusement.

— Vous n'êtes pas la première future mère à réagir ainsi. La plupart des femmes enceintes sont plus émotives qu'à l'ordinaire. Surtout à mesure que leur terme se rapproche.

Les deux femmes, suivies de Cormac, poursuivirent leur tour de la forteresse, pour revenir dans la grande cour intérieure, où les guerriers poursuivaient leur entraînement. Au début, Keeley n'y prêta même pas attention, tant le spectacle était ordinaire. Les guerriers passaient leur temps à se battre entre eux. C'était la meilleure façon d'être toujours prêts à se défendre en cas d'attaque.

Mais un guerrier, en particulier, finit par attirer son attention. Il ne se battait pas. Il ne brandissait même pas son épée. Il se tenait de côté, avec le laird, et regardait les autres se battre.

— Il est fou ! grommela Keeley. Fou à lier !

— Quoi ? Qu'y a-t-il ? demanda Mairin.

Ignorant Mairin et Cormac, Keeley se précipita vers le guerrier. Elle était si furieuse qu'elle ne s'aperçut même pas que les hommes s'étaient immobilisés en la voyant courir.

Ewan leva les yeux au ciel, comme s'il implorait une grâce divine, tandis qu'Alaric tendait ses bras devant lui pour se prémunir de toute attaque.

— Y aurait-il un problème ? demanda-t-il avec un grand sourire, quand la jeune femme s'arrêta devant lui.

— Oui ! Vous avez perdu la raison ! Je vous avais dit de garder la chambre et de vous reposer ! Vous ne devriez pas être dehors, par un froid pareil. Vous ne devriez même pas être debout. Comment espérez-vous que je vous soigne, si vous n'écoutez même pas les conseils les plus sensés ?

Caelen s'esclaffa. Alaric lui jeta un regard noir.

— Je crois qu'elle veut dire que tu n'es pas raisonnable, commenta Caelen. Finalement, je l'avais sous-estimée. Elle n'est pas si bête que cela !

Alaric se tourna vers son frère, prêt à en découdre avec lui, mais Keeley le saisit par le bras pour l'obliger à lui faire face.

Puis elle s'adressa sans ménagement au laird et à Caelen :

— Vous deux, vous êtes aussi coupables que lui. Pourquoi n'avez-vous pas insisté pour qu'il remonte dans sa chambre quand vous l'avez vu arriver ?

— Ce n'est plus un enfant, répliqua Ewan, qui perdait patience. Arrêtez de le traiter ainsi.

— La question n'est pas de savoir s'il est encore ou non un enfant. C'est une question de règlement. Vous êtes le laird, il me semble ? Laisseriez-vous l'un de vos guerriers mettre inutilement sa santé en danger ? Et comment justifieriez-vous sa mort, s'il succombait dans une bataille ? En disant qu'il n'était plus un enfant qu'il ne fallait pas gronder ?

— Elle marque un point, observa Caelen. J'ajoute que c'est moi qui ai traité Alaric de chochotte parce qu'il restait au lit.

Ewan grimaça. Il détestait manifestement se faire réprimander par une femme. D'autant que Mairin et Cormac les avaient rejoints...

— Mairin, tu ne devrais pas rester dans le froid, dit-il, d'une voix sévère.

Keeley faillit exploser.

— Ah, c'est magnifique ! Vous vous en prenez à votre femme, qui est en pleine forme, mais pas à votre frère, qui relève à peine d'une grosse fièvre et qui sera encore convalescent plusieurs jours !

— Que Dieu me préserve, marmonna Ewan.

Keeley reporta sa colère sur Alaric :

— Auriez-vous décidé de vous suicider ? N'avez-vous donc aucune préoccupation pour votre santé ? (Et, tapant du doigt contre son torse, elle ajouta :) Si vous déchirez vos points de suture, ne comptez pas sur moi pour les recoudre. La plaie s'infectera, mais tant pis. Ce ne sera plus mon problème. Vous êtes trop obtus !

Alaric posa ses deux mains sur les épaules de la jeune femme.

— Keeley, je vous en prie, calmez-vous. Je me sens très bien, je vous assure. Ma blessure me fait encore un peu souffrir et je sais que je ne suis toujours pas complètement guéri. Mais rester la journée entière dans ma chambre me rend fou. J'ai besoin de respirer un peu d'air frais.

— Eh bien, tu l'as eu, ton air frais ! marmonna Ewan. À présent, remonte dans ta chambre, que nous puissions à notre tour respirer en paix.

Il se tourna vers Mairin et Keeley, avant de poursuivre :

— Vous aussi, rentrez à l'intérieur. Et tout de suite. Quand j'ai donné mon accord pour une visite de la forteresse, je ne voulais pas parler de toute la contrée environnante, Mairin.

Mairin sourit avec sérénité. Elle ne semblait nullement intimidée par son mari.

— Et vous ! s'exclama Keeley, qui s'en prenait maintenant à Gannon, debout à côté d'Alaric. N'était-ce pas votre devoir de surveiller Alaric et de vous assurer qu'il ne commettrait pas d'imprudences ?

Gannon ouvrit la bouche, mais aucun son ne sortit de sa gorge. Il regarda Ewan, comme s'il cherchait une aide – qui ne vint pas.

De toute façon, Keeley ne voulait plus perdre un instant. Reprenant le bras d'Alaric, elle entreprit de l'attirer à l'intérieur de la forteresse. Alaric s'esclaffa, mais se laissa entraîner jusque dans l'escalier.

Durant tout le trajet qui menait jusqu'à sa chambre, la jeune femme l'admonesta de prendre mieux soin de lui. Elle voulait lui faire comprendre la gravité de sa blessure. Ce n'était pas une simple « estafilade », ainsi qu'il se l'imaginait. Si la blessure avait été plus profonde, elle aurait pu atteindre des organes vitaux. Et il aurait perdu tellement de sang qu'elle n'aurait pas pu le sauver.

Elle le poussa dans la chambre et referma la porte derrière eux.

— Vous êtes complètement fou, reprit-elle. Commençons par vous débarrasser de vos bottes. Je me demande d'ailleurs comment vous avez pu les enfiler. Vous avez dû souffrir le martyre !

Alaric s'assit au bord du lit et lui tendit une jambe.

— Vous voulez que je vous les enlève ? se récria la jeune femme. Jamais de la vie ! Si vous avez réussi à les mettre, vous réussirez bien à les ôter.

— Quelqu'un vous a-t-il déjà dit que vous aviez la bouche la plus délicieuse qui se puisse rêver ?

— Je... quoi... ? balbutia Keeley, soudain désarçonnée.

Il sourit, ce qui creusa une petite fossette dans ses joues. Seigneur, il était irrésistible !

— Approchez-vous, murmura-t-il.

Keeley était si troublée qu'elle se surprit à lui obéir sans broncher.

— Voilà qui est mieux, dit-il, quand elle se retrouva debout devant lui. Mais approchez-vous encore.

Il lui enlaça la taille, pour l'attirer contre lui, jusqu'à ce que sa bouche ne soit qu'à un centimètre de la poitrine de la jeune femme.

Keeley sentit ses tétons durcir et pointer sous l'étoffe de sa robe.

— À présent, vous ne pouvez plus prétendre m'ignorer et faire comme si je n'étais pas là, dit-il, sur un ton de reproche.

Keeley posa ses mains sur les épaules d'Alaric et le regarda avec consternation.

— Est-ce pour cela que vous êtes sorti de votre chambre ?

— C'était la seule façon de vous obliger à vous occuper de nouveau de moi. Vous croyez que j'aurais été enfiler mes bottes juste pour respirer un peu d'air frais, alors qu'il gèle dehors ? Et vous aviez raison : j'ai souffert comme un damné pour les passer à mes pieds.

Keeley éprouva un petit pincement au cœur. Elle secoua la tête pour chasser son émotion, mais c'était peine perdue.

— Vous abusez de ma patience, guerrier. J'avais des choses à faire, ce matin. En particulier, je voulais avoir une discussion avec votre frère aîné. Et Mairin tenait à me montrer la forteresse et à me présenter aux membres du clan. Il est important que je connaisse les gens que je vais soigner.

— Votre priorité, c'est moi. Et je déteste ne pas savoir où vous êtes. Vous m'êtes devenue aussi importante que l'air que je respire. La prochaine fois, ne vous aventurez pas si loin. J'ai peur de faire n'importe quoi, si je me retrouve livré à moi-même.

Keeley soupira.

— Je crois surtout que vous êtes trop gâté. Personne ne vous l'a jamais dit ?

— Sans doute que si, mais je l'ai oublié.

— Je ne vous lâcherai pas, guerrier. Du reste, je n'ai pas le choix, si je veux vous voir guérir. Sinon, votre impulsivité risquerait de vous tuer.

Une lueur de triomphe s'alluma dans les yeux d'Alaric. Saisissant d'une main la nuque de la jeune femme, il approcha son visage du sien.

— Je sais que vous m'avez demandé de ne pas vous embrasser, mais je préfère vous prévenir que je n'ai jamais su obéir aux ordres.

13

Alaric la sentit hésiter un bref instant, avant de capituler. Il en profita pour s'emparer de ses lèvres. D'abord avec beaucoup de douceur, puis plus fougueusement, jusqu'à en perdre le souffle.

Comme elle lui rendait son baiser avec la même ardeur, Alaric, enhardi par un sentiment de toute-puissance, lui pénétrait la bouche avec sa langue, comme il avait envie de le faire avec son membre. Sa bouche était délicieuse, mais il était convaincu que sa féminité le serait davantage encore.

Il devait se ressaisir coûte que coûte, avant d'allonger la jeune femme sur le lit, de retrousser ses jupes et de la posséder sans autre forme de procès. Mais ce n'était pas une façon de la traiter. Elle méritait une cour en bonne et due forme. Des baisers passionnés et de belles paroles. Elle méritait qu'il lui dise combien elle était belle, et combien il la chérissait. Il ne voulait surtout pas la brutaliser.

Finalement, il s'obligea à renoncer à ses lèvres.

— Si tu savais l'effet que tu me fais, murmura-t-il, d'une voix altérée, tant sa gorge serrée était douloureuse.

C'était comme s'il avait avalé des morceaux de verre. Et son érection le faisait presque autant souffrir que sa blessure au flanc.

Cela ne lui ressemblait pas. Il était comme obsédé par cette femme. Il avait failli devenir fou, tout à l'heure, quand il avait constaté qu'elle ne revenait pas dans la chambre. Il s'était alors levé, transpirant et pestant à chaque mouvement, pour faire les cent pas dans la pièce, regarder par la fenêtre ou écouter les bruits dans le couloir, impatient de réentendre les pas de la jeune femme.

Au bout d'un moment, ne pouvant plus supporter d'attendre, il était sorti pour respirer l'air frais et tenter de se reprendre.

Cette femme l'émasculait. Elle le ravalait au rang d'un adolescent qui n'avait pas encore prouvé sa bravoure.

— Nous ne pouvons pas continuer ainsi, murmura-t-elle. S'il te plaît, Alaric... J'ai trop peur de ne pas être capable de te refuser quoi que ce soit.

Ses prunelles pailletées d'or brillaient d'émotions mêlées. Du regret. Du désir. Et ses sourcils froncés témoignaient de sa consternation.

Alaric souhaitait l'entendre avouer son attirance pour lui – mais pas ainsi, pas avec cette détresse perceptible dans sa voix. Elle semblait au bord des larmes, et c'était entièrement sa faute.

— Je suis désolé, Keeley, mais moi-même je ne me sens pas capable de me priver du plaisir de te toucher. Tu es comme une drogue dont je ne parviendrais pas à me sevrer. Je comprends très bien tes arguments, mais dès que nos regards se croisent, j'en oublie toute prudence et toute raison. Je sais simplement que si je ne te caresse pas, ou que je ne t'embrasse pas, je deviendrai fou.

Elle prit son visage dans ses mains, pour mieux accrocher son regard.

— Tes paroles me vont droit au cœur, Alaric. Mais si elles me comblent de bonheur, elles me sont aussi douloureuses à entendre. Car notre histoire est sans avenir. Tu ne seras jamais à moi, pas plus que je ne serai à toi.

La vraie folie, ce serait de continuer à nous tourmenter inutilement.

— Je ne peux pas supporter l'idée que nous ne puissions pas être ensemble au moins un moment. Et même, je m'y refuse. Ne crois-tu pas que cela vaudra toujours mieux que rien ? N'est-il pas préférable de goûter au bonheur, ne serait-ce qu'un tout petit peu, plutôt que de garder des regrets jusqu'à la fin de sa vie ?

— Non, c'est comme une plaie. Mieux vaut l'inciser et la nettoyer tout de suite. Plus on attendra, et plus elle deviendra douloureuse.

Elle semblait si convaincue qu'Alaric ferma un instant les yeux. Elle croyait vraiment à ce qu'elle disait. Du reste, ses arguments pouvaient se justifier. Cependant, il n'était pas d'accord. Mieux valait savourer quelques miettes de félicité, plutôt que rien du tout. Restait à l'en convaincre...

Il finit par la relâcher.

— Je te rends ta liberté... pour aujourd'hui. Je ne voudrais pas te mettre au supplice. Encore moins t'attrister. Je préfère t'entendre me réprimander avec ton adorable petit sourire en coin. Souris-moi, Keeley.

Ses lèvres esquissèrent un sourire, mais son regard demeurait voilé de tristesse. Pour Alaric, habitué à toujours obtenir ce qu'il convoitait, la situation était entièrement nouvelle. Aucune femme ne s'était jamais refusée à lui. Mais avec Keeley, c'était différent, et il était prêt à user de toute la patience possible pour la convaincre. Car il voulait qu'elle vienne à lui de son propre gré. Qu'elle capitule en connaissance de cause.

— Maintenant, si nous avons fini de parler de choses dont nous ne devrions pas parler, tu ferais bien de te recoucher, dit-elle un peu sèchement, comme si elle avait déjà surmonté son désarroi.

Mais ses yeux ne mentaient pas. Ils ne mentaient jamais.

— Oui, ma guérisseuse adorée. Je vais me recoucher. Toute cette activité m'a épuisé.

Il s'allongea avec précaution sur le dos, attentif à ne pas tirer sur sa blessure. À peine eut-il posé la tête sur l'oreiller que ses paupières, lourdes de fatigue, se fermèrent d'elles-mêmes.

— Dors bien, dit-elle, lui embrassant le front. Je serai là, quand tu te réveilleras.

Il sourit. Et il se laissa sombrer dans le sommeil, réconforté par sa promesse qui lui réchauffait le cœur.

14

Savoir Keeley toujours à proximité le rendait fou. Il avait beau veiller à se tenir à distance respectueuse de la jeune femme, le simple fait de se trouver dans la même pièce qu'elle, ou de manger à la même table, dans la grande salle, tenait du supplice.

Sa blessure avait réclamé plusieurs jours avant de vraiment cicatriser et, durant ce temps, Keeley s'était ingéniée, non sans talent, à ériger des barrières entre eux. Plus il se rétablissait, plus elle se montrait distante et moins elle passait de temps avec lui dans sa chambre.

Les derniers jours, c'est la certitude qu'il aurait plus de chances de l'apercevoir en sortant de sa chambre qu'en y restant qui l'avait stimulé pour la dernière étape de sa guérison.

Sa plaie, toutefois, demeurait très sensible. Et s'il avait le malheur de se tourner trop brusquement, il était aussitôt puni par une atroce douleur au flanc droit. Mais Alaric était bien décidé à ne plus rester cloué dans son lit à contempler le plafond alors qu'un appétit féroce lui dévorait les entrailles.

Même maintenant, assis à côté de ses frères, dans la grande salle, il ne prêtait qu'une oreille distraite à leur conversation. Son regard était rivé sur le groupe de femmes qui s'étaient assemblées devant la cheminée, pour coudre la layette destinée au bébé de Mairin.

Dehors, la neige tombait abondamment et commençait déjà à s'accumuler en une couche qui ne cesserait de s'épaissir durant la nuit. Tous les membres du clan s'étaient réfugiés à l'intérieur de la forteresse ou dans les cottages environnants. Les hommes buvaient de la bière en parlant de guerres, d'alliances et, bien sûr, de leur pire ennemi, Duncan Cameron.

Mais Alaric n'écoutait rien de tout cela. Il regardait Keeley bavarder avec animation avec les autres femmes. De temps en temps, elle riait et ses yeux pétillaient de joie.

Ewan, assis juste à côté de lui, jetait des regards discrets en direction de Mairin. Alaric s'en était aperçu, bien sûr, et à un moment, quand Mairin releva les yeux et accrocha le regard de son mari, Alaric se surprit à envier Ewan. L'amour manifeste que les deux époux éprouvaient l'un pour l'autre lui serrait le cœur, et pour un peu, il se serait levé de table et il aurait tout envoyé valser.

— Secoue-toi, Alaric !

Alaric cligna des yeux, avant de fusiller Caelen du regard. De quel droit son frère se permettait-il de l'interrompre dans ses rêveries ?

— Que me veux-tu ?

— Que tu nous écoutes plus attentivement. Nous parlons de choses sérieuses, et monsieur contemple Keeley !

Le poing d'Alaric le démangeait, mais il préféra ne pas répondre à la provocation.

Ewan fronça les sourcils.

— Je disais que j'ai reçu une lettre du laird McDonald. Il regrette que ton voyage se soit interrompu et il souhaite sceller notre alliance le plus vite possible. Il craint les manœuvres de Cameron. Tous nos autres voisins, d'ailleurs, s'inquiètent à son propos, et réclament des alliances.

Alaric sentit la nervosité le gagner.

— McDonald ne veut pas attendre le printemps pour organiser le mariage, reprit Ewan. Mais il sait que je ne quitterai pas la forteresse tant que Mairin n'aura pas accouché et qu'elle ne se sera pas complètement rétablie. Il propose donc de venir ici, avec Rionna, dès que le bébé de Mairin sera né, pour que la cérémonie ait lieu chez nous.

Alaric s'obligea à ne pas répondre impulsivement. Il se concentra sur sa respiration, en évitant de regarder en direction de Keeley. Son devoir lui dictait de renoncer à ses désirs, dès lors que l'avenir de leur clan était en jeu.

— Alaric ? le pressa Ewan. Qu'en dis-tu ?

— Que son idée de venir ici est bonne, répondit Alaric d'un ton neutre. Nous ne pouvons pas prendre le risque de désarmer la forteresse en la privant de tout un contingent d'hommes pour m'escorter. Nous avons déjà perdu une douzaine de vaillants guerriers.

Ewan le dévisageait d'un air songeur.

— J'en déduis que tu es toujours d'accord pour ce mariage ?

— Je n'ai jamais dit quoi que ce soit qui aurait pu te laisser en douter.

— La question n'est pas de savoir ce que tu dis ou pas, répliqua Ewan en dirigeant son regard vers le groupe de femmes. Je sais que tu la désires.

Alaric garda les yeux fixés droit devant lui.

— Ce que je désire n'a pas d'importance. J'ai donné mon accord à ce mariage et je ne reviendrai pas sur ma parole.

— Alors, l'affaire est entendue, acquiesça Ewan. Je vais répondre à McDonald et l'informer que nous serons heureux de le recevoir aussitôt que mon fils, ou ma fille, sera né. Ce qui veut dire que tu termineras l'hiver ici, avec ta nouvelle épouse. McDonald aura déjà bien du courage de se rendre jusque chez nous. Il est inutile de prévoir le trajet de retour tant que toute la neige n'aura pas fondu.

La perspective d'épouser Rionna était déjà assez pénible comme cela. Mais vivre ici avec elle et voir Keeley tous les jours lui paraissait totalement insupportable.

— Je la renverrai chez elle dès qu'elle aura mis le bébé de Mairin au monde, murmura Ewan, comme s'il avait deviné ses pensées.

Alaric sursauta malgré lui.

— Non. Elle ne repartira pas en plein hiver. Je lui ai promis qu'elle ne manquerait de rien chez nous. Promets-moi qu'elle pourra rester chez les McCabe aussi longtemps qu'elle le désirera.

Ewan soupira.

— Oui, je te le promets.

— Tu te tortures inutilement, Alaric, maugréa Caelen. Couche avec cette fille et délivre-toi de ton obsession. Le temps que les McDonald arrivent, tu auras perdu tout désir pour elle.

Alaric se tourna vers lui.

— Non, Caelen. Je crois que je ne pourrai jamais me délivrer du désir que m'inspire Keeley. Et je ne veux pas me servir d'elle. Elle mérite tout mon respect. N'oublie pas qu'elle m'a sauvé la vie.

Caelen secoua la tête mais renonça à discuter. Il termina sa bière et s'absorba dans la contemplation du plafond.

À l'autre bout de la pièce, du côté des femmes, Mairin se leva pour se masser le dos. Elle semblait fatiguée, ce qu'avait bien sûr remarqué Ewan, qui se leva à son tour pour rejoindre sa femme et lui murmurer quelques mots à l'oreille. Elle lui sourit, et l'instant d'après il l'entraînait vers l'escalier conduisant à leur chambre.

Alaric se saisit de son gobelet et le contempla quelques instants avant de le reposer sur la table. L'idée d'avaler une autre gorgée de bière lui donnait soudain la nausée.

— Je n'aime pas te voir dans cet état, marmonna Caelen. Va plutôt t'amuser avec une femme prête à te satisfaire au lit. De cette manière, tu oublieras ta guérisseuse. Cela ne te ressemble pas, de laisser une femme avoir autant d'emprise sur toi. J'ai du mal à te comprendre.

Alaric eut un pauvre sourire.

— C'est parce que tu n'as jamais désiré aucune femme comme je désire Keeley.

Et, voyant le visage de Caelen s'assombrir, Alaric regretta aussitôt ses paroles. La vérité, c'est que Caelen s'était follement entiché d'une femme, quelques années plus tôt. Il lui avait déclaré son amour et aurait été prêt à mourir pour elle. Mais elle les avait trahis, lui et son clan, auprès de Duncan Cameron et ils avaient tout perdu : le père de Caelen, d'Alaric et d'Ewan, et même la jeune épouse d'Ewan. Depuis, Caelen ne s'était plus jamais autorisé à tomber amoureux. Alaric n'était même pas certain qu'il ait couché avec une femme depuis ce drame. En tout cas, si c'était le cas, il se montrait très discret sur la question.

— Je suis désolé, s'excusa Alaric. Ce n'était pas très délicat de ma part.

Caelen haussa les épaules.

— Bah, ça n'a pas d'importance ! Mais mes erreurs passées devraient te mettre en garde contre le danger de laisser une femme te mener par le bout du nez.

Alaric soupira.

— Toutes ne sont pas comme Elspeth. Regarde Mairin. Elle est parfaitement loyale et dévouée à Ewan. Et elle est une excellente mère pour Crispen.

— Mairin est une exception, s'entêta Caelen. Ewan a eu beaucoup de chance de tomber sur elle.

— Si Mairin est une exception, Keeley en est une autre. Songe qu'elle n'a pas hésité à me secourir, sans se demander si je n'étais pas un monstre disposé à la violenter à la première occasion. Elle a été enlevée de chez elle pour se retrouver au milieu d'étrangers, et pourtant cela ne l'empêche pas de continuer à me soigner avec le même dévouement.

Ce fut au tour de Caelen de soupirer.

— Tu es mordu, c'est évident. Mais garde mon conseil en tête, Alaric, et prends tes distances avec cette guérisseuse. Tu seras marié avant la fin de l'hiver. Une liaison avec une autre femme n'apporterait rien de bon. Les temps sont difficiles et tu ne peux pas te permettre d'offenser McDonald. N'oublie pas que Duncan est en embuscade. Nous avons beau être forts, nous n'arriverons pas à nous débarrasser de lui seuls. Mairin est proche de son terme. Une fois qu'elle aura mis au monde l'héritier de Neahm Allainn, nos efforts se concentreront sur Duncan. Il est impératif de lui régler définitivement son compte. Mais nous aurons besoin de nos voisins pour cela.

Alaric plissa les lèvres. Caelen lui faisait la leçon comme s'il le jugeait inconscient des réalités.

— Tu n'as pas besoin de me rappeler nos priorités, Caelen. Je n'ignore rien des enjeux de mon mariage avec Rionna McDonald. Et j'ai dit que j'honorerais ma parole. Tu m'insultes en insinuant le contraire.

Caelen hocha la tête.

— Excuse-moi. Je ne remettrai plus le sujet sur la table.

— Parfait, marmonna Alaric.

Il termina sa bière avec une grimace. Puis, incapable de résister à la tentation, il dirigea son regard vers Keeley, juste au moment où celle-ci tournait la tête dans sa direction.

Leurs regards s'accrochèrent. Alaric lut dans celui de Keeley le même désir que lui. La même tristesse, également.

Il détourna la tête en étouffant un juron. Puis il leva son gobelet bien haut, pour signifier à une servante de venir le lui remplir.

Tout à coup, il avait décidé qu'il n'avait pas assez bu. S'il avalait quelques gobelets supplémentaires, peut-être parviendrait-il à se débarrasser de l'obsession qui le rongeait.

Peut-être arriverait-il à oublier.

15

Keeley resserra la lourde cape de fourrure sur ses épaules pour marcher dans la neige jusqu'au cottage de Maddie. Cet après-midi, le soleil brillait dans un ciel sans nuages et le paysage blanchi par la neige renvoyait ses rayons aveuglants.

Le laird avait ordonné à Mairin de ne pas sortir de la forteresse – ce que celle-ci n'avait guère apprécié. Et Keeley, même si elle se sentait vaguement déloyale envers sa nouvelle amie, approuvait le laird sur ce point précis. Ewan avait peur que Mairin ne se blesse en glissant sur une plaque de glace. Le bébé commençait à peser dans son ventre, et Mairin avait déjà failli tomber deux fois dans les escaliers, et Cormac qui la suivait avait eu, les deux fois, une peur bleue.

À présent, elle n'avait plus le droit de monter ou descendre les escaliers sans quelqu'un pour lui tenir le bras.

Puisque Mairin était confinée dans la forteresse, Keeley s'était portée volontaire pour cette excursion dans la neige, afin d'aller chercher Maddie et Christina. Car Mairin, qui s'ennuyait ferme, réclamait leur présence.

Keeley sourit toute seule. Ce n'était pas une corvée que d'aller chercher les deux autres femmes, car elle appréciait leur compagnie tout autant que Mairin. Elles avaient passé ensemble plusieurs soirées devant le feu à coudre, bavarder et se moquer du béguin de Christina pour Cormac. Dieu merci, aucune d'elles ne semblait s'être aperçue de l'intérêt – réciproque – que Keeley portait à Alaric. Ou alors, si elles s'en étaient aperçues, elles avaient eu la bonne idée de n'en rien dire.

Désormais, Cormac trouvait toujours un bon prétexte pour s'attarder le soir dans la grande salle. Il buvait de la bière avec les autres hommes et discutait de l'entraînement du jour, mais son attention était focalisée sur Christina. Ce jeu du chat et de la souris amusait Keeley. Ils ne se montraient pas aussi directs qu'elle-même avec Alaric, mais ce n'était peut-être pas plus mal. Qu'avaient-ils gagné, Alaric et elle, à s'avouer leur attirance mutuelle, sinon du chagrin et de la tristesse ?

La jeune femme frappa à la porte de Maddie, puis elle souffla sur ses doigts engourdis par le froid.

La porte s'ouvrit à la volée.

— Keeley ! s'exclama Maddie. Ne restez pas dans le froid. Entrez vite vous réchauffer devant le feu.

— Merci, répondit Keeley, qui courut se planter face à la cheminée.

— Qu'est-ce qui vous amène par un froid pareil ?

Keeley sourit.

— Mairin est d'une humeur de chien. Le laird lui a interdit de mettre le nez dehors. Elle aimerait que vous veniez lui tenir compagnie, ainsi que Christina.

— Le laird a eu raison, assura Maddie. Avec la glace qui s'est formée, Mairin pourrait tomber et faire du mal à son bébé.

— Je crois qu'elle en a conscience, ce qui ne l'empêche pas d'être furieuse. Accepteriez-vous de lui rendre visite, si vous n'êtes pas trop occupée ?

— Mais bien sûr. Laissez-moi enfiler mes chaussures et mettre mon châle. En chemin, nous nous arrêterons chez Christina pour la prendre avec nous.

Deux minutes plus tard, les deux femmes affrontaient la bise glaciale.

— Avez-vous tout ce qu'il vous faut pour passer l'hiver ? demanda Maddie, alors qu'elles approchaient du cottage des parents de Christina.

Keeley secoua la tête.

— Non. Il me manque encore quelques herbes. Il faudra que je creuse dans la neige pour les récolter, mais je sais où chercher. Avec le froid, beaucoup vont tomber malades de la poitrine. Surtout les enfants. Je prépare un emplâtre qui soulage ce genre d'affections. Il nous sera bientôt très utile.

Maddie fronça les sourcils.

— Quand comptez-vous ramasser ces herbes ?

— Pas tant qu'il continuera de neiger et qu'il y aura du vent. Pour l'instant, il fait trop froid pour creuser la terre.

— Je m'en doute. N'oubliez pas de prendre un ou deux guerriers pour vous accompagner.

— Vous me faites penser au laird et à ses diktats ! la railla Keeley.

Maddie frappa à la porte de Christina.

— Le laird est un homme avisé. Je ne me sens pas insultée d'être comparée à lui.

Keeley roula des yeux.

— Loin de moi l'idée de vous insulter !

C'est Christina elle-même qui ouvrit. Son visage s'éclaira dès qu'elle reconnut Maddie et Keeley. À peine lui eurent-elles expliqué la raison de leur venue que Christina sauta sur l'occasion pour s'échapper.

— J'aime beaucoup ma mère, expliqua-t-elle, alors que les trois femmes se pressaient maintenant en direction de la forteresse. Mais Dieu me pardonne, elle me rend folle. Je crois que je n'aurais pas supporté de rester une heure de plus en sa compagnie.

Maddie s'esclaffa.

— Je parie qu'elle se plaint du mauvais temps.

— Elle se plaint toujours ! s'exclama Christina, exaspérée. Quand ce n'est pas du temps, c'est de mon père, ou de moi, ou de n'importe quoi d'autre. J'étais sur le point de hurler, quand vous avez frappé à la porte.

Keeley lui étreignit le bras avec un sourire entendu.

— Je suis certaine que l'opportunité de voir Cormac ne vous a pas effleuré l'esprit un seul instant.

Christina rougit et Maddie éclata de rire.

— Croyez-vous qu'il essaiera un jour de m'embrasser ? demanda Christina, d'un air rêveur.

Maddie plissa les lèvres.

— S'il n'a pas encore essayé, à mon avis tu devrais prendre la situation en main et l'embrasser, toi.

Christina écarquilla les yeux.

— Oh, mais je ne pourrai jamais ! Ce serait trop osé. Il me prendrait pour… pour une…

Elle ne termina pas sa phrase, comme si elle ne pouvait même pas prononcer le mot qu'elle avait en tête.

— À mon avis, il serait trop stupéfait pour penser à une chose pareille, assura Maddie. Certains hommes ont besoin d'être encouragés. Et ce n'est pas un petit baiser volé qui fait d'une femme une catin… quoi que puisse prêcher ta mère.

— Je suis d'accord avec Maddie, approuva Keeley.

— C'est vrai ? fit Christina, alors qu'elles atteignaient la forteresse. Avez-vous déjà embrassé un homme ? (Et, baissant la voix pour être sûre que personne d'autre n'entendrait, elle ajouta :) Je veux dire… avez-vous pris l'initiative ?

— Oui, répondit Keeley. J'ai embrassé et j'ai été embrassée. Cela n'a rien d'inconvenant, Christina, à condition de ne pas aller trop loin. Cormac est quelqu'un de bien. Il ne cherchera pas à profiter de la situation. Dans le cas contraire, criez très fort et j'accourrai pour lui donner un coup de pied dans l'entrejambe.

Maddie éclata encore de rire, tandis que Christina paraissait si choquée que Keeley se demanda si elles avaient eu raison de la conseiller. Mais elle fut rassurée en voyant une lueur songeuse s'allumer dans le regard de Christina.

Dès qu'elles pénétrèrent dans la grande salle, Mairin bondit de sa chaise, devant la cheminée, pour se porter à leur rencontre.

— Dieu soit loué, vous voilà ! Je commençais à périr d'ennui. Tout le monde, ici, vaque à ses occupations et je me retrouve seule, confinée à l'intérieur.

Parvenue à leur hauteur, elle remarqua l'expression étrange de Christina.

— Christina ! Que t'arrive-t-il ?

— Elle conspire ! s'esclaffa Maddie.

Mairin haussa les sourcils.

— Je veux tout savoir ! Venez vous asseoir devant le feu et racontez-moi tout. Je veux conspirer, moi aussi.

— Bien sûr, marmonna Keeley. Et le laird sera furieux après moi de vous avoir entraînée dans cette histoire.

Mairin se rassit avec un grand sourire.

— Ewan ne touchera pas à un seul cheveu de votre tête, assura-t-elle, caressant son ventre rebondi. Du moins, tant que mon bébé ne sera pas né.

— Oui, c'est ensuite, qu'il faudra vous inquiéter, ironisa Maddie.

Keeley perdit toute envie de sourire, car après la naissance du bébé de Mairin, son avenir lui paraissait en effet pour le moins incertain. Elle ne savait même pas si elle pourrait récupérer son cottage. Quelqu'un, voyant qu'il était abandonné, aurait peut-être décidé de se l'approprier. Et Keeley n'aurait aucun moyen de faire valoir ses droits. Le cottage ne lui appartenait pas en propre. C'était une possession des McDonald.

— Avons-nous dit quelque chose de mal ? s'inquiéta soudain Mairin. Vous paraissez si… triste.

Keeley s'obligea à sourire.

— Ce n'est rien. Je pensais juste à ce qui m'attendrait après la naissance de votre bébé.

Ses compagnes parurent choquées de sa réponse.

— Vous ne croyez quand même pas que nous irions vous renvoyer ? s'exclama Maddie.

Mairin se pencha pour étreindre la main de Keeley.

— Ewan ne le permettrait pas. Vous le savez, n'est-ce pas ?

— Il n'empêche que j'ignore tout de mon avenir, objecta tranquillement Keeley. Je n'aurai sans doute même plus de toit où retourner m'abriter.

— Vous n'aimez pas vivre ici ? demanda Christina.

Keeley hésita. Une fois qu'Alaric aurait épousé Rionna, il lui serait peut-être moins douloureux de rester ici que de retourner sur les terres des McDonald, où elle serait sans doute appelée au chevet de Rionna pour l'aider à mettre son premier enfant au monde. Cette perspective lui était tout simplement insupportable. D'un autre côté, rester ici l'obligerait à côtoyer Alaric et Rionna chaque fois qu'ils viendraient en visite chez les McCabe. Le dilemme était insoluble : Keeley était assurée de souffrir quelle que soit la solution choisie.

— Si, j'aime vivre ici, répondit-elle. Je n'avais pas mesuré l'étendue de ma solitude, avant de vous rencontrer et d'avoir le plaisir de parler et de rire avec vous.

— Keeley, si vous nous racontiez ce qui vous est arrivé ? suggéra Mairin. Je sais que cela ne nous regarde pas, mais nous sommes très étonnées que vous ne portiez plus le nom des McDonald. Vous nous avez même dit que votre clan vous avait tourné le dos. Pourquoi ?

— C'est une honte, commenta Maddie. La famille, c'est la famille. Et le clan, c'est comme une famille. S'ils ne sont pas derrière vous, qui vous soutiendra ?

— Oui, qui ? murmura Keeley, d'une voix triste.

Elle s'adossa à son siège et prit une profonde inspiration. Elle était surprise d'éprouver encore de la colère après tant d'années. Mais son ressentiment était intact et ne cherchait qu'à s'épancher.

— Je suis une amie d'enfance de Rionna McDonald, l'unique enfant du laird, commença-t-elle.

Mairin sursauta.

— La Rionna d'Alaric ?

— Oui, la Rionna d'Alaric, acquiesça Keeley, avec un effort de volonté pour ne pas tressaillir à ces mots. J'avais donc l'habitude de voir souvent le laird et lady McDonald. Ils me considéraient presque comme leur fille. En grandissant, Rionna et moi, nous avons commencé à prendre des formes plus féminines. Et le laird s'est mis à me regarder. J'étais très mal à l'aise.

— Quel débauché ! marmonna Maddie.

— J'étais si mal à l'aise que j'essayais le plus possible de l'éviter et que je passais donc moins de temps avec Rionna. Cependant, un jour où j'étais venue la chercher à la forteresse, le laird m'a prise à part pour me dire des choses horribles et m'embrasser. Je l'ai menacé de crier, mais il m'a répondu que personne ne viendrait à mon secours. Il était laird et il obtenait toujours tout ce qu'il désirait. J'étais terrifiée, parce que je savais qu'il disait vrai. D'ailleurs, probablement m'aurait-il violée, si lady McDonald n'était pas arrivée sur ces entrefaites.

— Oh, mon Dieu, Keeley ! s'exclama Mairin, horrifiée.

— Je pensais avoir connu le pire quand le laird m'avait embrassée. Mais je me trompais. Le pire était à venir. Lady McDonald m'a traitée de catin et elle m'a accusée d'avoir voulu séduire son mari. J'ai été bannie du clan avec interdiction de m'approcher de la forteresse. Dans mon malheur, j'ai quand même eu la chance qu'ils m'autorisent à occuper un petit cottage isolé. Mais ce n'est pas drôle, quand on est jeune, d'être condamnée à une existence solitaire.

— C'est honteux ! se récria Christina. Comment ont-ils pu se conduire ainsi avec vous ?

Les trois femmes étaient si choquées que leur réaction mit du baume au cœur de Keeley. Il était agréable de tomber, pour une fois, sur des gens qui prenaient son parti.

— Le plus pénible, ce fut d'avoir perdu l'amitié de Rionna, reprit-elle. Au début, j'ignorais si elle croyait ce qu'on racontait sur moi. Et puis, lady McDonald est morte et Rionna n'a fait aucun effort pour me voir ni pour me rappeler dans le clan. J'ai alors compris que tout le monde s'était convaincu de la version de lady McDonald.

Mairin se releva, pour donner l'accolade à Keeley et la presser contre son cœur.

— Vous ne retournerez pas là-bas. Vous resterez avec les McCabe. Ce n'est pas dans l'habitude de notre clan de bannir une jeune fille victime de la concupiscence d'un adulte. Le laird McDonald est venu nous rendre visite il y a quelques mois. Si j'avais connu cette histoire à ce moment-là, je lui aurais craché au visage !

Keeley éclata de rire en se représentant Mairin crachant sur le laird. Elle riait si fort que ses compagnes ne tardèrent pas à l'imiter.

Elles essuyèrent leurs larmes et reprirent leur respiration, avant d'éclater à nouveau de rire devant l'air farouche de Mairin.

— Vous ne pouvez pas savoir le bien que ça me fait, confessa Keeley. Pour tout vous avouer, je n'avais jamais raconté ma disgrâce à personne.

— Vous ne vous êtes pas disgraciée, corrigea Mairin. Toute la honte en revient au laird McDonald.

Maddie hocha la tête en signe d'assentiment, tandis que Christina paraissait toujours sous le choc de ce qu'elle venait d'apprendre.

— Quoi qu'il en soit, vous resterez ici, insista Mairin. Vous n'êtes peut-être pas née McCabe, mais une McCabe vous deviendrez. De toute façon, nous avons besoin d'une guérisseuse. Et personne, chez nous, ne vous traitera comme vous ont traitée les McDonald. Notre laird ne tolérerait pas une telle injustice.

— J'ai ruminé ma colère pendant des années, avoua Keeley. C'est très agréable, de pouvoir enfin en parler à quelqu'un. Et merci de ne pas m'avoir jugée.

— Les hommes sont des porcs ! lâcha Christina.

Keeley, Mairin et Maddie se tournèrent vers elle avec surprise. Christina était restée silencieuse jusque-là, mais à présent ses yeux brillaient de colère.

— Je me demande bien pourquoi nous les tolérons, ajouta-t-elle.

Mairin protesta.

— Ils ne sont pas tous des porcs ! Ton Cormac a la tête sur les épaules, par exemple.

— Si c'est le cas, alors pourquoi n'a-t-il toujours pas essayé de m'embrasser ?

Maddie rit de bon cœur.

— Tu vois bien qu'il te faut prendre les devants et l'embrasser toi-même. Ce pauvre garçon doit avoir peur de faire un mauvais pas et de t'effrayer. Les hommes ont parfois des réactions bizarres.

— Ne laissons pas Maddie se mettre à parler des hommes, protesta Mairin. Sinon, elle va appeler Bertha et elles t'écorcheront les oreilles avec tout ce qu'elles savent !

— N'empêche, lui rétorqua Maddie d'un air suffisant. Vous et le laird, vous avez bien profité de nos conseils !

Mairin piqua un fard et s'éventa le visage avec sa main.

— La conversation ne portait pas sur moi. Christina, je suis d'accord avec Maddie. Tu devrais embrasser Cormac, pour voir comment il réagit.

Ces histoires de baisers et de premiers pas commençaient à peser à Keeley. Voir Christina aussi amoureuse et aussi pleine de foi en l'avenir la renvoyait à sa propre solitude.

— Mais quand ? demanda finalement Christina. Il n'est pas question que quelqu'un puisse nous voir. Si jamais ma mère l'apprenait, je n'ose penser à sa réaction.

— Si ton baiser a l'effet que tu espères, tu ne dépendras plus très longtemps de la responsabilité de ta mère, assura Maddie, avec un sourire. Cela pourrait inciter Cormac à te demander en mariage.

Une lueur d'espoir s'alluma dans les prunelles de Christina.

— Vous croyez ?

Keeley et Mairin s'échangèrent un regard, avant de sourire à Christina.

— J'en suis persuadée, acquiesça Mairin. Il est clair qu'il a le béguin pour toi. Fais preuve d'audace. Et si tu essuies une rebuffade, je lui montrerai de quel bois je me chauffe.

Maddie éclata de rire et Keeley esquissa un sourire tandis que Christina, très excitée, s'agitait sur sa chaise.

— Ça ne me dit toujours pas quand. Il faut que ce soit un moment très privé.

— Ce soir, quand les hommes auront fini de boire leur bière, je suggérerai que Cormac te raccompagne jusque chez toi, proposa Mairin. Tu devrais avoir le temps de te jeter à sa tête en veillant à ne pas te faire remarquer des guerriers qui monteront la garde. Et pour justifier ta présence ici ce soir, je dirai à ta mère que je t'ai invitée à dîner dans la grande salle avec moi.

— Oh, je suis si nerveuse ! s'exclama Christina.

— Essaie de te calmer, lui conseilla Maddie. Cormac sera déjà bien assez nerveux pour deux, quand il apprendra qu'il devra t'escorter jusqu'à chez toi.

— On vous entend rire depuis la cour, intervint soudain Ewan, depuis le seuil de la pièce. Mes hommes craignent que vous ne complotiez contre eux.

Mairin gratifia son époux d'un sourire espiègle.

— C'est tout à fait juste. Tu peux les prévenir, d'ailleurs.

Ewan s'esclaffa.

— Je ne suis pas fou. Si je leur dis cela, ils vont tous aller se cacher dans des trous de lapins. Mais j'ose croire que tu plaisantais, Mairin ? Je ne permettrais pas que tu détournes mes hommes de leur devoir.

— Bien sûr que non, répondit Mairin, d'une voix douce.

Ewan lui jeta un regard soupçonneux, avant de tourner les talons et de regagner la cour.

Dès qu'il eut disparu, les quatre femmes éclatèrent à nouveau de rire.

16

Le dîner était toujours très animé, car tout le clan mangeait en même temps dans la grande salle. Un feu crépitait dans l'immense cheminée et toutes les fenêtres étaient occultées par d'épaisses fourrures pour garder la pièce au chaud.

Keeley était assise à la gauche de Mairin et Christina à la gauche de Keeley. Cormac avait été placé à dessein en face de Christina. Voir ces deux-là éviter avec soin de se regarder en face, tout en s'épiant mutuellement était un spectacle assez réjouissant.

Cormac était encadré par Alaric et Caelen. Malgré tous ses efforts, Keeley ne pouvait pas davantage s'empêcher de regarder dans la direction d'Alaric. Ce soir, Ewan discutait avec lui de son prochain mariage, et la jeune femme devait faire appel à toute sa volonté pour rester sagement assise, un sourire plaqué sur ses lèvres, comme si cette conversation l'indifférait.

Mais sa gorge la brûlait. Et sa poitrine était oppressée.

Keeley se moquait éperdument des alliances à conclure pour éviter une guerre. Elle ne voyait qu'une chose : Alaric en épouserait une autre et il partirait bientôt habiter chez les McDonald.

La nourriture, d'habitude si goûteuse, lui paraissait sans saveur. Keeley mangeait quand même, parce qu'il n'y avait rien d'autre à faire. Et elle souriait. Une bouchée, un sourire. Une bouchée, un sourire...

Elle poussa un soupir las. Elle aurait aimé que le repas soit déjà terminé pour pouvoir se retirer dans sa chambre et s'abîmer dans un sommeil de quelques heures.

Elle risqua un autre regard en direction d'Alaric et faillit tressaillir en constatant qu'il la regardait aussi. Il n'essaya même pas de s'en cacher. Mais il ne souriait pas. Keeley pouvait lire, dans ses prunelles, les mêmes émotions qu'elle ressentait. Aussi ne détourna-t-elle pas la tête. S'il était assez brave pour lui donner à voir les tourments qui l'accablaient, alors elle pouvait bien lui retourner la pareille.

Mairin s'éclaircit la voix, tirant soudain Keeley de sa rêverie.

— Le dîner s'achève, dit-elle. Il est temps pour Christina de rentrer chez elle. Sa mère doit commencer à s'inquiéter, avec ce temps.

Elle se tourna vers Cormac et le gratifia de son plus ravissant sourire.

— Cormac, seriez-vous assez aimable pour raccompagner Christina ? Je ne voudrais pas qu'elle affronte seule le froid.

Cormac semblait avoir avalé sa langue. Après un furtif regard en direction de Christina, il se leva de table.

— Bien sûr, lady McCabe...

Et il contourna la table, pour venir offrir son bras à Christina, sous le regard suspicieux d'Ewan et de Caelen.

Tout le monde avait fait silence pour regarder Cormac aider, assez gauchement, Christina à se lever.

Dès qu'ils eurent quitté la salle, Ewan pointa son regard sur sa femme.

— Que mijotes-tu encore ?

Mairin échangea un regard de conspiratrice avec Keeley avant de sourire à son mari.

— Tu aurais préféré que Christina rentre toute seule chez elle ? Au risque de tomber sur la glace ? Qu'aurions-nous été raconter à sa mère ? Que notre laird envoie des jeunes filles affronter les éléments sans la moindre protection ?

Ewan leva les yeux au plafond.

— Pourquoi ai-je été assez bête pour poser cette question ? murmura-t-il.

— Allons, mon cher mari, ressers-toi de la bière et raconte-moi ta journée ! lui suggéra Mairin, avec un sourire de pure innocence.

— Tu sais très bien comment s'est passée ma journée. Je viens justement de la raconter.

— As-tu répondu au laird McDonald que tu étais d'accord avec sa proposition ? demanda Caelen, les yeux rivés sur Keeley.

La jeune femme refusa de réagir à la provocation.

— Oui. Mais je n'attends pas de réponse avant que la neige ait cessé de tomber.

— Alors, il devrait arriver ici dans moins de trois mois. Avec Rionna.

— Caelen !

Alaric n'avait prononcé que ce seul mot, mais son ton était aussi glacial que le vent, à l'extérieur. C'était une mise en garde pour avertir son frère de ne plus se mêler de ce qui ne le regardait pas, mais Keeley ne se sentit pas rassérénée pour autant.

Caelen cherchait à l'intimider. Parce qu'il s'était rendu compte de l'attirance – réciproque – qu'elle nourrissait pour Alaric.

Keeley aurait voulu se cacher sous la table, tant elle avait honte.

Au lieu de quoi, elle redressa fièrement le menton et elle toisa Caelen comme s'il n'était qu'un insecte qu'elle s'apprêtait à écraser. Cette image lui redonna aussitôt de l'assurance.

Caelen haussa les sourcils. Il paraissait surpris par son audace. Puis il esquissa un sourire – et cette fois, c'est Keeley qui fut surprise de sa réaction –, avant de s'emparer de son gobelet et de l'ignorer.

La jeune femme s'apprêtait à quitter à son tour la table, quand Cormac revint, l'air hébété. Keeley se tourna vers Mairin, qui semblait ravie. Elle passa même une main sous la table pour lui étreindre la main.

Cormac se laissa lourdement retomber sur sa chaise. Il avait pris des couleurs et ses cheveux étaient décoiffés.

Le sourire de Mairin s'élargit.

Ewan grommela quelque chose tandis que Caelen roulait des yeux. Keeley sentit ses joues s'empourprer quand Alaric la regarda.

— Laird, dit Cormac, d'une voix grave, j'aurais besoin de vous entretenir d'un sujet d'importance.

Ewan jeta un regard résigné à sa femme, avant de hocher la tête.

— Je t'écoute, Cormac.

Cormac s'éclaircit la voix et dévisagea nerveusement ceux qui étaient encore à table. La plupart des guerriers étaient retournés dans leurs quartiers, mais Gannon, Alaric, Caelen, Mairin et Keeley étaient toujours là.

— Je voudrais votre autorisation pour demander Christina en mariage, lâcha-t-il.

Mairin faillit bondir de joie. Keeley eut elle-même beaucoup de mal à retenir son sourire, en voyant la stupéfaction des autres hommes.

— Je vois, fit Ewan. As-tu bien réfléchi, cependant ? Es-tu sûr que c'est bien elle que tu veux épouser ? Et es-tu sûr qu'elle veuille t'épouser ?

— Oui. Mais elle m'a dit que je ne pourrais plus l'embrasser tant que nous ne serions pas officiellement fiancés.

À ces mots, Keeley et Mairin ne purent s'empêcher de pouffer.

— Dieu nous préserve des femmes qui jouent les marieuses, marmonna Ewan. Bon, c'est d'accord. Tu as ma permission pour parler à son père, Cormac. Mais que cela ne te détourne pas de tes tâches. N'oublie pas que tu dois veiller sur la sécurité de ma femme. Si je te surprends une autre fois à te laisser distraire, je te congédie.

— Bien sûr, laird. Ma loyauté vous est acquise. Ainsi qu'à votre épouse.

— Alors, prépare ton discours pour son père. Nous ferons venir un prêtre dès que le temps le permettra.

Cormac se retint de sourire, mais le soulagement et la joie se lisaient dans ses yeux. Keeley en éprouva un pincement au cœur – et même une morsure de jalousie. Mais elle était sincèrement heureuse pour Christina.

Mairin, quant à elle, était toujours très excitée. Elle se pencha vers Keeley :

— Il faudra que demain nous interrogions Christina sur ce baiser, chuchota-t-elle.

Keeley plaqua une main sur sa bouche, pour s'empêcher de pouffer.

— Ça a dû être le baiser du siècle, chuchota-t-elle en retour.

— J'ai moi-même goûté à quelques baisers mémorables, répondit Mairin, avec un regard en direction de son mari.

Keeley faillit lui répondre qu'elle aussi, elle avait connu ce bonheur, toutefois elle préféra garder le silence. C'est alors qu'elle s'aperçut qu'Alaric la couvait des yeux. Sentant son pouls s'emballer, elle détourna le regard et se leva de table.

— Avec votre permission, laird, j'aimerais me retirer dans ma chambre, dit-elle à Ewan. Je me sens fatiguée.

Ewan hocha la tête et poursuivit sa conversation avec Alaric.

Keeley se tourna alors vers Mairin.

— Je vous reverrai demain matin. Bonne nuit.

Mairin la gratifia d'un regard de sympathie qui prouvait qu'elle n'était pas indifférente à ce qui se passait entre elle et Alaric.

Keeley se dirigea vers l'escalier, bien consciente qu'Alaric ne la quittait pas des yeux – elle sentait son regard peser sur chacun de ses pas. Les autres aussi, devaient l'observer. Elle s'en voulait, à présent, d'avoir épié Alaric durant tout le repas. Il n'y aurait plus désormais que les sourds et les aveugles pour n'avoir rien remarqué...

La montée de l'escalier lui parut interminable. Sa chambre était glaciale, et elle s'empressa de ranimer le feu qui s'était presque entièrement éteint. Quand les nouvelles bûches crépitèrent, Keeley resta un moment devant l'âtre, à se réchauffer les mains. Puis elle enfila sa chemise de nuit et se glissa sous les fourrures qui recouvraient son lit. La seule source de lumière de la pièce était prodiguée par les flammes orangées qui projetaient des ombres mouvantes sur les murs, rappelant à Keeley sa solitude.

Dehors, le vent gémissait tel un vieil homme en train de se lamenter sur son destin. Si seulement tout pouvait être aussi simple que de voler un baiser ! Si seulement elle pouvait prendre les choses en main, comme Christina ! Keeley eut un sourire triste. Hélas, un baiser ne pouvait pas résoudre tous ses problèmes ! Et si Christina et l'homme qu'elle aimait rêvaient à présent d'un avenir commun, Keeley, hélas, ne pouvait pas envisager le futur avec Alaric. Tout ce qu'elle pouvait espérer, c'était savourer quelques précieux moments dans ses bras.

Ce constat fit naître en elle une idée des plus audacieuses : et si elle s'offrait à Alaric ? Après tout, qu'est-ce que cela changerait à son existence, dès lors que tout le monde la prenait déjà pour une femme sans vertu ?

Elle secoua la tête. Non, c'était impossible. Cependant, elle ne trouvait pas d'argument pour étayer ce refus. Elle ne pouvait pas prétexter que Rionna était son amie : les vrais amis ne vous tournaient pas le dos quand vous étiez en difficulté.

De toute façon, personne n'en saurait jamais rien.

Juste une nuit…

Pourquoi pas ?

Alaric la désirait. Il le lui avait assez fait comprendre. Et Keeley le désirait elle aussi, si fort que c'en était presque douloureux.

Elle savait qu'elle aurait beaucoup de mal à se séparer de lui. Elle souffrirait le martyre. Mais elle commençait à penser qu'il avait raison. Mieux valait goûter au bonheur, ne serait-ce que furtivement, plutôt que de nourrir des regrets tout le restant de ses jours. Et Keeley n'avait aucune envie d'être enterrée vierge.

Jusqu'ici, elle avait préservé sa vertu, preuve, à ses yeux, qu'elle n'était pas la catin qu'on prétendait. Mais son abstinence ne lui avait pas rendu justice pour autant. Personne ne s'était dressé pour la défendre. Personne ne la défendrait jamais, d'ailleurs. Elle serait la seule à connaître la vérité.

Malheureusement, songea-t-elle, amère, ce n'est pas la vérité qui vous réchauffait, par les froides nuits d'hiver.

Elle faillit éclater de rire en constatant avec quelle implacable logique elle tentait de justifier le don qu'elle s'apprêtait à faire à son guerrier en cédant au désir animal qu'il lui inspirait.

Son guerrier… Il resterait toujours *son* guerrier – mais uniquement dans son cœur. Aucun autre ne prendrait sa place. Jamais.

— Cesse de toujours tout dramatiser, Keeley, se morigéna-t-elle. Sinon, tu vas finir par te jeter par la fenêtre.

Au lieu de rêver, elle ferait mieux de se montrer réaliste et de décider ce qui lui paraissait acceptable. Par exemple, pour une fois, elle devait placer ses propres désirs au-dessus de ceux des autres. Car si elle ne veillait pas un peu à son bonheur, personne ne s'en chargerait à sa place.

Une nuit dans les bras d'Alaric...

À présent que l'idée avait germé dans sa tête, elle n'arrivait plus à l'en chasser. La tentation était trop grande. Trop envahissante.

Avant Alaric, personne ne l'avait seulement embrassée – à part, bien sûr, la brutale agression du laird McDonald, qu'elle ne considérait pas comme un vrai baiser. Un baiser se donnait, or le laird s'était contenté de prendre. Elle n'avait pas un seul instant consenti à son geste méprisable.

La jeune femme plongea sa tête dans ses mains.

Il était trop tard, à présent, pour faire machine arrière. Son idée s'enracinait dans son esprit, jusqu'à occuper toute la place. Elle ne supporterait pas d'attendre un jour de plus.

Cette nuit, tout serait consommé.

17

Alaric contemplait la nuit par la fenêtre de sa chambre. La lune brillait haut dans le ciel et ses rayons se reflétaient sur le paysage recouvert de neige. À l'arrière-plan, le loch brillait comme un miroir de pur argent.

C'était un spectacle apaisant et pourtant, Alaric bouillait intérieurement.

Les paroles de Caelen résonnaient avec insistance dans ses oreilles, s'insinuant à chaque instant plus profondément dans son esprit. « Prends-la. Couche avec elle et délivre-toi de cette obsession ! »...

Mais c'était impossible. Car ce qu'il ressentait pour Keeley n'était pas un simple désir charnel. C'était autre chose, de plus complexe et d'entièrement nouveau pour lui, qu'il n'aurait pas su nommer. Il avait l'impression de se trouver au bord d'un précipice effrayant et cependant, d'être tenté de se jeter dedans en criant de bonheur.

Il désirait Keeley, bien sûr, mais il se refusait à prendre ce qui ne lui était pas accordé de plein gré. Il n'avait aucune envie de causer du chagrin à la jeune femme. Encore moins de la faire souffrir.

Le bruit de la porte de sa chambre qui s'ouvrait le fit se retourner, les sourcils froncés, prêt à vitupérer contre l'intrus qui se permettait d'entrer sans frapper.

Mais quand il vit Keeley se tenir, hésitante, sur le seuil, il en oublia presque de respirer.

— Je croyais que tu étais couché, murmura-t-elle, d'une toute petite voix. Il est tard. Nous sommes montés dans nos chambres depuis déjà un bon moment.

— Et pourtant, nous sommes toujours debout, incapables l'un et l'autre de dormir. Qu'en penses-tu, Keeley ? Allons-nous continuer encore longtemps à nous refuser ce que nous désirons si fort tous les deux ?

— Non...

Alaric se figea, et seul le gémissement du vent troublait le silence de la chambre. Keeley frissonna et serra ses bras autour d'elle. Elle paraissait si vulnérable que l'instinct d'Alaric lui criait de voler à son secours pour la protéger.

Il rabattit la couverture de la fenêtre avant de rejoindre la jeune femme pour la prendre dans ses bras.

— Viens sur le lit, dit-il. Comme cela, tu pourras t'envelopper dans une fourrure, pendant que je ranimerai le feu.

Il l'entraîna doucement vers sa couche. Elle s'assit au bord, tendue et nerveuse, pendant qu'Alaric la drapait d'une fourrure.

Puis, incapable de résister à la tentation, il lui embrassa le front et caressa ses longues tresses. Mais il ne voulait pas encore goûter à ses lèvres. S'il commençait, il ne pourrait plus s'arrêter et elle aurait trop froid.

D'une main tremblante, il remit des bûches dans le feu. Puis il se frotta les mains devant l'âtre, dans l'espoir de vaincre ses frissons – en vain. Il tremblait de l'intérieur et la crainte de faire un mauvais geste le paralysait.

Il finit par se retourner. Keeley n'avait pas bougé. Elle le regardait.

Alaric vint s'agenouiller devant elle.

— Es-tu sûre de toi, Keeley ?

Elle lui caressa la joue.

— J'ai envie de toi, Alaric. Et je ne veux plus m'aveugler davantage. Je sais que ton destin est d'épouser l'héritière du clan McDonald pour devenir un jour leur laird. C'est une noble destinée, et je ne chercherai pas à t'en détourner. Mais je te veux une nuit dans mes bras. Pour que je puisse m'en souvenir quand tu ne seras plus là.

Alaric lui prit la main, la porta à ses lèvres et en embrassa chaque doigt.

— Moi aussi, j'ai envie de toi, Keeley. À en souffrir. Et je voudrais imprimer ton souvenir dans ma chair pour ne jamais l'oublier, même lorsque je serai devenu un vieillard.

Elle sourit, mais ses yeux étaient tristes.

— Alors, accorde-moi cette nuit, et faisons tous les deux le plein de souvenirs.

— Oui, Keeley. Je vais te faire l'amour…

Il voulut se relever, mais elle l'arrêta.

— Je voudrais te dire quelque chose, avant d'aller plus loin.

Elle semblait tout à coup plus nerveuse. Alaric lui caressa les cheveux d'un geste apaisant.

— Parle. Je t'écoute.

Elle détourna brièvement la tête, avant d'oser regarder Alaric en face. Puis elle lui révéla son lourd secret.

— C'est important que tu le saches… J'ai été bannie du clan McDonald. C'était ma famille. Je suis née McDonald.

Alaric, désarçonné, fronça les sourcils. Une McDonald ? Il ne s'était pas posé la question de savoir où il était arrivé, après sa blessure. Il était trop comateux, à l'époque. Et ses frères n'avaient rien dit à ce sujet.

Elle avait été bannie du clan ? Pourquoi ? se demanda-t-il, sentant la colère le gagner soudain.

— Que s'est-il passé, Keeley ? demanda-t-il, lui caressant la joue. Pourquoi ta famille t'a-t-elle tourné le dos ?

— Le laird me faisait des avances, quand je n'étais encore qu'une jeune fille innocente. Un jour, il a tenté de me violer. Sa femme est arrivée et elle m'a traitée de catin. J'ai été renvoyée pour avoir tenté de séduire son mari.

Alaric en resta un moment sans voix. Il laissa retomber sa main.

— Doux Jésus ! murmura-t-il finalement.

Il serra les poings en s'imaginant sa Keeley – une Keeley beaucoup plus jeune et plus vulnérable – essayant d'échapper aux griffes d'un homme qui voulait abuser d'elle. Il en avait la nausée.

Et il était furieux.

— C'était faux, murmura-t-elle.

— Bien sûr, que c'était faux ! s'exclama-t-il. (Et, lui caressant de nouveau les cheveux, il ajouta :) J'espère que tu n'imagines pas que j'aie pu croire un seul instant à ta culpabilité ? Je suis outré qu'on t'ait aussi injustement traitée et que tu aies dû payer pour les péchés du laird. Son devoir est de protéger son clan. Il doit mériter d'en être le chef. S'en prendre à une jeune fille innocente est un crime impardonnable.

Keeley ferma les yeux. Son soulagement se lisait sur ses traits, soudain plus détendus. Alaric avait le cœur serré à l'idée de ce qu'elle avait enduré. Mais il avait surtout envie de se précipiter chez les McDonald pour frapper le laird jusqu'à ce qu'il ne soit plus capable de coucher avec aucune femme. Dire qu'il avait dîné avec lui et l'avait accueilli sur ses terres comme son futur beau-père ! Malheureusement, son crime avait beau le révulser, il n'y pouvait rien changer. Il lui était impossible de renoncer à cette alliance et de faire de McDonald leur ennemi.

Quel effroyable dilemme !

Cependant, il n'avait pour l'instant aucun moyen de peser sur les événements. Aussi préféra-t-il reporter son attention sur l'unique élément qu'il pouvait contrôler.

Il caressa la joue de Keeley, puis son cou. Il sentait son pouls battre sous ses doigts. Et il l'entendit retenir son souffle quand il glissa sa main plus bas, pour caresser ses seins à travers la fine étoffe de sa chemise de nuit.

— Je me demande si tu as conscience de ta beauté, Keeley. Ta peau est douce au toucher, et aussi claire que la neige miroitant sous la lune. Je pourrais passer des heures à te caresser.

Leurs bouches étaient proches l'une de l'autre. Alaric accrocha le regard de la jeune femme, juste avant de plaquer ses lèvres sur les siennes.

Il eut soudain l'impression qu'une violente bouffée de désir lui incendiait les veines.

— Je n'ai jamais couché avec aucun homme, murmura-t-elle. Tu es le premier à me toucher ainsi.

Son aveu éveilla chez Alaric des pulsions primitives, mais aussi une immense envie de tendresse. Il voulait que Keeley ne puisse jamais oublier cette nuit.

— J'irai tout doucement, chérie. Je te le promets.

Elle sourit et prit son visage dans ses mains.

— Je sais. J'ai confiance en toi, guerrier.

Alaric l'attira dans ses bras et la serra très fort en enfouissant son visage dans son cou pour respirer son odeur. Il voulut aussi la marquer avec ses dents, par un petit suçon.

— Tu es délicieuse à croquer, chérie.

Il devina qu'elle souriait.

— Et toi, guerrier, tu as des lèvres magiques, dit-elle. J'aime beaucoup les baisers, mais mon petit doigt me dit qu'il y a autre chose à venir…

Alaric sourit et lui embrassa les sourcils.

— Oui, tu as raison. Mais ne t'inquiète pas. J'ai bien l'intention de tout te montrer en détail.

Leurs lèvres se scellèrent de nouveau, mais cette fois à l'initiative de la jeune femme.

Alaric la laissa faire. Jusqu'à présent, il s'était toujours satisfait d'étreintes rapides. Il avait pour habitude d'entraîner dans son lit des filles qui ne cherchaient qu'une partie de jambes en l'air. Mais avec Keeley, il voulait savourer chaque instant et faire durer le plaisir. Il prendrait tout son temps et il lui révélerait les délices de la chair.

Se redressant de toute sa hauteur, il obligea la jeune femme à s'allonger sur le lit et il posa ses mains de chaque côté de sa tête. Sa chevelure s'étalait sur les draps en une masse soyeuse qui prenait des reflets dorés à la lumière du feu.

Keeley le regardait avec un abandon émouvant. Alaric était bouleversé à l'idée qu'elle s'apprêtait à lui offrir ce qu'elle n'avait encore jamais accordé à aucun homme. C'était la plus belle preuve de confiance dont il pouvait rêver.

Il se pencha pour lui embrasser le cou et la naissance des épaules. Puis il lui mordilla le lobe de l'oreille, lui arrachant des frissons de plaisir.

— Ta bouche est démoniaque, guerrier.

— Ce n'est qu'un début.

Il délaça le haut de sa chemise de nuit, pour découvrir ses seins. Le spectacle qui s'offrit à sa vue lui coupa le souffle. Son membre érigé gonflait son pantalon, impatient d'être libéré de son écrin de tissu pour goûter à la féminité de Keeley.

— Quelque chose ne va pas ? demanda la jeune femme, voyant qu'il ne bougeait plus.

Il lui sourit.

— Non, chérie, dit-il, l'embrassant sur les lèvres pour chasser ses inquiétudes. Tout va bien, au contraire. Tout va très bien.

Puis il délaça un peu plus sa chemise de nuit, pour dénuder entièrement sa poitrine.

Ses tétons appelaient les baisers. Il en titilla un de la langue, arrachant un petit cri rauque à Keeley.

— Chut, chérie. Ce n'est que le début. Laisse-moi te faire l'amour.

Alaric se redressa pour la débarrasser de sa chemise de nuit.

Il déglutit en la découvrant nue. Il n'avait encore jamais vu une aussi belle femme. Sa peau crémeuse, vierge de toute imperfection, baignait dans le chatoiement doré des flammes qui dansaient dans la cheminée. Ses hanches étaient rondes, sa taille fine, et ses seins assez généreux pour remplir une main d'homme. Son ventre plat était orné d'un charmant nombril qu'il avait hâte de caresser de sa langue.

Le regard d'Alaric descendit plus bas et s'arrêta sur le triangle de boucles soyeuses qui gardait l'innocence de la jeune femme. À cette vue, son membre se dressa, plus dur encore.

Alaric ne voulait pas effrayer Keeley, mais s'il n'enlevait pas rapidement son pantalon, il finirait par avoir mal.

— Ne bouge pas, pendant que je me déshabille, lui murmura-t-il.

Elle le regarda se débattre avec le cordon de son pantalon. La minute d'après, le vêtement tombait à terre et son membre était enfin libéré de sa prison d'étoffe.

Puis Alaric passa sa tunique par-dessus sa tête, s'aveuglant un court instant. Quand il put de nouveau voir Keeley, il s'aperçut qu'elle regardait son membre. Il n'aurait pas su dire si elle était fascinée ou simplement intriguée. Son expression était un curieux mélange des deux.

Quand il s'allongea entre ses cuisses, elle leva les mains, comme pour l'obliger à reculer.

Alaric lui saisit les poignets.

— Tu n'as pas à avoir peur, Keeley. Je ne te ferai pas de mal. Je serai aussi doux qu'un agneau.

Et, quoi qu'il lui en coûtât, il était bien décidé à tenir parole.

18

Keeley retenait son souffle.

Elle avait devant elle un guerrier magnifique – et entièrement nu. Son corps musclé à la perfection était couturé de cicatrices, comme autant de médailles attestant des batailles qu'il avait gagnées.

Il était si impressionnant qu'il n'aurait eu aucune peine à lui faire du mal s'il l'avait voulu. Mais Keeley avait toute confiance en lui. Et sa douceur avivait encore le désir qu'il lui inspirait.

Mais la vue de son membre viril l'intimidait. Elle le trouvait démesuré.

— Tu… tu es sûr que ce n'est pas trop gros ? ne put-elle s'empêcher de demander.

Elle s'en voulait de son innocence. Pourtant, elle avait vu plusieurs fois des hommes nus. Mais c'était pour les soigner. Et leur anatomie était alors au repos. Elle ne se serait jamais doutée que leur membre viril pouvait prendre de telles dimensions.

Alaric s'esclaffa joyeusement.

— Ne t'inquiète pas. Ton corps s'y accommodera sans problème. C'est son rôle.

Keeley fut stupéfiée par son arrogance.

— Son rôle ? Et qui en a décidé ?

Il sourit.

— Tu mouilleras, pour que je puisse te pénétrer plus facilement. Et mon rôle, c'est de te faire mouiller.

— Je vais mouiller ? répéta la jeune femme, incapable de contenir sa curiosité.

Il se pencha à son oreille.

— Oui, murmura-t-il. Je t'en donne ma parole.

Quand il s'étendit de tout son long sur elle, ses longs cheveux retombèrent sur son visage, se mêlant à ceux de Keeley.

— C'est rare, pour un homme, d'avoir d'aussi beaux cheveux, dit-elle.

Il s'esclaffa.

— Ce n'est pas courant, pour un homme, de s'entendre dire qu'il a de beaux cheveux.

Keeley lui sourit.

— J'adore y enfouir mes doigts. Peut-être t'en souviens-tu, mais je les avais lavés, quand tu étais chez moi. Ensuite, je les avais séchés et brossés. On aurait dit de la soie.

— Je me souviens d'une enchanteresse dont les mains caressaient ma chevelure. C'était comme un rêve dont je ne voulais surtout pas me réveiller.

Elle fit glisser une mèche entre ses doigts.

— Et maintenant, c'est à moi de vivre un rêve dont je ne voudrais jamais me réveiller.

Il captura ses lèvres. Cette fois, son baiser fut plus ardent, plus passionné. Plus exigeant. Et son corps se lova à celui de Keeley.

Elle sentait son érection, puissante, contre ses cuisses. Keeley les écarta instinctivement, mais elle tressaillit quand elle sentit son membre se presser à l'orée de sa féminité.

Cependant, son désir ne cessait de s'aviver et, déjà, elle en voulait plus. Elle écarta les cuisses mais Alaric, au lieu d'en profiter, se laissa glisser sur elle. Quand il encercla son nombril avec sa langue, elle oublia tout le reste.

Pourtant, quand sa langue commença de s'aventurer plus bas, la jeune femme redressa la tête, vaguement inquiète.

Alaric leva les yeux vers elle. Ses prunelles brillaient comme celles des prédateurs s'apprêtant à fondre sur leurs proies. Keeley frissonna à l'idée de ce qui l'attendait.

Lui agrippant solidement les cuisses, Alaric déposa un baiser juste au-dessus du triangle de boucles soyeuses qui cachaient sa féminité. Keeley frissonna de plus belle.

Puis ses lèvres s'aventurèrent encore plus bas, jusqu'au cœur de son intimité. Keeley eut l'impression que la chambre dansait devant ses yeux.

— Oh, gémit-elle, quand il lui titilla son bouton de rose avec son pouce, tandis que ses autres doigts s'immisçaient dans sa fente.

Puis sa langue remplaça son pouce. Keeley eut l'impression qu'un éclair la traversait de part en part. Son plaisir fut si intense que tous ses muscles se contractèrent.

Ignorant ses gémissements, Alaric la savourait comme un nectar. Keeley avait les jambes qui tremblaient. Tous ses sens semblaient échapper à son contrôle.

Elle enfouit ses mains dans la chevelure de son guerrier.

— Alaric !

Il continuait, imperturbable, sa diabolique caresse. Keeley avait beau l'implorer d'arrêter, il continuait. Alors, à bout de ressources, elle décida de s'abandonner complètement. De lui faire confiance. D'oublier toutes ses appréhensions.

Elle n'aurait jamais imaginé qu'une étreinte entre un homme et une femme puisse être aussi merveilleuse. Elle connaissait les mécanismes de la reproduction. Elle savait plus ou moins ce qui pouvait se passer dans un lit. Mais elle avait toujours pensé que c'était très rapide : une simple pénétration, quelques caresses, et l'affaire était terminée.

Mais Alaric, lui, explorait patiemment son corps avec ses mains, centimètre par centimètre. Il l'embrassait et il la caressait, jusqu'à la rendre folle d'un désir dont l'assouvissement semblait sans cesse lui échapper.

— Je préfère te le dire, expliqua-t-il alors qu'il se plaçait à nouveau entre ses cuisses, je risque de te faire un peu mal, mais je te promets que ça ne durera pas très longtemps. Et je serai avec toi à chaque instant.

Tout à coup, Keeley sentit son membre se presser contre son sexe. Elle frissonna d'excitation et d'appréhension mêlées.

— Serre-moi fort, chérie, murmura-t-il. Très fort…

Keeley noua ses bras au cou d'Alaric et l'attira contre elle pour l'embrasser. À l'instant où leurs lèvres se scellèrent, il donna un coup de reins.

Keeley rouvrit brusquement les yeux.

— Tu as mal ?

Elle secoua la tête.

— Non. C'est une sensation étrange. De plénitude. Nous ne formons plus qu'un, désormais.

Il sourit.

— Oui, c'est cela.

Il poussa une deuxième fois. Keeley tressaillit légèrement.

— Encore un peu, et le pire sera passé, lui promit-il.

— Le pire ? Mais jusqu'ici, c'est merveilleux, murmura-t-elle.

Il sourit encore, en même temps qu'il l'embrassait. Puis il se retira légèrement, avant de s'enfoncer plus avant. Keeley adorait cela et elle en voulait déjà davantage.

— Maintenant, Alaric, chuchota-t-elle à son oreille, fais-moi tienne.

Il donna un nouveau coup de reins, plus puissant.

Keeley sentait son corps s'épanouir, mais elle éprouvait dans le même temps une sensation de brûlure qui la fit grimacer.

— Voilà, dit-il. Tu es à moi, à présent. Je rêvais à ce moment depuis longtemps.

Il s'était immobilisé, le temps qu'elle s'accoutume à son intrusion.

— Ça va, maintenant ? demanda-t-il. La douleur est passée ?

— Ce n'était pas grand-chose, le rassura-t-elle. J'ai à peine eu mal.

Il se retira encore, pour la pénétrer de nouveau plus profondément. Et il la regardait, comme s'il s'inquiétait qu'elle puisse souffrir.

— Prends-moi, Alaric. Ça ne fait pas mal. J'ai envie de toi.

C'était tout ce qu'il voulait entendre. Il donna un nouveau coup de reins, si puissant que leurs hanches se touchèrent.

Keeley ferma les yeux. À présent, leurs deux corps, soudés l'un à l'autre, ondulaient au même rythme. Et Keeley sentait grandir en elle un plaisir qui exigeait sa libération. Mais comment ?

— N'essaie pas de te retenir, lui murmura-t-il. Abandonne-toi tout entière. Fais-moi confiance.

Ses paroles apaisèrent l'anxiété de la jeune femme. Elle se détendit, ainsi qu'il le lui demandait. Et elle se donna tout entière à lui.

Alaric la pilonnait toujours plus fort et toujours plus vite. Juste au moment où Keeley pensait ne pas pouvoir en supporter davantage et qu'elle s'apprêtait à le supplier de ralentir, ce fut comme une explosion.

Sa vision se troubla. Son corps fut agité de spasmes violents et délicieux. Un plaisir insensé la submergea par vagues.

Alaric s'enfonça une dernière fois en elle, avant de se retirer brutalement. Keeley voulut le retenir, mais il s'effondra sur elle et elle sentit un liquide tiède sur son ventre.

Il resta allongé sur elle, à reprendre son souffle. Keeley n'en revenait toujours pas de ce qu'elle venait de vivre. Était-ce normal ? Cela se produisait-il chaque fois qu'un homme et une femme faisaient l'amour ? C'était impossible, sinon personne ne voudrait plus jamais sortir du lit !

Finalement, Alaric roula sur le côté, l'entraînant avec lui tout en la serrant toujours dans ses bras. Elle sentait son membre palpiter contre son ventre humide.

Elle comprit tout à coup ce qui s'était passé, et elle en éprouva un mélange de reconnaissance et de tristesse. Il avait pris garde à ne pas l'engrosser. Elle n'aurait pas à subir la honte d'une grossesse illégitime, tandis qu'il épouserait une autre femme.

En même temps, l'idée de garder une partie de lui – son enfant – la séduisait. Car Keeley ne coucherait plus jamais avec aucun homme après Alaric. Elle n'aurait donc pas d'enfants.

Elle soupira. Nourrir de telles pensées était sans doute un peu trop mélodramatique et une fois Alaric sorti de sa vie, peut-être regarderait-elle différemment les autres hommes. Une vie entière de solitude n'était pas le meilleur moyen de réparer un cœur brisé. Mais ces questions n'étaient pas d'actualité. Pour l'instant, elle ne pouvait pas imaginer de partager une telle intimité avec un autre homme.

Alaric lui embrassa le front.

— Tu es sûre que je ne t'ai pas fait mal ?

Keeley secoua la tête.

— Non, mon guerrier. Tu as tenu parole. Ta douceur était remarquable. C'est à peine si j'ai senti une brûlure, quand tu m'as pénétrée.

— Tant mieux. J'aurais détesté te faire souffrir.

Keeley ne put s'empêcher de trouver un goût amer à ses paroles. Car malgré ses bonnes intentions, Alaric la ferait souffrir en épousant une autre femme.

Mais elle refusait de gâcher l'instant présent en pensant à l'avenir. Elle déposa un baiser sur son torse musclé.

— Dis-moi, guerrier, dans combien de temps pouvons-nous recommencer ?

Alaric accrocha son regard.

— Dès que tu me diras que c'est ce que tu veux.

— Je le veux, murmura-t-elle.

19

Alaric se redressa sur ses coudes, cligna des yeux et regarda en direction de la cheminée, où Keeley avait rajouté des bûches. Elle s'était assise sur un banc, devant le feu, et sa nudité se détachait sur un fond orangé. Pendant qu'il la contemplait, la jeune femme contemplait les flammes.

Elle était magnifique. Si féminine, et en même temps, si forte. À présent qu'il connaissait mieux son passé, Alaric s'émerveillait de sa détermination.

Peu de femmes, à sa place, auraient survécu par leurs propres moyens après avoir été chassées de leur clan. Une femme ne disposait pas de beaucoup de possibilités pour s'en sortir toute seule, et pourtant Keeley y était parvenue sans se disgracier.

Elle tourna la tête vers lui et écarquilla les yeux en constatant qu'il était réveillé. Puis elle lui sourit.

Alaric déglutit avec peine. Sa beauté dépassait l'entendement.

— Viens, dit-il, lui tendant la main.

Elle se leva du banc et couvrit ses seins avec ses mains, dans un geste puéril de pudeur qu'Alaric trouva charmant.

Dès qu'elle l'eut rejoint sur le lit, il la serra très fort dans ses bras.

— Comment te sens-tu ?
Elle déposa un baiser dans son cou.
— Merveilleusement bien. Tu m'as donné beaucoup de plaisir.
— Je suis ravi de l'entendre.
Il voulut lui embrasser chastement les lèvres, mais leurs langues se mêlèrent avec fièvre. À mesure qu'elle gagnait en assurance, Keeley se montrait plus passionnée et elle n'hésitait pas à prendre des initiatives.
— Il nous reste encore quelques heures avant l'aube, dit-il. Ne les perdons pas.
Elle lui sourit, et son sourire illumina toute la pièce.
— Oui, mon guerrier. Mais cette fois, c'est moi qui vais conduire les opérations. Je n'ai pas ton expérience, mais je suis convaincue que je peux te donner autant de plaisir que tu m'en as donné.
— Très bien. Montre-moi ce que tu sais faire et nous verrons si tu avais raison d'être aussi sûre de toi.
La jeune femme s'assit à califourchon sur les cuisses d'Alaric et elle referma ses doigts sur son membre déjà érigé pour le caresser.
Le plaisir d'Alaric était à la limite de la douleur. Chacune de ses caresses le rendait fou. Elle s'y prenait avec une infinie douceur, comme si elle avait peur de lui faire mal.
Finalement, n'y tenant plus, il enserra la main de la jeune femme dans la sienne, pour lui montrer.
— Comme ça, dit-il.
Et il se caressa de bas en haut et de haut en bas en serrant fortement son membre.
— C'est bon ? demanda-t-elle, prenant le relais.
— C'est très bon.
Son membre toujours en main, Keeley souleva ses hanches, avant de les laisser retomber, comme si elle ne savait plus quoi faire ensuite. Elle avait de bons instincts, mais elle manquait d'expérience. Heureusement, Alaric était ravi de jouer les professeurs. Keeley n'avait

pas connu d'autre homme avant lui et il se flattait de lui montrer comment procéder.

Il lui saisit les hanches, pour l'aider à se placer au-dessus de son membre.

— Voilà, dit-il.

Et il la fit redescendre, en douceur.

— C'est bien, dit-il. Maintenant, recommence toute seule. Très lentement, au début.

Elle répéta la manœuvre en s'appliquant. Alaric était à l'agonie. Il avait l'impression qu'il allait mourir de plaisir.

Il brûlait d'agir et en même temps, il voulait qu'elle s'habitue à le chevaucher.

De fait, au bout de quelques minutes, elle s'enhardit et, plaquant ses deux mains sur le torse d'Alaric, elle s'entraîna à des mouvements plus vifs.

— Tu es une tentatrice diabolique, murmura-t-il.

— Ah ? L'ange s'est évaporé ? Serais-je redevenue un démon sortit tout droit des enfers ?

— Ou un ange démoniaque. Ce sont les plus redoutables.

Elle se pencha sur lui et s'empara de ses lèvres.

Alaric était médusé – et comblé – de la voir se montrer aussi possessive. Comme s'il n'appartenait qu'à elle. Et du reste, à cet instant précis, c'était la pure vérité. Aucune autre femme n'existait à ses yeux.

Mais il voulait lui montrer qu'il la désirait et qu'elle était sienne. Alors, il arqua les hanches, pour lui donner des coups de reins.

Elle gémit de plaisir.

— J'étais supposée te faire l'amour, lui fit-elle remarquer, quand elle eut repris son souffle.

— Oui. Et tu t'y es très bien prise. Mais pourquoi ne pas partager l'effort ?

Et tandis qu'elle continuait de le chevaucher, Alaric lui donnait des coups de reins.

Tout à coup, il se raidit.

— Je crois que je ne vais pas pouvoir me retenir !

— Alors, laisse-toi aller, guerrier.

Alaric eut juste le temps de l'empoigner par les hanches, pour la soulever et se retirer, avant que sa semence ne se répande sur son ventre.

Alors qu'il reprenait lentement son souffle, la jeune femme contemplait son membre, à l'extrémité duquel perlait une goutte de semence. Elle la cueillit avec son doigt qu'elle porta à ses lèvres.

Le membre d'Alaric se raidit aussitôt.

— J'avais envie de te goûter, expliqua-t-elle. Tu m'as bien goûtée, toi, quand tu m'as fait l'amour avec ta langue, tout à l'heure.

Et, après un instant de réflexion, elle demanda :

— Pour ça aussi, les hommes aiment que les femmes leur rendent la pareille ?

— Oh, oui ! D'imaginer ta bouche se refermant sur mon membre suffit à m'égarer l'esprit.

— Hmm... C'est bon à savoir. Je n'aurais jamais pensé que de telles choses étaient possibles.

Il s'esclaffa.

— Je l'espère bien ! Où aurais-tu pu apprendre cela ?

La jeune femme lui sourit.

— Après quelques heures en ta compagnie, je me sens déjà complètement débauchée. Cela m'étonnerait que les autres femmes expriment de tels désirs.

— Je me moque des autres femmes, murmura-t-il. Pour l'instant, il n'y en a qu'une seule qui m'intéresse. Et je suis comblé qu'elle ait envie de me donner du plaisir avec sa bouche.

Elle parut hésiter.

— Ce n'est pas trop tôt ? Je veux dire, après...

— Laisse-moi d'abord me nettoyer. Ensuite, je me rallongerai, pour que tu sois plus à ton aise.

Appuyée sur un coude, la jeune femme le regarda se diriger vers la cuvette et le broc d'eau posés près de la fenêtre, pour se laver le membre et le ventre. Bizarrement, le spectacle avait quelque chose d'excitant.

Baissant les yeux sur son propre ventre, elle eut envie de l'imiter.

Elle s'apprêtait à se lever à son tour, mais Alaric revenait déjà, un linge humide à la main. Il s'allongea à côté d'elle et se chargea lui-même d'éponger les gouttes de semence sur sa peau.

Son membre était fièrement érigé. Keeley tendit la main pour le toucher.

— Je... je ne sais pas trop comment procéder, murmura-t-elle. Je ne voudrais pas m'y prendre mal.

Alaric lui sourit.

— Je te garantis que ce sera très bien. À moins, bien sûr, que tu n'y mettes les dents !

Keeley ne put s'empêcher d'émettre un petit rire, avant de laisser courir ses doigts sur son abdomen parfaitement plat.

— Tu pourrais peut-être me guider ?

— D'accord. Je vais te montrer comment faire.

Il se releva, pour se planter devant le lit. Puis il tendit la main. Dès que Keeley s'en empara, il l'aida à se redresser, après quoi il lui fit signe de s'asseoir juste au bord du lit, les deux pieds posés par terre. Elle comprit pourquoi : dans cette position, sa bouche était maintenant juste à hauteur de son membre.

— Maintenant, ouvre la bouche, chérie. Laisse-moi la pénétrer.

D'une main, il empoigna la base de son membre, pour le guider entre les lèvres ouvertes de la jeune femme.

La sensation émerveilla Keeley. Son membre était très dur, et en même temps la peau en était douce comme du velours.

— Détends-toi...

Alaric lui prit le visage dans ses mains, tandis qu'il allait et venait dans sa bouche, de plus en plus profondément à chaque poussée.

Keeley n'aurait jamais rêvé à de telles pratiques. Cela pouvait sans doute paraître vulgaire et n'être digne que des catins, mais elle se surprenait à en tirer du plaisir et de l'excitation. Elle était prête à tout pour satisfaire Alaric, or de toute évidence, il aimait beaucoup cela.

— Laisse-moi entrer plus loin, Keeley. Voilà, comme ça. C'est parfait comme ça. Prends-le en entier.

Keeley obéit. Le monde se réduisait à son membre, qui lui emplissait la bouche, et aux lourds testicules qui battaient contre son menton.

Tout à coup, il se retira. Sa respiration hachée résonnait dans le silence de la chambre.

— Tourne-toi, ordonna-t-il.

Keeley, interloquée, cligna des yeux, avant de regarder derrière elle. Elle était assise au bord du lit. Que voulait-il dire, exactement ?

— Mets-toi à quatre pattes sur le lit et tourne-moi le dos.

Il l'aida à s'exécuter. Keeley se retrouva à quatre pattes, face au mur, dans une position inattendue. Son imagination battait déjà la campagne et elle se représentait certaines choses, sans savoir, toutefois, si elles étaient possibles.

Alaric lui caressa les fesses, avant d'introduire ses doigts dans sa féminité.

Keeley sursauta.

— Je voudrais te prendre dans cette position, dit-il. Comme un étalon qui saillit sa jument. Crois-tu que tu aimerais cela ?

Elle ferma les yeux.

— Oui, murmura-t-elle, dans un souffle.

Ses genoux tremblaient et menaçaient de lui faire défaut. Elle se cramponna au lit pour ne pas vaciller.

Cette position lui donnait une sensation de vulnérabilité. Il pourrait faire ce qu'il voudrait d'elle, sans qu'elle ait la possibilité de se défendre.

Alaric lui caressa de nouveau les fesses, puis le sexe, jusqu'à ce qu'elle soupire de plaisir. Puis, de sa main libre, il lui agrippa les hanches.

Il la pénétra d'un coup sec.

Keeley aurait crié, s'il n'avait pas plaqué une main sur sa bouche.

— Chut, chérie. Détends-toi.

Elle laissa échapper un gémissement, tandis qu'il s'enfonçait plus profondément en elle.

— Je vais te monter comme une pouliche, Keeley… Laisse-moi faire.

Elle n'avait pas le choix, de toute façon. Les doigts agrippés aux couvertures, elle était offerte à lui, qui la pilonnait sans relâche.

Keeley avait l'impression qu'il s'enfonçait plus loin que les deux premières fois. En tout cas, elle était plus sensible, à présent.

Au bout d'un moment, cependant, le plaisir qu'elle éprouvait commença à se dissiper, pour céder la place à un sentiment d'inconfort. Son membre était trop gros. Et cette fois, il l'enfonçait vraiment trop loin.

La jeune femme ne put retenir un petit cri de douleur.

Il se figea.

— Keeley, qu'y a-t-il ? Je t'ai fait mal ?

Il s'assit sur le lit, la fit se retourner et la serra dans ses bras. Son regard trahissait son inquiétude.

— Je crois que j'étais trop tendue.

Il laissa échapper un juron.

— C'est ma faute. Tu étais vierge, et je t'ai prise comme si tu étais une femme expérimentée. Je suis inexcusable. Je te désirais si fort que j'en ai oublié ton bien-être.

Keeley lui caressa la joue avec un sourire.

— Moi aussi, je te désirais très fort. Et c'est toujours vrai. J'ai juste eu un moment d'inconfort.

Alaric secoua la tête.

— Un bon bain chaud te fera du bien. Je vais m'occuper de le faire monter dans ta chambre.

Elle sourit de nouveau.

— Un bain serait merveilleux. Mais pour l'instant, il nous reste une petite heure avant l'aube. Et je veux la passer dans tes bras. Je préférerais que nous nous allongions tranquillement, pour goûter à un peu de repos.

Alaric lui repoussa une mèche de cheveux derrière l'oreille.

— D'accord. Je ne peux rien souhaiter de plus beau que de te serrer dans mes bras. Quand l'aube sera levée, je m'occuperai de ton bain. Mais je le ferai monter dans ta chambre, pour que ta réputation n'ait pas à souffrir de ce que nous avons fait ensemble.

Keeley lui étreignit les mains.

— Ma réputation pouvait très bien s'accommoder que je prenne le risque de passer cette nuit avec toi, Alaric. Sache que je n'ai aucun regret. Cela en valait largement la peine.

— Moi non plus, je n'ai pas de regrets. Je me souviendrai de cette nuit pour le restant de mes jours.

Ils s'allongèrent à plat dos sur le lit, puis Alaric tira les couvertures et ils se blottirent l'un contre l'autre.

— Je crois que je ne vais pas dormir, dit-elle. Je n'ai pas envie de perdre une seule minute du plaisir d'être dans tes bras.

Alaric lui embrassa les sourcils.

— Je ne prétendrai pas qu'il ne s'est rien passé entre nous, Keeley. Pas en public, bien sûr. Je ne ferai rien qui pourrait te nuire. Mais dans l'intimité, je saurai te rappeler que tu m'as donné ton innocence.

Elle sourit tristement.

— Je ne prétendrai pas davantage qu'il ne s'est rien passé, Alaric. Mais je crois qu'il est préférable de ne pas nous appesantir sur le sujet. N'oublie pas que nous n'avons pas d'avenir ensemble.

— Tu as raison. Cette conversation me brise déjà le cœur.

— Alors, contente-toi de me tenir chaud, avant que je ne retourne dans ma chambre glacée.

— Oui, chérie. Ça, c'est à ma portée.

20

Les premières lueurs de l'aube filtraient déjà par les rebords de la fourrure obstruant la fenêtre. La nuit – leur nuit – s'achevait.

Keeley s'était assoupie dans les bras d'Alaric, une main posée sur son ventre, comme une marque de possession.

Alaric lui caressait doucement le bras, tandis qu'il s'enivrait du parfum de sa chevelure. Il aimait la caresser. Il aimait sentir son odeur. Il aimait la savoir près de lui. Et il aurait aimé que cela dure toute sa vie.

Au lieu de cela, il serait condamné à partager son lit avec une autre femme. Et cette femme ne posséderait sans doute pas la nature passionnée de Keeley. Ni son tempérament ardent. Ni son caractère bien trempé, qui le séduisait tant.

Alaric enfouit son visage dans la chevelure de la jeune femme, qui s'étira avec langueur dans ses bras. Juste au moment où il s'écartait un peu, pour la contempler, elle battit des cils et ses paupières s'ouvrirent. Son regard était encore endormi, mais elle lui sourit.

— Bonjour, murmura-t-il en lui caressant la joue.

Elle se lova contre lui.

— Je crois que je vais détester cette journée.

Alaric déglutit péniblement.

— Moi aussi. Mais dépêche-toi de regagner ta chambre, avant qu'on ne s'aperçoive de ta présence ici.

La jeune femme soupira et se redressa sur un coude. Ses cheveux cascadaient de part et d'autre de ses épaules, recouvrant ses seins. Incapable de résister à la tentation, Alaric la prit par la taille et la força à se rallonger sous lui. Puis il l'embrassa comme il n'avait encore jamais embrassé aucune femme, mettant dans son baiser toute la force de son désir et tout le poids de ses regrets.

— Tu es sans égale, Keeley, dit-il, quand il abandonna ses lèvres. Je voulais que tu le saches.

Elle lui sourit.

— Toi non plus, tu n'as pas d'égal, guerrier.

Il soupira. L'heure était venue. Elle devait partir, avant que la forteresse ne s'éveille et que les couloirs ne se remplissent de monde.

— Habille-toi vite, la pressa-t-il. Je vais donner mes instructions à Gannon.

Pendant que la jeune femme récupérait sa robe pour la passer, Alaric alla entrouvrir la porte. Pour l'instant, seul Gannon se trouvait dans le couloir encore plongé dans l'obscurité.

— Gannon, murmura Alaric.

Habitué à réagir au moindre bruit, Gannon se leva aussitôt.

— Vous avez un ennui ? demanda-t-il.

— Non, non, tout va bien. Mais j'ai besoin d'un service.

— À vos ordres.

— Prends le tub qui est dans ma chambre et porte-le dans celle de Keeley. Et qu'on lui apporte de l'eau chaude. Sois discret et assure-toi que personne ne sache où elle a passé la nuit. Pendant que tu seras en bas, je l'escorterai jusqu'à sa chambre.

Gannon acquiesça et Alaric se retourna pour s'assurer que Keeley avait fini de s'habiller. Comme il ne voulait pas qu'elle soit gênée par la présence du garde, il la rejoignit, pour faire écran de son corps, pendant que Gannon portait le tub hors de la pièce.

Dès que Gannon eut disparu, Alaric prit la jeune femme par la main.

— Viens. Je vais te raccompagner jusqu'à ta chambre. Il faut que tu sois au lit avant que les servantes montent l'eau de ton bain, pour donner l'illusion que tu viens juste de te réveiller.

Elle se mordilla la lèvre inférieure mais hocha la tête. Avant de céder à l'envie de l'embrasser encore, Alaric l'entraîna vers la porte, puis dans le couloir.

Ils pénétrèrent dans la chambre de la jeune femme juste au moment où Gannon en sortait. Alaric lui fit signe de l'attendre, le temps qu'il fasse ses adieux à Keeley.

Keeley s'empressa de se glisser sous ses couvertures.

— Je chérirai cette nuit pour le restant de mes jours, dit Alaric avant de lui embrasser le front.

— Moi aussi, murmura-t-elle. Mais maintenant, va-t'en. L'hésitation est mauvaise conseillère.

Alaric se redressa brusquement. Elle avait raison. Plus il s'attardait, et plus il méditait de tout envoyer au diable.

Il quitta la pièce sans un regard en arrière.

Gannon l'attendait dans le couloir. Alaric lui donna ses instructions d'un ton sec.

— Occupe-toi de son bain. Assure-toi qu'elle ne sera pas dérangée. Informe tout le monde qu'elle est fatiguée et qu'elle gardera la chambre une grande partie de la journée. De toute façon, aucune tâche ne l'attend aujourd'hui.

— Bien, acquiesça Gannon.

Alaric le regarda s'éloigner vers l'escalier avant de regagner sa propre chambre. Une fois le battant refermé, il s'y adossa un moment.

Cette nuit avec Keeley l'avait comblé. Mais avoir possédé la jeune femme et savoir qu'elle lui était interdite était un supplice autrement plus douloureux que n'importe quelle blessure de guerre.

Keeley s'enfonça dans l'eau qui commençait déjà à refroidir et replia ses genoux sous son menton. Le bain avait apaisé la tension de ses muscles, mais rien ne pouvait soigner la douleur qui lui vrillait le cœur.

Elle soupira. Cette nuit avait été la plus belle nuit de sa vie. Elle voulait s'en rappeler jusqu'à son dernier souffle.

Après un tel émerveillement, la tristesse n'était pas de mise et pourtant, Keeley n'arrivait pas à se défaire du sentiment d'oppression qui l'assaillait.

Quelqu'un frappa à la porte. La jeune femme ferma les yeux. Si elle ne répondait pas, l'intrus finirait par se lasser.

Mais, à sa grande surprise, elle entendit la porte s'ouvrir. Alors qu'elle cherchait désespérément un moyen de préserver sa pudeur, Maddie fit irruption devant elle.

Keeley appuya sa nuque sur le rebord du tub.

— Oh, c'est vous ! Vous m'avez fait peur.

— Gannon a expliqué que vous ne vous sentiez pas bien. J'ai voulu voir si je pouvais vous aider.

Keeley s'efforça de sourire. Mais c'était trop demander. Ses yeux s'embuèrent et elle ne put retenir une première larme, très vite suivie de beaucoup d'autres.

Maddie paraissait effondrée.

— Oh, ma pauvre petite ! Que vous arrive-t-il ? Sortez donc de votre bain. L'eau est presque froide !

Keeley la laissa l'aider à sortir du tub, puis la draper dans un linge. Ensuite, elle s'assit devant le feu pendant que Maddie lui séchait les cheveux et les brossait.

— Maintenant, racontez-moi ce qui ne va pas, l'encouragea Maddie.

— Oh, Maddie ! J'ai bien peur d'avoir commis une épouvantable erreur. Pourtant, je ne regrette rien.

— Aurait-ce un rapport avec Alaric McCabe ?

Keeley tourna la tête.

— C'est donc si évident ? Tout le monde est-il au courant que j'ai fauté ?

Maddie lui étreignit la main.

— Non, rassurez-vous.

— Je me suis donnée à lui, murmura Keeley. Il doit en épouser une autre, mais j'ai quand même couché avec lui. Je n'ai pas pu résister.

— Vous l'aimez.

— Oui, je l'aime.

Maddie hocha la tête.

— Il n'y a pas de honte à se donner à l'homme qu'on aime. Mais êtes-vous sûre qu'il n'a pas cherché à profiter de vous ?

— Non ! se récria Keeley, indignée. Il est aussi torturé que moi. Nous avons tous les deux essayé d'ignorer notre attirance mutuelle, mais c'est moi qui suis allée le trouver hier soir.

Maddie lui caressa les cheveux pour l'apaiser.

— Les peines de cœur sont les pires. J'aimerais vous consoler, mais je sais que c'est impossible. Par contre, je puis vous assurer que vous n'avez pas à vous interroger sur votre moralité. Vous êtes quelqu'un de bien, Keeley. Les McCabe ont de la chance de vous avoir.

Keeley se releva pour serrer Maddie dans ses bras.

— Merci, Maddie. Avant d'arriver ici, je n'avais aucune amie. Je n'oublierai pas votre gentillesse. Ni votre compréhension.

Maddie lui retourna son étreinte.

— Gannon a dit à tout le monde que vous aviez besoin de repos. Cela n'a étonné personne. Vous vous êtes beaucoup sacrifiée, ces derniers jours, pour soigner Alaric. D'ailleurs, vous devriez reprendre des forces. Je vais descendre demander à Gertie de vous faire porter une collation. Je reviendrai vous tenir compagnie, si vous le souhaitez, mais quand vous aurez mangé, vous feriez mieux de dormir quelques heures.

Keeley hocha la tête.

— Oui, c'est une bonne idée. Je me sens fatiguée, mais surtout très triste. Et je crois que je n'aurai pas le courage de donner le change aujourd'hui.

Maddie lui tapota affectueusement la main.

— Mettez-vous au lit, je m'occupe de tout le reste. N'ayez aucune crainte, je ne trahirai pas votre secret. Je n'en dirai même pas un mot à lady McCabe. C'est à vous de savoir à qui vous souhaitez en parler.

— Merci, répéta Keeley.

Maddie lui désigna le lit :

— Allez vous coucher bien au chaud, en attendant que je vous apporte de quoi manger. Après une nuit d'amour, j'imagine que vous mourez de faim ?

Keeley rougit, avant d'éclater de rire.

— C'est ma foi vrai.

Maddie lui sourit et quitta la pièce. Après son départ, Keeley enfila sa chemise de nuit et se glissa sous les couvertures. La journée s'annonçait glaciale et sa chambre était froide, malgré le feu allumé par Gannon.

Elle était déjà impatiente de voir revenir Maddie. Depuis des années, Keeley s'était habituée à vivre seule. Mais à présent qu'elle avait goûté à l'amitié – et à la camaraderie – d'autres femmes, la perspective de retourner un jour dans son cottage isolé l'effrayait.

Elle désirait s'intégrer au clan McCabe. Même si elle aurait toujours la douleur de savoir qu'Alaric ne pourrait jamais être à elle. La vérité, c'est qu'elle ne supportait plus la solitude.

Quelques minutes plus tard, Maddie revint accompagnée de Mairin et de Christina. Les trois femmes firent joyeusement irruption dans la chambre de Keeley.

Christina rayonnait de joie en racontant la demande en mariage que lui avait faite Cormac. Keeley se laissa gagner par son bonheur contagieux, qui l'aidait à surmonter son propre chagrin. Maddie, pendant ce temps, entretenait le feu en y rajoutant des bûches. Puis des servantes arrivèrent avec de la nourriture et de la bière, et les trois amies continuèrent de converser avec insouciance et bonne humeur.

Depuis le seuil de sa chambre, Alaric écoutait les éclats de rire en provenance de la chambre de Keeley. Il ferma les yeux un instant, puis s'empressa de gagner l'escalier pour ne pas s'appesantir sur son humeur.

21

— Keeley ! Keeley !

Keeley se trouvait dans la grande salle. Elle se retourna pour voir Crispen accourir dans sa direction. Habituée aux débordements d'affection du garçonnet, elle se prépara à recevoir ses assauts.

Comme elle s'y attendait, Crispen s'agrippa à ses jupes avec une telle énergie qu'elle serait tombée si elle n'avait pas solidement planté ses deux pieds sur le dallage.

— Qu'y a-t-il, Crispen ? demanda-t-elle, avec un grand sourire.

— Venez jouer avec nous dans la neige, Keeley ! Allez, venez ! Maman ne peut pas. Papa lui a interdit de mettre le nez dehors. Maman est furieuse, mais Maddie dit que papa a raison, parce qu'elle pourrait glisser sur la glace.

Keeley s'amusait du débit précipité du garçonnet. Mais elle hésitait à donner sa réponse.

— La tempête est finie et le soleil brille, insista Crispen. C'est une belle journée. Nous pourrions aller jouer sur la colline. Gannon et Cormac nous accompagneront.

Keeley s'esclaffa.

— Calme-toi, tu vas t'époumoner, dit-elle, avant d'ajouter : Après tout, pourquoi pas ? Un peu d'air frais me ferait le plus grand bien.

Le visage de Crispen s'illumina.

— Alors, c'est d'accord ? Vous venez pour de vrai ?

Et il se mit à danser sur place.

— Accorde-moi une minute, que je prenne un vêtement chaud. Mais je ne sortirai avec vous que si vous avez la permission du laird.

Crispen hocha la tête.

— Je vais aller lui demander tout de suite.

— Très bien. Retrouvons-nous ici dans quelques minutes.

Crispen partit ventre à terre trouver son père, tandis que Keeley remontait dans sa chambre pour s'habiller plus chaudement.

Quand elle redescendit, Gannon et Cormac attendaient dans la grande salle, avec Crispen et une dizaine d'autres enfants.

Keeley mit un point d'honneur à saluer chaque enfant, puis la petite troupe sortit dans la cour.

— Ce qu'il fait froid, aujourd'hui ! s'exclama Keeley.

— Oui, marmonna Cormac. Un peu trop froid pour rester planté dehors à surveiller des enfants qui se livrent à une bataille de boules de neige.

Keeley lui sourit.

— Je ne serais pas étonnée que Christina vienne se joindre à nous.

Le visage de Cormac s'éclaira aussitôt, mais se souvenant que Gannon les accompagnait, il s'empressa de reprendre une attitude plus réservée.

— Dépêchez-vous ! les pressa Crispen, tirant Keeley par la manche.

Ils gravirent la colline presque au pas de course, jusqu'à la petite aire où les enfants avaient l'habitude de jouer.

Heureusement pour Keeley, Gretchen se retrouva dans la même équipe qu'elle. Car Gretchen manquait rarement sa cible. Au grand dam des garçons, qui criaient leur frustration chaque fois que Gretchen leur écrasait une boule de neige en pleine figure.

Après une bonne demi-heure de bataille rangée, Keeley, à bout de souffle, réclama une trêve.

Crispen et Gretchen en profitèrent pour se lancer dans un conciliabule. Tout en parlant, ils observaient Gannon et Cormac.

— C'est toi qui demandes, dit Crispen.

— Non, c'est toi, répliqua Gretchen. Ce sont les hommes de ton père. Ils le feront plus volontiers pour toi.

Crispen secoua la tête.

— Tu es une fille. Tout le monde sait bien que les filles obtiennent toujours plus facilement ce qu'elles veulent.

Gretchen roula des yeux, avant de lui pincer le bras.

— Aïe ! protesta Crispen, se massant le bras. (Et il finit par concéder :) Bon, nous allons demander ensemble.

Gretchen sourit d'un air satisfait et les deux enfants coururent vers Gannon et Cormac. Keeley, intriguée, vit les deux guerriers d'abord sursauter. Puis ils secouèrent la tête, avec des gestes de dénégation.

Mais les enfants insistaient.

Au bout d'un moment, Gretchen changea de tactique : la détermination céda la place à l'humble supplique. Les deux gardes, à présent, dansaient d'un pied sur l'autre.

Les yeux de Gretchen étaient embués de larmes.

— Oh, murmura Keeley, ils n'ont plus aucune chance. Elle va gagner.

Christina la rejoignit à cet instant. Elle avait observé la scène avec amusement.

— Gretchen n'hésite pas à recourir à des armes toutes féminines si cela peut servir ses desseins, commenta Christina. Cette fille est redoutablement intelligente.

— J'aimerais savoir ce qu'ils mijotent, tous les deux, avoua Keeley.

— Quoi qu'il en soit, ils semblent en bonne voie de l'obtenir.

Cormac tourna la tête dans leur direction et son visage s'illumina dès qu'il vit Christina. Gannon redescendit vers la forteresse et les deux enfants entraînèrent Cormac avec eux pour rejoindre Keeley et Christina.

— Gannon est parti chercher un bouclier ! cria Crispen, tout excité.

— Un bouclier ? répéta Keeley.

— Oui, confirma Gretchen. Pour glisser sur la neige.

— C'est une honte de se servir d'un bouclier de guerrier comme d'un vulgaire jouet, marmonna Cormac.

— N'empêche que ça glisse très bien, objecta Crispen.

Gannon revint au bout de quelques minutes, tenant à la main un bouclier métallique qui miroitait au soleil. Les enfants l'accueillirent par des hourras.

Keeley, intriguée, se pencha pour examiner l'objet. Il était effectivement assez large pour accueillir un enfant, ou même un adulte un peu frêle.

— Comment fait-on ?

— Il faut le placer comme ça, expliqua Gannon, qui posa la face bombée du bouclier sur la neige. Ensuite, quelqu'un monte dessus. Et un autre le pousse pour lui donner de l'élan.

Keeley écarquilla les yeux.

— Ce n'est pas dangereux ?

Gannon soupira.

— Non. Sauf ni nous les laissons dévaler la colline en direction du loch ou de la forteresse. Si jamais le laird les aperçoit, il sera furieux.

— Alors, allons plutôt sur l'autre versant, suggéra Keeley.

Cormac hocha la tête.

Gretchen s'arrêta au bas de la colline, à quelques mètres des grands arbres qui gardaient l'entrée d'une forêt. Elle agita la main, pour faire savoir que tout allait bien, ce qui se devinait déjà à son grand sourire ravi.

Puis, tirant le bouclier, elle entreprit de remonter la colline, jusqu'à ce que Gannon vienne à son aide.

Crispen fut le deuxième à descendre, et il cria de plaisir tout du long. Robbie lui succéda avec moins de chance : il tomba du bouclier à mi-parcours et termina la descente en roulant sur lui-même, comme une boule de neige.

Jugeant l'exercice très amusant, Crispen et Gretchen décidèrent de l'imiter et descendirent la colline en roulades.

— Voulez-vous essayer, Keeley ? proposa Gannon, désignant le bouclier à présent déserté.

Son premier instinct fut de refuser avec véhémence. Mais elle eut le sentiment que Gannon la mettait au défi, aussi plissa-t-elle les yeux.

— Vous me croyez trop couarde pour essayer ?

Gannon haussa les épaules.

— Je me doute que ça a de quoi faire peur à une frêle jeune femme comme vous.

Christina faillit s'étrangler.

— Bon, dit Keeley, puisque vous me mettez au défi, je vous en propose un autre : si j'arrive en bas sans avoir versé du bouclier, vous essaierez vous aussi. Et Cormac également.

Cormac s'esclaffa.

— Les guerriers ne s'amusent pas à des jeux d'enfants.

— Si vous avez peur…, murmura Keeley, d'un air de pure innocence.

Gannon paraissait incrédule.

— Douteriez-vous de notre courage ?

— Pour l'instant, je n'en ai pas encore eu la démonstration.

Gannon lui désigna le bouclier.

— Keeley a raison. Nous serons plus tranqui l'autre côté.

— Oui ! approuva Crispen, avec enthousiasme plus, la pente est plus raide.

Keeley, Christina, les enfants et les deux gardes fr chirent la crête de la colline, pour rejoindre l'aut versant.

— Moi le premier ! cria le petit Robbie, dès qu'ils se retrouvèrent face à la vallée boisée qui s'étendait en contrebas.

— Non, c'était mon idée et c'est moi qui ai demandé, protesta Gretchen. C'est à moi de commencer.

— Laissons-la faire, marmonna Crispen. Comme ça, si c'est dangereux, elle mourra la première.

Robbie sourit de toutes ses dents.

— Ah ça, c'est une bonne idée ! C'est d'accord, Gretchen. Vas-y la première.

Gretchen jeta un regard soupçonneux aux deux garçons, avant de prendre position sur le bouclier que Gannon avait déjà posé sur la glace.

— Maintenant, agrippe-toi bien aux côtés, lui conseilla Christina.

— Tu es prête ? demanda Cormac.

— Oui, répondit Gretchen, les yeux brillants d'excitation.

Gannon ne donna qu'une toute petite tape, mais la surface polie du bouclier glissait très bien sur la glace et Gretchen prit rapidement de la vitesse. Elle dévala bientôt la pente en touchant à peine le sol.

Au bout d'un moment, elle se dirigea vers la droite ou la gauche, en jouant simplement avec le poids de son corps.

— Elle est très habile, commenta Gannon, d'un air résigné. Je suis sûr qu'un jour, elle commandera sa propre armée.

Christina et Keeley échangèrent un regard plein de fierté.

— Installez-vous dessus. Et attendez-vous à être ridiculisée.

Keeley s'accroupit sur le bouclier en levant les yeux au ciel.

— C'est bien les hommes, à toujours vendre la peau de l'ours avant de l'avoir tué !

Avant qu'elle ait pu ajouter un mot, Gannon donna une solide pousse au bouclier. Keeley s'agrippa aux rebords et pria le ciel, tandis que le bouclier s'élançait rapidement sur la pente verglacée.

L'exercice se révéla un peu plus délicat qu'elle ne l'avait imaginé, et elle fut obligée de déployer beaucoup d'efforts pour ne pas verser.

En bas, les enfants criaient son nom, prêts à fêter joyeusement sa victoire. L'ennui, c'est qu'elle arrivait droit sur eux. Et sur les arbres qui se dressaient derrière.

Keeley ferma les yeux et se protégea la tête avec ses bras, à l'instant où elle s'envolait dans les airs. Elle atterrit dans un petit tas de neige, au milieu des arbres, et elle se retrouva même avec de la neige dans la bouche.

Mais, Dieu merci, elle ne s'était pas écrasée contre un tronc d'arbre !

— Keeley ! Keeley !

Elle avait du mal à comprendre qui criait son nom. Les appels semblaient mêler les voix des enfants et celles de Cormac et Gannon. Levant les yeux, elle vit les deux guerriers dévaler la colline.

Mue par un mauvais pressentiment, Keeley se retourna juste à temps pour voir plusieurs hommes surgir du couvert des arbres.

— Nous sommes attaqués ! cria-t-elle. Nous sommes attaqués !

Intrigué d'avoir vu Gannon prendre un bouclier dans la pile de ceux qui nécessitaient certaines réparations,

Alaric décida de le suivre jusque sur la colline où les enfants avaient pour habitude de s'amuser. Mais il ne trouva personne. Alaric savait pourtant que Keeley était partie jouer avec les enfants, car Ewan en avait donné la permission à Crispen.

Alaric pressa le pas, pour ne pas perdre Gannon de vue. Quand il atteignit le sommet de la colline, il vit Keeley, Christina, Cormac et les enfants rassemblés sur l'autre versant. Et il comprit ce qu'il était advenu du bouclier quand il vit Gretchen dévaler la pente dessus.

Alaric s'assit pour contempler le spectacle avec un sourire. Cela faisait des années qu'il ne s'était plus amusé à descendre une pente verglacée sur un bouclier.

Quand les enfants eurent tous fait une descente, ce fut au tour de Keeley. Alaric fut choqué de voir Gannon la pousser avec force. La jeune femme descendait à une telle vitesse qu'elle ne pourrait bientôt plus contrôler sa trajectoire.

Alaric se leva, anxieux.

Keeley disparut dans les bois juste au moment où Gannon et Cormac se retournèrent en voyant arriver Alaric. Les deux gardes, soudain très inquiets pour la jeune femme, crièrent son nom avant de s'élancer en bas de la pente. Les enfants avaient déjà disparu dans les arbres, pour la chercher.

Alaric se mit lui aussi à courir.

Tout le monde se figea quand la voix de Keeley cria :

— Nous sommes attaqués !

Sans perdre une minute, les deux gardes et Alaric dégainèrent leur épée. Cormac cria en direction de la forteresse, dans l'espoir d'être entendu, puis il ordonna à Christina d'aller chercher de l'aide.

Dès qu'ils atteignirent la lisière des arbres, ils croisèrent Robbie et Gretchen, qui ressortaient en pleurant. Comme ils balbutiaient des paroles incohérentes, Gannon les serra dans ses bras pour les apaiser.

— Ils ont enlevé Keeley et Crispen, expliqua finalement Gretchen. Dépêchez-vous ! Ils ont des chevaux.

— Par le Christ ! jura Alaric. Nous n'arriverons jamais à les rattraper à pied.

Ils suivirent cependant les traces de pas qui se repéraient facilement dans la neige et s'enfonçaient dans la forêt.

Alaric était partagé entre la colère et l'effroi. Une fois, déjà, il avait failli perdre le fils d'Ewan. Mais aujourd'hui, il ne risquait pas seulement de perdre un garçonnet chéri par tout le clan, mais aussi la femme de son cœur, qu'il aimait plus que sa vie.

Au détour d'un bosquet touffu, Alaric eut la grande surprise de voir Crispen surgir de derrière un arbre pour se jeter dans ses bras.

— Oncle Alaric, dépêchez-vous ! Ils ont enlevé Keeley et ils croient que c'est ma mère. Ils vont la tuer, quand ils découvriront la vérité !

— Comment as-tu fait pour te libérer ? demanda Alaric, médusé.

Car si Cameron pensait détenir la femme d'Ewan et son fils – c'est-à-dire tout ce qu'il convoitait –, Alaric ne croyait pas que leur pire ennemi aurait laissé Crispen s'échapper.

— C'est grâce à Keeley, expliqua le garçon. Elle a frappé deux des guerriers à l'entrejambe et elle m'a crié de m'enfuir. Elle a voulu faire pareil, mais le troisième guerrier l'a attrapée par les cheveux. Elle m'a dit que je devais continuer.

— Elle lui a sauvé la vie, murmura Cormac, admiratif.

Alaric hocha la tête.

— Oui. On dirait qu'elle a pour habitude de sauver les McCabe.

Et, saisissant Crispen par sa tunique, il demanda :

— Si tu n'es pas blessé, j'aimerais que tu retournes à la forteresse pour expliquer à ton père ce qui s'est passé. Dis-lui que nous avons besoin d'hommes et de chevaux.

Mais il devra en laisser suffisamment pour défendre la forteresse. Précise aussi que Mairin ne doit surtout pas sortir.

— Oui, acquiesça Crispen avec détermination.

Sa colère était si perceptible que ses traits avaient presque perdu leur caractère enfantin.

— Venez, ordonna Alaric à Gannon et Cormac. Nous allons continuer à pied, jusqu'à ce que les autres nous rejoignent avec les chevaux. Il ne faut surtout pas perdre leurs traces.

22

Plusieurs longues minutes plus tard, Ewan apparut sur son cheval. Il tenait les rênes d'un deuxième animal, destiné à Alaric. Caelen l'accompagnait, ainsi qu'une demi-douzaine de guerriers.

Alaric sauta immédiatement sur sa monture, ignorant la douleur qui lui cisailla le flanc droit. C'était la première fois qu'il remontait en selle depuis sa blessure. Gannon et Cormac l'imitèrent, pendant que les autres guerriers se chargeaient de ramener les enfants à la forteresse.

Alaric partit droit devant, sans même attendre les ordres d'Ewan. La neige leur facilitait le travail, car ils n'avaient qu'à suivre les traces.

— Reste sur tes gardes, lui cria Ewan, derrière lui. Au cas où ils voudraient nous tendre une embuscade.

Alaric se retourna vers son frère.

— Ils croient avoir enlevé Mairin. Penses-tu que tu me conseillerais d'être prudent, si c'était elle qui était en danger ?

Ewan grimaça mais ne répondit rien.

— Ils ne pouvaient pas espérer s'enfuir vite, avec toute cette neige, marmonna Alaric. Les conditions étaient plutôt risquées, pour un enlèvement.

— Oui. Ils sont aux abois. Ils auront voulu frapper au moment où nous nous y attendions le moins.

Caelen rapprocha son cheval de ses deux frères.

— Nous n'aurions pas dû laisser la forteresse avec une garnison réduite. C'est Mairin et le bébé, qui sont importants.

Alaric aurait volontiers tiré son frère à bas de son cheval pour le frapper. Mais il n'était pas question de perdre une minute s'ils voulaient retrouver Keeley.

— Ça suffit ! tonna Ewan. Keeley est tout aussi importante. Et la forteresse est bien gardée. Seul un fou oserait lancer une attaque en plein cœur de l'hiver.

— Cameron a déjà prouvé qu'il était fou, fit valoir Alaric. Dépêchons-nous de retrouver Keeley avant qu'il ne soit trop tard.

Malgré l'assurance qu'il tentait d'afficher, il n'en menait pas large. Il savait pertinemment que dès que ses ravisseurs s'apercevraient que Keeley n'était pas Mairin, sa vie ne vaudrait plus rien, car la jeune femme ne leur serait plus d'aucune utilité. Cameron ne poursuivait qu'un seul but, et il n'était pas homme à s'embarrasser de détails.

Il pressa l'allure de son cheval, quitte à l'épuiser rapidement. S'ils avançaient plus vite que les ravisseurs, ils avaient une chance de rattraper leur retard.

— Tu ne devrais pas être ici, grommela Caelen. Tu n'étais pas encore en état de remonter sur un cheval et encore moins de te battre.

Alaric se tourna vers son frère.

— Si je ne me bats pas pour Keeley, qui s'en chargera ?

— Je ne la laisserai pas à Cameron, répondit Caelen. Je ne comprends pas ta fascination pour cette fille, mais je ne l'abandonnerai pas à son sort. Tu devrais retourner à la forteresse.

Ignorant son frère, Alaric continua d'avancer.

Au bout d'une heure de poursuite, ou peut-être davantage – Alaric avait perdu la notion du temps –, le soleil commença de s'enfoncer derrière les crêtes des collines. Faute de torches, ils seraient obligés d'abandonner leurs recherches dès que la nuit tomberait.

Ils chevauchaient en silence, scrutant l'horizon du regard, pour tenter d'apercevoir leurs ennemis.

Ils faillirent lui passer dessus.

C'est Caelen qui, le premier, remarqua une forme dans la neige. Il tira sur ses rênes pour stopper son cheval et, avant qu'Alaric n'ait pu réaliser ce qui se passait, il avait déjà mis pied à terre.

— Alaric, c'est elle ! s'écria Caelen, quand il se fut penché sur la forme.

Ewan et Alaric descendirent en même temps de leur cheval. Alaric avait les jambes qui tremblaient.

Caelen s'agenouilla, pour ôter la neige qui recouvrait le corps de Keeley. Alaric le rejoignit. Il aida Caelen à enlever ce qu'il restait de neige, pour serrer la jeune femme dans ses bras.

— Keeley, murmura-t-il. Keeley ! répéta-t-il, plus fort, voyant qu'elle ne répondait pas.

Elle était glacée. Alaric colla son oreille contre son visage et il fut soulagé de l'entendre respirer – bien que très faiblement.

— Elle a une blessure à la tête, remarqua Caelen, qui l'examinait sous toutes les coutures.

— Dépêchons-nous, les pressa Ewan. Ses ravisseurs rôdent peut-être encore dans les parages. Et la nuit va tomber.

Comme Alaric se relevait, la jeune femme grimaça de douleur.

— Keeley ?

Elle ouvrit les paupières. Son regard semblait perdu.

— Alaric ?

— Oui, chérie, c'est moi. Tu m'as fait une belle peur, mais tout va bien, maintenant. Nous allons rentrer à la forteresse.

Caelen récupéra la jeune femme dans ses bras, pendant qu'Alaric remontait en selle. Puis il rendit Keeley à son frère. Et, à la grande surprise d'Alaric, celui-ci prit une couverture sur son cheval et la lui offrit afin qu'il puisse y emmitoufler Keeley.

— Merci, Caelen.

Caelen hocha la tête, monta à son tour en selle et se mit aussitôt en route. Alaric le suivait et Ewan fermait la marche.

Après quelques centaines de mètres, ils furent accueillis par un contingent de guerriers McCabe qui les escortèrent jusqu'à la forteresse.

Dès qu'ils pénétrèrent dans la cour, Caelen sauta à bas de son cheval et tendit les bras pour récupérer Keeley.

— Je peux marcher, protesta la jeune femme.

Caelen ne répondit rien. Il souleva Keeley et refusa qu'Alaric prenne le relais.

— Tu n'es pas en état de la porter. Tu risques de rouvrir ta blessure, alors qu'elle vient enfin de cicatriser.

Voyant que la jeune femme tremblait de froid, Alaric préféra ne pas discuter. Il se précipita pour ouvrir la porte et livrer passage à son frère.

Caelen lança une série d'ordres à l'intention des domestiques, avant de s'engager dans l'escalier qui conduisait à la chambre de la jeune femme. Plusieurs servantes montèrent à sa suite, pour rallumer le feu et rajouter des fourrures à la garniture du lit.

Quand Caelen déposa Keeley sur sa couche, la jeune femme tremblait toujours des pieds à la tête. Elle claquait même des dents. Alaric poussa Caelen de côté pour monter sur le lit et la serrer dans ses bras.

— Je... j'ai... j'ai froid, balbutia-t-elle. Très... froid.

Alaric lui embrassa le front.

— Je sais, chérie. Niche-toi bien dans mes bras, tu ne vas pas tarder à te réchauffer.

— Crispen ! s'exclama-t-elle, soudain paniquée. Où est-il ? L'avez-vous trouvé ? Et les autres enfants ?

— Crispen est sain et sauf. Ainsi que tous les enfants. Raconte-moi plutôt comment tu as pu t'en tirer.

À sa grande surprise, elle réussit à sourire.

— Ils m'avaient prise pour Mairin. Dès qu'ils ont compris leur erreur, ils ont voulu me tuer.

Alaric étouffa un juron. C'était exactement ce qu'il avait craint.

Caelen fronça les sourcils.

— Pourtant, vous avez survécu. Fallait-il qu'ils soient bêtes !

— Eh oui ! Malheureusement pour vous ! ironisa Keeley. J'imagine votre déception de me voir encore en vie. En fait, j'ai réussi à les convaincre que j'étais une sorcière, et qu'ils seraient maudits, ainsi que leur progéniture, s'ils me tuaient.

Caelen secoua la tête.

— Je n'ai jamais souhaité votre mort, Keeley. Vous êtes injuste de le suggérer.

Keeley haussa un sourcil, tandis qu'Alaric demanda d'un air impatient :

— Une sorcière ? Et ils ont cru à ces fadaises ?

— Tout à fait. Je leur avais causé beaucoup de souci, pour permettre à Crispen de s'enfuir. Et j'avais mordu celui qui me tenait sur son cheval. Ils étaient donc déjà à moitié convaincus que j'étais un dangereux démon.

Caelen s'esclaffa.

— Vous ne manquez pas de ressources, dit-il, admiratif. Beaucoup d'hommes n'en auraient pas fait autant pour sauver leur vie.

La jeune femme se lova tout contre Alaric et ferma les yeux.

— Non, chérie, reste éveillée, s'alarma Alaric. (Et, se tournant vers Caelen, il implora :) Dis quelque chose... Moque-toi d'elle. Ou mets-la en colère. Il ne faut pas qu'elle s'endorme avant d'être complètement réchauffée et que nous ayons pu soigner sa blessure.

Caelen semblait s'inquiéter, lui aussi. Il se pencha sur la jeune femme, blottie dans les bras de son frère.

— Je regrette de vous avoir trouvée dans la neige, Keeley, dit-il. J'ai été trop gentil avec vous. Vous me récompensez bien mal de ma générosité !

Elle rouvrit un œil.

— Je n'ai pas l'intention de mourir, Caelen. Alors, gardez vos insultes pour vous !

Caelen se redressa en riant.

— J'aurais dû m'en douter. Vous êtes trop méchante pour mourir. Nous avons au moins un point commun.

— Que Dieu me vienne en aide ! se récria Alaric. J'avais déjà assez d'un Caelen comme cela. Alors, deux...

— Vous serez plus gentil avec moi, désormais ? murmura Keeley, d'une voix ensommeillée.

— Uniquement si vous restez éveillée et que vous cessez d'angoisser mon frère, répliqua Caelen. Alaric ressemble à une mère qui s'affole pour son enfant.

— Ne soyez pas trop gentil non plus. Sinon, je vais croire que je me meurs.

Sa voix s'affaiblissait, à la grande crainte d'Alaric. Où diable étaient passées les servantes qui avaient reçu l'ordre de monter de l'eau chaude, d'autres couvertures et de la soupe ?

Caelen et Alaric échangèrent un regard soucieux. Puis Caelen se releva brusquement et quitta la chambre.

Quelques minutes plus tard, Maddie surgissait avec Christina. Bertha et Mairin les suivaient de peu.

— Mairin, la gronda Alaric. Vous ne devriez pas être ici, dans votre état. Laissez-nous nous occuper de Keeley.

Mairin pointa un doigt dans sa direction.

— Taisez-vous, Alaric McCabe. Keeley est mon amie, et elle a sauvé mon fils. Je vais rester à son chevet autant qu'il sera nécessaire.

Le tub et les seaux d'eau arrivèrent peu après. Dès que le tub fut plein, les femmes demandèrent aux hommes de quitter la pièce.

Alaric se releva à contrecœur. Il ne voulait pas abandonner Keeley, mais il sortit, craignant que sa présence soulève des questions et rende la situation plus délicate encore.

Cependant, une fois dans le couloir, il se planta devant la porte et refusa d'en bouger. Caelen resta lui tenir compagnie et Ewan ne tarda pas à les rejoindre.

— Je suppose que ma femme est à l'intérieur ? lança Ewan avec un soupir résigné.

— Oui, répondit Alaric. Elles font prendre un bain à Keeley, pour la réchauffer.

— J'ai fait doubler les rondes, et les enfants n'ont plus le droit d'aller jouer sur la colline. Quant aux femmes, aucune ne pourra quitter la forteresse sans escorte.

Caelen approuva ces mesures.

— Aussitôt que le printemps reviendra et que nous pourrons sceller nos alliances, nous nous mettrons en campagne pour anéantir Cameron. Notre clan ne connaîtra jamais la paix tant qu'il sera vivant.

Alaric déglutit et s'adossa au mur. Il était conscient que son mariage avec Rionna McDonald pressait. Cependant, il redoutait l'arrivée de sa fiancée et il priait pour que l'hiver n'en finisse pas et que les tempêtes de neige succèdent aux tempêtes de neige. Tout ce qui pourrait retenir les McDonald dans leurs murs serait bon à prendre.

La porte de Keeley se rouvrit et Mairin se glissa dehors. Ewan la prit aussitôt dans ses bras et la jeune femme posa sa tête sur son épaule.

Mais c'est à Alaric qu'elle s'adressa :

— Keeley va mieux. Nous l'avons bien réchauffée et maintenant, elle est au lit. Sa blessure, au crâne, n'était pas très sérieuse. Il n'a même pas été nécessaire de la recoudre.

Alaric laissa échapper un soupir de soulagement. Les autres femmes sortirent également de la chambre. Maddie, au passage, lui jeta un regard interrogateur qu'il préféra ignorer. Mais dès que tout le monde fut sorti, il s'empressa de se faufiler dans la pièce.

— Assurez-vous que nous ne soyons pas dérangés, lança-t-il à ses frères, avant de refermer la porte.

23

Keeley ouvrit les yeux et vit Alaric debout à son chevet.

— Comment te sens-tu ? demanda-t-il.

— Mieux. Maintenant, j'ai bien chaud.

Mais tandis qu'elle lui répondait, elle ne put réprimer un frisson qui lui parcourut tout le corps.

Alaric s'allongea à côté d'elle pour la serrer dans ses bras.

Son corps était délicieusement chaud et Keeley se lova contre lui pour absorber sa chaleur. C'était si délicieux qu'elle en gémit d'aise.

— Tu n'as pas mal ? s'inquiéta Alaric.

— Non, au contraire. C'est merveilleux. Tu es si chaud que je n'ai plus envie de bouger.

Il lui embrassa les sourcils.

— Si j'avais le choix, tu ne bougerais pas.

— Je peux dormir, à présent ? Maddie assure que ma blessure n'est pas très grave. Et j'ai du mal à garder les yeux ouverts.

— Oui, Keeley. Endors-toi. Je vais rester ici, pour veiller sur toi.

Sa promesse réchauffa encore un peu plus le cœur de la jeune femme. Elle avait beau savoir qu'il n'aurait pas dû être là, elle n'avait ni l'envie ni la force de le chasser.

Elle frotta sa joue contre son torse et soupira de contentement. Elle passerait la nuit dans les bras de son guerrier, et elle ne songeait nullement à s'en culpabiliser.

Il serait bien assez tôt, demain, pour se préoccuper de la suite.

Durant la nuit, Alaric fut réveillé par les mouvements de Keeley. Il se redressa sur un coude pour la regarder. Elle s'agitait anormalement. Inquiet, il posa une main sur son front.

Il était brûlant.

— Il fait froid, dit-elle d'une toute petite voix. Je n'arrive pas à me réchauffer. Rallume le feu, s'il te plaît.

Elle frissonnait et bien qu'elle fût brûlante, elle semblait geler intérieurement.

— Calme-toi, chérie. Je vais te réchauffer.

En même temps qu'il disait cela il se souvint que trop de chaleur aggravait la fièvre. Devait-il la débarrasser des fourrures qui la recouvraient et la baigner à l'eau froide, ou tout au moins passer un linge humide sur son front ?

Alaric se sentait impuissant. Il ignorait comment traiter la fièvre. Il savait se battre. Il savait tuer pour se défendre. Mais soigner n'était pas dans son registre.

Il repoussa la jeune femme avec douceur, pour s'extraire du lit. La pièce était froide et c'était sans doute préférable ainsi.

— Je reviens tout de suite, murmura-t-il en lui embrassant le front. Je te le promets.

Elle laissa échapper un petit gémissement qui serra le cœur d'Alaric, mais il tourna quand même les talons pour quitter la chambre. La forteresse était encore endormie. Il se dirigea vers la chambre d'Ewan.

Il frappa doucement au battant, sachant qu'Ewan ne dormait jamais que d'une oreille, mais il n'osa pas entrer, de peur d'interrompre le laird et sa femme dans une étreinte.

Mais dès qu'il entendit grommeler, il poussa la porte, pour passer sa tête à l'intérieur.

— C'est moi, murmura-t-il.

Ewan s'assit dans le lit en prenant soin de couvrir Mairin avec les fourrures.

— Alaric ? murmura la jeune femme, d'une voix ensommeillée. Que se passe-t-il ? C'est Keeley ?

— Rendors-toi, lui dit gentiment Ewan. Tu as besoin de repos. Je m'en occupe.

— Tout va bien, la rassura Alaric. Je souhaitais juste parler à Ewan.

Ewan s'habilla en vitesse et le rejoignit dans le couloir.

— Qu'y a-t-il ?

— Je ne voulais pas parler devant Mairin, parce que je me doutais qu'elle voudrait se lever. Keeley a de la fièvre et je ne sais pas quoi faire.

— Je vais l'examiner, proposa Ewan.

Les deux frères retournèrent dans la chambre de la jeune femme. À leur entrée, Alaric s'aperçut que Keeley avait repoussé toutes les fourrures au pied du lit. Elle s'agitait de plus en plus, en poussant des petits cris de détresse.

Ewan s'approcha du lit. Il posa une main sur le front de la jeune femme, puis sur ses joues.

— Elle est brûlante, constata-t-il avec inquiétude.

Alaric sentait la peur le gagner.

— Comment est-ce possible ? Elle n'est pratiquement pas blessée. Juste une égratignure à la tête.

— Elle est restée plusieurs heures dans la neige, fit valoir Ewan. C'est suffisant pour rendre malade le plus vaillant des guerriers.

— Alors, ce n'est pas très grave ?

Ewan soupira.

— Je ne voudrais pas te donner de faux espoirs, Alaric. J'ignore à quel point son état est sérieux. Seul le temps nous le dira. Pour l'instant, il faut lui rafraîchir la peau, sans se soucier de la voir frissonner. Je vais aller chercher une cuvette d'eau et des linges pour lui baigner le front. Mais il faudra peut-être que tu l'immerges dans l'eau froide. Aussi étonnant que cela paraisse, notre père avait recours à ce remède pour soigner les grosses fièvres. Je me souviens d'une fois où il avait ordonné qu'on remplisse un tub de neige, pour y plonger un guerrier qui souffrait depuis plusieurs jours. L'expérience ne fut pas très agréable pour le guerrier, mais il survécut. Et il est toujours vivant aujourd'hui.

— Je ferai tout ce qu'il faut pour la sauver.

Ewan hocha la tête.

— Je sais. Reste avec elle. Je m'occupe d'aller chercher l'eau. Sois patient, Alaric. Ça pourrait durer plusieurs jours.

— Elle m'a veillé quand j'étais souffrant. Je peux amplement lui rendre la pareille. Elle n'a personne. Nous sommes sa famille, à présent. Notre devoir est de nous occuper d'elle comme de n'importe quel membre du clan.

Ewan n'hésita qu'un court instant, avant de hocher encore la tête.

— Je sais que je lui dois ta vie. Et celle de mon fils. Ma dette envers elle se creusera encore, si elle aide Mairin à accoucher. Ne t'inquiète pas. Je prendrai soin d'elle.

Alaric se sentit soulagé d'un grand poids. Il n'aurait pas voulu entrer en conflit avec son frère. Keeley comptait beaucoup pour lui et même s'ils n'avaient pas d'avenir ensemble, il était prêt à tout pour la sauver.

Dès qu'Ewan fut reparti, Alaric reporta son attention sur la jeune femme. À présent, elle dormait tranquillement, sans plus s'agiter.

Il s'allongea près d'elle et lui caressa les cheveux. Elle se lova contre lui. Même ses lèvres étaient brûlantes.

— J'ai froid, murmura-t-elle. Très froid.

Alaric lui embrassa la tempe.

— Je sais, chérie. Je sais que tu as froid. Mais je vais prendre soin de toi.

Elle soupira, puis lui embrassa le torse. Au contact de ses lèvres brûlantes, Alaric sentit tout son corps se raidir.

Keeley entrelaça ses jambes aux siennes, lui caressant l'entrejambe avec son genou. Le membre d'Alaric y répondit en se gorgeant aussitôt de désir.

— J'adore goûter ta peau, murmura-t-elle.

Et pour le prouver, elle entreprit de lui lécher la base du cou.

Alaric n'osait plus bouger. Ni même respirer. Dieu avait-il décidé de le mettre à l'épreuve ? Il mourait d'envie de posséder Keeley et de leur donner ce plaisir qu'ils désiraient tous deux, mais à cette idée, il sentait les flammes de l'enfer lui lécher les pieds.

Outre qu'Ewan ne tarderait pas à revenir, il se refusait à profiter de la situation alors que Keeley n'était pas dans son état normal.

La jeune femme continuait de l'embrasser et s'apprêtait à grimper sur lui quand Ewan revint avec deux seaux d'eau froide et des linges propres.

— Il faut que tu la déshabilles pour qu'elle ne garde qu'une légère étoffe sur elle, dit-il à Alaric. Rien ne doit augmenter la chaleur de son corps, ni l'emprisonner.

Alaric le regarda d'un air outragé.

— Je tournerai la tête, grommela Ewan. Tu sembles oublier que j'aime mon épouse. Je n'ai plus aucune attirance pour le corps des autres femmes.

Dès qu'Ewan s'occupa de remplir d'eau la cuvette, près de la fenêtre, pour y tremper les linges, Alaric entreprit de débarrasser Keeley de sa robe. Mais la jeune femme n'était pas d'accord et elle le fit savoir.

— Non ! cria-t-elle, avec véhémence.

Des larmes obstruaient sa gorge, rendant sa voix, déjà altérée par la fièvre, encore plus rauque.

— Non ! répéta-t-elle. Ne faites pas ça ! C'est mal !

Elle agitait les mains tout en parlant et elle lui frappa la joue. Mais comme elle n'avait pas plus de force qu'un chaton, il ne sentit rien.

— Calme-toi, chérie. Je ne vais pas te faire de mal, je te le promets. Ne t'inquiète pas. C'est moi, Alaric. Ton guerrier.

Il continua de lui enlever sa robe. Cette fois, au lieu de se révolter, la jeune femme fondit en larmes. Et sa posture évoquait la résignation. Comme si elle avait renoncé à lutter contre un quelconque démon invisible.

— Je suis chez moi, dit-elle d'une voix brisée. Vous ne pouvez pas m'en chasser. Je n'ai rien fait.

Alaric avait du mal à contenir sa colère. Il réalisait à présent qu'elle revivait son agression par le laird McDonald, et le bannissement qui avait suivi.

Il aurait voulu se précipiter dans le clan McDonald pour tous les massacrer.

— Jésus, que lui est-il arrivé ? demanda Ewan.

— Elle n'a jamais connu que l'injustice. Mais s'il n'en tenait qu'à moi, je te jure que ceux qui lui ont fait du mal ne pourraient que le regretter.

— Alaric, commença Ewan, elle ne doit pas tomber amoureuse de toi. Ce serait trop cruel. Elle nourrit déjà des sentiments trop forts à ton égard. Il faudrait être aveugle pour ne pas s'en apercevoir. Ne l'encourage pas dans cette voie. Elle n'en aura que plus de chagrin le jour où tu épouseras Rionna. Si tu tiens à elle, tâche de lui éviter cette peine et cette humiliation.

— Tu me demandes l'impossible, Ewan. Je ne peux pas renoncer à elle juste parce que c'est la meilleure solution. Bien sûr, que c'est la meilleure solution ! Je ne veux surtout pas lui faire de mal, mais je la désire trop.

— Cela ne pourra que mal se terminer, murmura Ewan. Soit pour toi, soit pour Keeley, soit pour Rionna. Quelqu'un souffrira forcément. À moins que tu ne mettes dès à présent un terme à cette histoire.

— Pourrais-tu renoncer à Mairin ? Si le roi t'avait demandé de renoncer à elle parce qu'elle devait en épouser un autre afin de sceller une alliance profitable au trône d'Écosse, aurais-tu pu accepter sans broncher de ne jamais l'avoir pour toi ?

— Ta comparaison est ridicule.

— Je n'ai pas l'intention de me soustraire à mon devoir. Mais pour l'heure, Keeley vit avec moi, et j'entends bien profiter de chaque instant que nous pouvons partager. Comme cela, au moins, quand nous devrons nous séparer, nous aurons beaucoup de souvenirs à chérir.

— C'est de l'inconscience, objecta Ewan. Suis mon conseil : éloigne-toi d'elle avant qu'il ne soit trop tard et que tu ne sois trop impliqué.

Alaric sourit tristement.

— Il est déjà trop tard pour me demander de ne pas trop m'impliquer.

— Montre-toi discret, dans ce cas. Nous ne pouvons pas nous permettre de fâcher Gregor McDonald. Il est une clé indispensable pour nous permettre de nouer d'autres alliances avec les clans qui nous entourent.

— Je crois plutôt que c'est à Gregor de ne pas me fâcher, répliqua Alaric. Il aura une grosse dette à payer, sur son lit de mort, pour ce qu'il a fait subir à Keeley. Et je ne serais pas fâché de hâter sa comparution au Jugement dernier.

Keeley recommença à gémir, à s'agiter et à balbutier des phrases incohérentes. Ewan tendit à Alaric un linge humide que celui-ci appliqua sur le front de la jeune femme.

Keeley s'apaisa quelques instants. Mais quand Alaric posa un deuxième linge sur son cou, elle se mit à frissonner violemment.

— C'est... c'est froid, Alaric. S'il te plaît ! Je ne veux pas avoir froid.

— Chut, chérie. Je suis là.

— Veux-tu que je reste ? demanda Ewan.

Alaric secoua la tête.

— Non. Mairin va se demander pourquoi tu ne reviens pas te coucher. Si j'ai besoin d'eau pour le tub, ou de neige, je ferai appel à Gannon et Cormac.

Ewan lui étreignit l'épaule et quitta la chambre. Alaric continua de baigner Keeley.

Chaque fois qu'il caressait sa peau avec un linge humide, la jeune femme était agitée de nouveaux frissons et recommençait à gémir.

Au bout d'un moment, il ne put pas en supporter davantage. Du reste, la peau de Keeley était beaucoup moins brûlante.

La laissant déshabillée, il se rallongea à côté d'elle pour la prendre dans ses bras. Elle se nicha aussitôt contre lui, pour capter sa chaleur.

Peu à peu, elle cessa de frissonner et ses muscles se détendirent. Alaric attrapa alors l'une des fourrures repliées au pied du lit et la tira vers lui pour qu'elle les recouvre tous les deux.

Puis il lui embrassa le front.

— Dors, à présent. Je reste là pour veiller sur toi.

— Mon guerrier, murmura-t-elle.

Il sourit. S'il était son guerrier, elle était son ange.

24

Keeley se réveilla très oppressée. Même respirer lui faisait mal.

Et sa tête était si lourde qu'elle était incapable de la soulever.

Elle passa la langue sur ses lèvres sèches, puis tenta de bouger. Sans succès.

Impuissante, elle sentit des larmes couler sur ses joues. Comment pouvait-elle être réduite à un tel état ? Que lui était-il arrivé ? Elle n'était pourtant jamais malade. Elle s'était toujours enorgueillie d'être en parfaite santé.

— Keeley chérie, ne pleure pas...

La voix d'Alaric, d'ordinaire si agréable à entendre, résonnait douloureusement dans son crâne.

Avec ses larmes qui lui brouillaient la vue, Keeley distinguait à peine ses traits.

— Je suis malade, dit-elle.

— Oui, chérie. Je sais.

— Je n'ai jamais été malade.

Il sourit.

— Eh bien, maintenant, tu l'es !

— Demande à Maddie mon emplâtre pour la poitrine. Il devrait soulager la brûlure de mes poumons.

Alaric lui caressa la joue.

— Ne t'inquiète pas. Maddie est déjà venue trois fois te rendre visite ce matin. Une vraie mère poule ! Mairin, en revanche, s'est vu refuser l'accès de ta chambre. Elle est furieuse et elle le fait savoir à qui veut bien l'entendre.

Keeley esquissa un sourire.

— J'ai faim, se plaignit-elle.

— Gertie va t'apporter de la soupe.

Keeley cligna plusieurs fois des yeux, dans l'espoir de mieux voir Alaric. Sa vision restait floue, mais elle distinguait son beau regard vert.

— J'adore tes yeux, murmura-t-elle, avant d'ironiser : je dois avoir beaucoup de fièvre, pour divaguer ainsi.

— Oui, tu as de la fièvre.

— Pourtant, je n'ai plus froid. En principe, la fièvre s'accompagne de frissons glacés. Or j'ai plutôt l'impression d'avoir trop chaud.

— Mais ta peau est toujours brûlante. C'est bien la preuve que tu es malade.

— Je déteste être malade.

Elle avait conscience de se montrer puérile, mais elle ne pouvait pas s'empêcher d'être d'humeur renfrognée. Elle était habituée à soigner les malades, pas à grossir leurs rangs.

Alaric sourit et la serra dans ses bras.

— Pourquoi veilles-tu sur moi, et dans ma chambre, en plus ? demanda-t-elle. Ce n'est guère convenable.

— Je ne crois pas que nous ayons été une seule fois convenables, depuis que nous nous connaissons.

Elle sourit.

— Mais que vont penser les autres ? Et que vont-ils dire ?

— S'ils tiennent à leurs abattis, ils ne diront rien. Pour le reste, qu'ils pensent ce qu'ils veulent ! Nous ne pouvons pas les en empêcher.

Keeley fronça les sourcils. Il avait raison, et elle le savait. Mais elle savait aussi que les soupçons alimentaient toujours des ragots et que les ragots conduisaient souvent à des accusations, lesquelles provoquaient des réactions...

Alaric déposa un baiser sur son front. Elle ferma les yeux, pour mieux savourer sa tendresse.

— Ewan voudra savoir ce qui s'est passé exactement. Te sens-tu en état de répondre à ses questions ?

Keeley n'avait guère envie de repenser aux péripéties de son enlèvement. Cependant, elle était consciente que le laird avait besoin d'informations. Il devait protéger sa femme, son fils, son futur bébé et tout le clan.

— Du moment que j'ai de l'eau à boire, je pourrai m'entretenir avec lui.

— Je m'assurerai qu'il ne te retienne pas trop longtemps.

La porte s'ouvrit au même instant et Maddie passa sa tête par l'entrebâillement. Bien qu'elle connût les sentiments de Keeley pour Alaric, la jeune femme tressaillit et voulut s'écarter.

Mais Alaric refusa de la lâcher.

— Je vous apporte de la soupe et de l'eau, expliqua Maddie en s'approchant du lit. La soupe apaisera votre mal de gorge et l'eau fera baisser votre fièvre. Vous devez beaucoup boire. C'est important.

Alaric prit le bol de soupe fumante et le porta aux lèvres de Keeley.

— Doucement, dit-il. C'est chaud.

Keeley avala une gorgée. Elle se sentait toujours aussi faible et elle était reconnaissante à Alaric de l'aider.

Il se montrait d'une patience infinie, lui tenant le bol pendant qu'elle buvait lentement. Mais elle avait du mal à déglutir, tant sa gorge la faisait souffrir.

Quand elle fut incapable d'en absorber davantage, elle s'appuya au bras d'Alaric et ferma les yeux.

— Je reviendrai tout à l'heure, dit Maddie. Si vous avez besoin de quelque chose entre-temps, n'hésitez pas à m'appeler. Je monterai aussitôt.

Keeley hocha péniblement la tête. Avaler la soupe avait épuisé toutes ses forces. Et elle n'avait pas encore parlé au laird.

Elle garda les yeux fermés et se concentra sur sa respiration. Quand Alaric lui embrassa la tempe et la serra contre lui, elle laissa échapper un soupir de contentement. Sa tendresse la réconfortait.

Au bout de quelques minutes, elle entendit frapper à la porte. Alaric répondit, mais sa voix lui parut très lointaine, comme s'il se trouvait sous l'eau. À moins que ce soit elle ?

Puis elle entendit Alaric se disputer avec le laird. Il lui demandait de repartir, et de différer son interrogatoire.

— Non, ça ira, assura Keeley, même si sa gorge la brûlait chaque fois qu'elle devait prononcer un mot.

Ewan s'assit sur le lit, au pied d'Alaric. Keeley trouva cela un peu cavalier, mais après tout, il était le laird et il était ici chez lui.

— Vous sentez-vous en état de me raconter ce qui s'est passé dans la forêt ? demanda-t-il. J'ai parlé avec Crispen et les autres enfants, mais leurs versions ne sont pas concordantes.

Elle voulut sourire, mais cela la faisait souffrir.

— Je ne comprends pas pourquoi je me sens si faible.

Les traits d'Ewan se radoucirent.

— Je ne vous remercierai jamais assez d'avoir sauvé mon fils. Il m'a expliqué comment vous vous étiez battue pour lui. Je vous en suis infiniment reconnaissant. Et j'ai peur de ne pas pouvoir rembourser ma dette à votre égard.

Keeley secoua la tête.

— Vous m'avez déjà remboursée.

Ewan fronça les sourcils.

— Que voulez-vous dire ?

— Votre clan, expliqua Keeley. Vous m'avez admise dans votre clan. Cela me suffit amplement.

Alaric lui posa la main sur l'épaule.

— Vous serez ici chez vous aussi longtemps que vous le souhaiterez, assura Ewan. Je vous en donne ma parole.

Keeley lécha ses lèvres parcheminées pour les humecter. Ses frissons revenaient déjà.

— J'ai peur de ne vous être d'aucune aide, dit-elle. Tout s'est passé si vite. Je sais juste qu'ils m'ont prise pour votre femme. Et qu'ils vous traitaient d'idiot pour avoir laissé lady McCabe sans surveillance.

Ewan fronça encore les sourcils. Son visage s'était brutalement assombri.

— En fait, ajouta Keeley, ils se vantaient d'avoir réussi à capturer votre femme et votre fils.

Ewan se pencha vers elle.

— Ont-ils dit autre chose ? Leurs noms ? Avez-vous reconnu leurs armoiries ?

Keeley secoua d'abord la tête, avant de se concentrer sur ses souvenirs.

— Oui, ils ont dit quelque chose. Que Cameron les récompenserait généreusement pour leur prise. C'est tout ce que je me rappelle. Mais quand ils se sont aperçus que je n'étais pas enceinte et qu'ils ont compris leur erreur, ils ont voulu me tuer.

— Des mercenaires ! cracha Alaric. Cameron a promis une récompense à quiconque lui apporterait Mairin.

Ewan proféra une bordée de jurons.

— Oui, ce sont des mercenaires. Ce qui veut dire qu'ils sont prêts à tout.

— Et qu'ils n'appartiennent à aucun clan, renchérit Alaric. Donc, ils n'ont pas de forteresse où retourner. Sans doute rôdent-ils toujours dans les parages.

Ewan plissa les lèvres.

— En effet. Je crois qu'il est temps de lancer la traque.

— Je vais t'accompagner, dit Alaric.

Ewan hésita, avant de secouer la tête.

— Non. Je préfère que tu restes ici, pour veiller sur Mairin. Je prendrai Caelen avec moi.

Sur ces mots, il se leva et s'inclina devant Keeley.

— Je vous remercie encore. J'espère que vous vous rétablirez rapidement.

Keeley marmonna une réponse polie, mais, dès qu'il eut quitté la chambre, elle ne put réprimer un bâillement. Elle avait de nouveau froid et elle aurait aimé avoir des fourrures sur elle. Pourquoi Alaric n'en avait-il gardé qu'une seule ?

— Tu m'as fait une peur bleue, dit-il. Quand j'ai appris que tu avais été enlevée, j'ai craint de ne pas pouvoir te retrouver. J'espère bien ne jamais revivre un tel moment d'angoisse.

— Je savais que tu viendrais.

— Ta foi en moi me bouleverse.

Keeley lui caressa le torse. Un jour… un jour, c'est Rionna, qu'il protégerait. Et leurs enfants. Keeley ne pourrait plus s'en remettre à lui quand elle serait malade. Mais pour l'instant, elle voulait savourer le plaisir de l'avoir à ses côtés.

— Tu devrais te reposer, Keeley. Je sens bien que tu as toujours de la fièvre.

Elle s'était déjà assoupie.

Alaric faisait les cent pas dans la grande salle obscure. Ewan était parti depuis plusieurs heures avec un contingent de guerriers, pour traquer les mercenaires qui avaient agressé Crispen et Keeley, et à présent l'aube ne tarderait plus à se lever. L'impatience d'Alaric grandissait à chaque minute qui s'écoulait.

Il était furieux de devoir rester ici, alors qu'il aurait voulu se battre. Une bonne bagarre lui aurait permis d'assouvir sa rage.

Alaric n'en voulait pas seulement à ces hommes d'avoir osé toucher à ce qui lui appartenait – car Keeley était *sienne*. Il avait besoin de se défouler pour tenter de conjurer le destin qui l'empêchait de garder la femme qu'il aimait.

Pourtant, au lieu de se battre, il en était réduit à attendre ses frères.

Il aurait pu remonter voir Keeley, cependant Maddie s'occupait déjà d'elle.

Le feu mourait dans la cheminée, mais plutôt que d'appeler quelqu'un pour le ranimer, il s'en chargea lui-même. Bientôt, de nouvelles bûches crépitaient dans de grandes flammes.

Tout à coup, Alaric entendit des bruits en provenance de la cour. Il se précipita vers la porte et descendit les marches.

Ewan et Caelen rentraient à la tête de leur détachement de guerriers. Alaric s'empressa de les compter. Leur nombre était le même qu'au départ et tous semblaient en pleine forme. Ce qui voulait dire qu'ils avaient échoué dans leur mission de retrouver les agresseurs de Keeley – ou qu'ils n'avaient essuyé aucune perte dans la bagarre.

Ewan mit pied à terre et s'essuya distraitement la main sur sa tunique. Une trace de sang apparut aussitôt sur l'étoffe.

Alaric s'avança à sa rencontre.

— Es-tu blessé ?

Ewan secoua la tête.

— Non. Personne n'a été blessé.

— Ils sont morts ?

— Oui, répondit Caelen d'une voix sombre. Ils ne nous causeront plus d'ennuis.

Alaric hocha la tête.

— Parfait.

— Ils n'ont pas voulu parler, et je dois reconnaître que je n'ai guère été patient pour les interroger, reprit Ewan. C'étaient bien les hommes qui avaient enlevé Keeley et Crispen. Et comme Keeley se souvenait qu'ils avaient parlé de Cameron, je n'avais pas besoin de preuve supplémentaire.

— Combien de temps allons-nous encore attendre avant de nous occuper de Cameron ? demanda Alaric.

Les autres guerriers firent silence pour se tourner vers Ewan et attendre sa réponse. La même question se lisait dans leurs yeux. Ils voulaient la guerre. Et ils y étaient préparés. Tous méprisaient Cameron et lui en voulaient de ce qu'il avait fait subir au clan McCabe. Aucun McCabe ne connaîtrait le repos tant que Cameron et ses sbires ne seraient pas rayés de la surface de la terre.

— Plus très longtemps, répondit Ewan. Mais il faut nous montrer patients. Après la naissance de mon enfant, nous réclamerons les terres de Neamh Alainn. Et ton mariage avec Rionna McDonald nous permettra d'avoir le soutien de nos voisins. Alors, nous pourrons partir en guerre contre Duncan Cameron.

Les guerriers hurlèrent leur assentiment en brandissant leurs épées bien haut dans la nuit étoilée. Leurs lames brillaient à la lueur des torches.

Alaric croisa le regard de son aîné. Ewan semblait animé d'une détermination sans faille, et pour la première fois, Alaric eut honte de repousser son mariage.

Ewan était complètement dévoué à son clan. Bientôt, les McCabe seraient l'un des clans les plus puissants des Highlands.

Si Alaric pouvait, par ce mariage, rendre service à son clan – et aussi à son frère et à Mairin, qui les avait sauvés de l'extinction –, alors il était prêt à s'y engager fièrement.

Il tendit la main. Ewan s'en empara et ils se regardèrent longtemps sans dire un mot.

Rengainant son épée, Caelen donna l'ordre aux guerriers de descendre de cheval et de regagner leurs quartiers. Puis il se tourna vers ses deux frères.

— Qui a envie d'un plongeon dans le loch ?

25

Quand Keeley se réveilla, son crâne était douloureux et sa bouche plus desséchée que jamais. Elle s'humecta longuement les lèvres, avant de se tourner sur le côté. Le moindre mouvement lui était pénible, et elle n'avait aucune énergie.

Soudain, elle s'aperçut que les fourrures qui la couvraient avaient été repoussées au pied du lit. Elle était complètement nue ! Keeley se sentit rougir de confusion. Dieu seul savait qui avait pu entrer et sortir de sa chambre pendant qu'elle dormait !

Un soupir se forma dans sa poitrine, mais elle se refusa à le laisser franchir ses lèvres. Elle en avait assez. Elle n'allait pas rester éternellement dans cet état de faiblesse ! Combien d'heures, ou de jours, avait-elle déjà perdus à garder le lit comme un enfant malade ?

Sa gorge la faisait toujours souffrir, mais la fièvre était retombée. Il était grand temps qu'elle quitte le lit.

Il lui fallut plusieurs longues et éprouvantes minutes avant de parvenir à s'asseoir au bord du lit. Elle aurait aimé prendre un bon bain, mais elle n'avait pas la force d'attendre. Aussi se contenta-t-elle de plonger un linge dans la cuvette réservée aux ablutions pour se laver.

Après sa toilette, elle choisit une robe et elle la regarda comme si elle s'apprêtait à livrer bataille.

C'était un peu cela, du reste, car elle dut faire appel à toutes ses forces pour passer la robe et la fermer. Quand elle eut enfin terminé, elle s'assit de nouveau sur le lit, pour reprendre son souffle avant de se risquer à sortir.

La descente de l'escalier fut laborieuse, mais Keeley s'enorgueillit de ne pas avoir trébuché une seule fois. C'est donc épuisée, mais assez fière d'elle, qu'elle arriva dans la grande salle.

Mairin sursauta en la voyant.

— Keeley ! Mais que faites-vous là ? Vous devriez garder le lit. Alaric sera furieux de vous voir déjà levée.

Keeley s'assit à côté de Mairin.

— J'ai peur de ne pas être une malade très patiente. Et de ne pas savoir respecter moi-même les conseils que je donne à ceux que je soigne.

Mairin éclata de rire.

— Comment vous sentez-vous ? Je vous trouve encore un peu pâle.

Keeley grimaça.

— Ma gorge est toujours douloureuse. Mon crâne également. Mais je n'aurais pas supporté de rester plus longtemps alitée. Je me sens déjà beaucoup mieux, maintenant que je suis debout.

Mairin reposa ses pieds sur le coussin placé devant sa chaise.

— Personnellement, j'aurais volontiers paressé au lit pour aujourd'hui. Le bébé commence à me peser et j'ai du mal à tenir debout très longtemps.

— Vous devriez vous coucher, en effet. Il ne faut surtout pas vous fatiguer.

Mairin sourit.

— Vous dites cela d'un ton convaincu, et pourtant vous n'en faites rien vous-même.

— C'est le privilège des guérisseuses ! ironisa Keeley.

Quelques minutes plus tard, les deux femmes furent stupéfaites de voir arriver Ewan avec un messager du roi. Ne sachant pas trop quelle marque de respect elle devait témoigner à l'envoyé du monarque, Keeley s'empressa de se redresser pour se tenir bien droite, tandis qu'Alaric et Caelen les rejoignaient.

Mairin voulut se lever à son tour, mais Ewan se précipita pour poser une main sur son épaule.

— Non, ne bouge pas, dit-il avant de faire signe à Keeley de se rasseoir.

Il fronça les sourcils pour marquer sa désapprobation, mais il ne fit aucun commentaire et revint vers le messager.

— Je vous apporte une lettre du roi, dit celui-ci. Et je dois attendre votre réponse avant de repartir.

Ewan invita le messager à s'asseoir à la grande table. Puis il commanda des rafraîchissements en cuisine.

Après quoi il déroula la missive et la lut en silence, avant de relever les yeux pour s'adresser à Alaric :

— Cette lettre parle de ton prochain mariage.

Alaric haussa les sourcils et jeta un bref regard à Keeley avant de reporter son attention sur son frère.

— Le roi nous témoigne sa satisfaction et exprime son impatience de voir cette alliance scellée. Il aimerait venir assister à la cérémonie et souhaiterait que nous invitions tous nos voisins afin qu'ils lui fassent allégeance.

La salle était devenue parfaitement silencieuse.

Keeley avait la gorge serrée. Et comme elle n'osait pas regarder Alaric, elle baissa les yeux sur ses mains pour cacher son chagrin.

— C'est un grand honneur que le roi nous fait là, Alaric, commenta Ewan.

— Oui. Transmets-lui mes humbles remerciements, répondit poliment Alaric.

— Il demande que je l'informe de la date du mariage dès que nous l'aurons arrêtée.

Du coin de l'œil, Keeley vit Alaric hocher la tête.

Puis Keeley entendit Mairin soupirer et quand elle tourna la tête dans sa direction, elle vit que celle-ci la regardait avec compassion. Keeley s'obligea à sourire et à redresser le menton.

— J'ai toujours désiré rencontrer le roi, dit-elle.

Ce soir-là, Keeley remonta dans sa chambre avant la fin du repas. Elle en avait déjà assez enduré comme cela et elle était impatiente de s'immerger dans le bain chaud que Maddie lui avait promis.

Elle était si fatiguée qu'elle monta l'escalier avec peine, trébuchant plusieurs fois. Quand elle entra dans sa chambre, elle fut si contente de voir les servantes occupées à remplir le tub d'eau fumante qu'elle faillit se mettre à pleurer.

Maddie arriva quelques minutes plus tard, pour s'assurer que tout était en ordre. Puis elle s'assit sur le lit, à côté de Keeley.

— Avez-vous besoin d'aide pour entrer dans le tub ?

Keeley sourit.

— Merci, mais non, ça ira. Vous êtes adorable, Maddie. Je sais qu'il n'est pas facile de monter l'eau dans les escaliers.

Maddie lui tapota affectueusement le genou.

— C'est bien le moins que nous puissions faire pour vous. Si nous ne nous préoccupons pas de votre santé, nous n'aurons plus de guérisseuse !

Les deux femmes surveillèrent la fin des préparatifs. Des panaches de vapeur montaient du tub et Keeley était impatiente de s'y plonger.

— Je vous laisse, dit Maddie. Gannon sera dans le couloir. Appelez-le, si vous avez besoin de quelque chose.

Keeley sursauta.

— Gannon ! Je ne voudrais pas qu'il surgisse dans ma chambre pendant que je prends mon bain. De toute façon, sa mission est de veiller sur Alaric.

Maddie la rassura.

— Il ne fera pas irruption dans votre chambre. Sauf, bien sûr, si votre vie était en danger, auquel cas votre nudité n'aurait plus grande importance. Mais si vous l'appelez à travers la porte, il descendra me prévenir, ou ira chercher Christina.

— Très bien, murmura Keeley.

Une fois Maddie partie, Keeley ne perdit pas un instant pour se déshabiller et se plonger dans l'eau.

Chaque mouvement lui était encore pénible, mais elle réussit à s'immerger dans l'eau chaude jusqu'au menton.

Enfin ! C'était le paradis.

Elle ferma les yeux et détendit ses muscles endoloris, pour mieux savourer la délicieuse sensation de l'eau chaude sur sa peau. Si quelqu'un était assez aimable pour verser un nouveau seau dans le tub à intervalles réguliers, elle se verrait bien passer des heures ainsi. Voire des jours entiers. Elle n'avait aucune envie de sortir dehors pour l'instant.

Keeley appuya ses mains et sa nuque sur les rebords du tub et soupira de contentement. La chaleur du feu, tout proche, l'aidait encore à se relaxer.

Elle s'était presque assoupie quand la porte s'ouvrit. Keeley se redressa dans un sursaut et découvrit la silhouette d'Alaric, qui se détachait dans la lueur des rares chandelles disposées autour du tub.

Il resta un long moment sans bouger, à la regarder, et Keeley lui retourna son regard. Son attitude, ce soir, était différente.

D'ordinaire, quand il la rejoignait dans sa chambre, il se montrait toujours d'humeur légère. Avant de faire l'amour, ils devisaient joyeusement, se racontant les événements de leur journée.

Mais ce soir, son regard était plus aigu, son expression plus résolue. Keeley avala sa salive en le voyant s'approcher du tub sans la quitter un instant des yeux.

Elle se sentait tout à coup très vulnérable face à lui – et à la vérité, cela l'excitait. Alaric dégageait une autorité virile qui l'impressionnait.

Il s'arrêta juste devant le tub et posa sur sa nudité un regard de pure possession. Elle voulut se couvrir les seins de ses mains, mais il se baissa pour lui écarter les bras.

— Non. Ne te couvre pas devant moi. Je suis venu prendre ce qui m'appartenait. Cette nuit, tu seras à moi.

Keeley pinça les lèvres, pour surmonter sa nervosité. Elle n'avait pas peur. Au contraire, elle était très excitée, plus qu'elle ne l'avait jamais été.

Alaric s'empara d'un linge posé sur le rebord du tub et commença à lui frotter doucement le cou. Malgré la chaleur de son bain et du feu tout proche, elle ne put s'empêcher de frissonner à cette caresse.

Quand il passa le linge sur ses épaules, Keeley sentit ses tétons se durcir. Elle ferma les yeux.

Un parfum de roses lui flatta les narines et, rouvrant les yeux, elle vit qu'Alaric frottait le linge sur son morceau de savon.

— Penche-toi en avant, ordonna-t-il.

Bien que ferme, son ton était riche de promesses. Keeley frissonna de plus belle.

Quand elle se fut penchée, il commença de lui savonner le dos avec le linge, très lentement, en décrivant de larges cercles avec sa main.

— Oh, c'est merveilleux, murmura-t-elle.

Elle avait de nouveau fermé les yeux, pour mieux s'abandonner à la délicieuse léthargie qui s'emparait d'elle. Mais quand il l'obligea à se redresser pour passer le linge sur sa poitrine, elle rouvrit les yeux et son souffle s'accéléra.

Il marqua un léger temps d'arrêt. Puis il reposa le linge sur le rebord du tub et il referma ses paumes sur les seins de Keeley, agaçant leurs tétons de ses pouces.

En même temps, il se pencha pour déposer un baiser sur sa nuque – un tout petit baiser, mais Keeley tressaillit : elle avait l'impression qu'un éclair l'avait traversée de part en part.

Ses caresses ensorcelantes la rendaient impuissante. Elle se sentait entièrement à la merci d'Alaric, ce qui ne faisait qu'accroître son excitation.

— Tu es belle, si belle, murmura-t-il dans son cou. Quand je te regarde, je suis bouleversé par ta beauté, ton courage et ta détermination. Aucune femme ne t'égalera jamais.

Keeley avait la gorge trop serrée pour dire un mot. Qu'aurait-elle pu répondre à cela, de toute façon ?

— Ce soir, reprit-il, je vais m'occuper de toi comme tu t'es occupée de moi.

Sa voix rauque et ses douces paroles excitaient l'imagination de Keeley.

Il lui lava les cheveux, en prenant garde qu'elle n'ait pas de savon dans les yeux, puis il les rinça longuement, mèche après mèche.

— Donne-moi ta main, dit-il, quand il fut satisfait du résultat.

Quand Keeley se leva, son corps ruisselant brillait à la lueur des chandelles.

Alaric la dévora les yeux, avant de baisser la tête pour lui embrasser un sein.

Quand il referma ses lèvres sur son téton, Keeley vacilla, et elle serait sans doute retombée dans le tub si Alaric ne l'avait pas fermement tenue par la taille.

— Je vais te mouiller, dit-elle.

— Je m'en moque.

Il commença à caresser son autre sein, faisant courir des frissons dans tout son corps. Le spectacle qu'ils formaient ainsi tous les deux, à la lumière conjuguée des chandelles et du feu, lui apparaissait merveilleusement romantique. Elle avait toujours rêvé de moments comme celui-ci.

Avec son guerrier. Son amour…

— Fais-moi l'amour, Alaric, murmura-t-elle.

— Oui, chérie. Je vais te faire l'amour tout mon soûl. Cette nuit, tu es ma prisonnière.

Il l'abandonna quelques instants, pour revenir avec une couverture. Dès que Keeley fut sortie du tub, il la posa sur ses épaules et l'entraîna devant le feu.

Après quoi, il entreprit de lui sécher les cheveux. Puis il passa un peigne dans ses mèches, pour les démêler.

Personne ne s'était jamais occupé de Keeley ainsi. C'était tout simplement délicieux ! Elle se sentait importante, aimée. Comme si elle était la dame de la forteresse, honorée par son laird.

Alaric posa un baiser sur sa nuque.

— Cette nuit, tu obéiras à mes ordres, chuchota-t-il. Et tu te plieras à tous mes désirs.

Il lui caressa les bras avant d'ajouter :

— C'est d'accord ?

Keeley sentait son pouls s'affoler. Le ton dominateur d'Alaric et sa sensualité l'excitaient au-delà de toute mesure. Mais pourquoi lui posait-il une telle question ? Ne se doutait-il pas qu'elle était incapable de lui refuser quoi que ce soit ?

Elle hocha la tête, car sa gorge était trop serrée pour qu'elle puisse articuler un traître mot.

Quand Alaric l'obligea à se tourner vers lui, elle lut dans son regard toute sa détermination.

— Ta réponse, Keeley. Je veux l'entendre de ta bouche.

La jeune femme avala sa salive.

— C'est d'accord…

26

Alaric souleva Keeley dans ses bras, pour la porter jusqu'au lit. La couverture dont il l'avait drapée glissa de ses épaules, la rendant à sa nudité.

Il la déposa sur le matelas et recula sans la quitter un seul instant des yeux.

Puis il entreprit de se déshabiller.

Keeley le regardait faire, fascinée. Ses muscles apparaissaient encore plus déliés dans le jeu d'ombre et de lumière des chandelles.

— Écarte les cuisses, Keeley. Montre-moi ta féminité.

Lentement, la jeune femme fit ce qu'il lui demandait. C'est alors qu'Alaric se saisit de ses chevilles pour l'obliger à plier les jambes.

Dans cette position, Keeley se sentait totalement offerte, comme si elle l'implorait de la caresser…

Il s'agenouilla devant elle et glissa les doigts dans son intimité, puis il approcha son visage. Keeley retint son souffle, dans l'attente du contact de sa bouche.

Pourtant, ce n'est pas avec ses lèvres, qu'il la caressa, mais avec sa langue.

Keeley ne put s'empêcher de tressaillir et il lui agrippa fermement les cuisses tandis qu'il poursuivait son ensorcelante caresse.

Sa langue était à la fois douce et rugueuse et Keeley sentit de longs frissons de plaisir la parcourir tout entière.

Puis il se mit à sucer son bouton de rose. Cette fois, c'en était trop : Keeley ne put retenir davantage sa jouissance. Submergée par une vague de plus en plus puissante, elle mit quelques instants avant de pouvoir reprendre ses esprits.

— Alaric ?

Elle redressa la tête pour le questionner du regard, tant elle était stupéfiée par l'intensité de sa jouissance.

Au lieu de répondre, il l'obligea doucement à s'allonger sur le ventre. Puis, s'emparant d'une serviette, il s'en servit pour lui lier les poignets dans le dos.

Keeley s'y attendait si peu qu'elle se mit à frissonner – d'excitation et d'appréhension mêlées.

Quand il eut terminé, il s'assura de la solidité de ses liens, puis il lui souleva la taille afin qu'elle se mette à genoux. La jeune femme se retrouva la joue plaquée sur le matelas et les mains attachées dans le dos.

Alaric lui caressa les fesses.

— La première fois que je t'ai prise ainsi, tu étais encore presque vierge et je t'ai fait mal. Mais ce soir, je te promets de ne te donner que du plaisir.

Elle sentit qu'il glissait son membre entre ses cuisses, et n'eut pas le temps de s'alarmer qu'il la pénétrait déjà.

Elle gémit. La sensation était délicieuse.

— Je te fais mal ? demanda-t-il.

— Non.

Il se retira, pour s'enfoncer plus profondément en elle. Il répéta plusieurs fois l'opération et quand il se fut assuré qu'elle pouvait le recevoir, il se mit à la chevaucher avec plus de vigueur, s'agrippant d'une main à ses poignets liés, comme s'il tenait des rênes.

Le silence de la chambre n'était troublé que par leurs halètements et le choc feutré des hanches d'Alaric contre les fesses de Keeley.

Il bougeait de plus en plus vite. De plus en plus fort. Mais tout à coup, il s'immobilisa en elle. Keeley, au comble de l'excitation, voulut bouger à son tour, mais il l'en empêcha, ce qui ne fit que décupler son excitation.

Au bout d'un moment, il reprit ses coups de reins. Mais plus lentement, cette fois, comme s'il voulait lui prouver qu'il contrôlait la situation.

Keeley protesta. Elle en voulait davantage, réclamait plus de vigueur.

— Je crois t'avoir dit que c'était moi qui commandais, ce soir, Keeley, lui rappela-t-il. Tu dois te plier à ma volonté.

Il donna un coup de reins plus violent, comme pour appuyer ses paroles. Keeley ferma les yeux. Oui, c'était lui qui commandait. Elle n'avait aucun pouvoir.

Elle se mordit les lèvres pour ne pas protester à nouveau quand il se retira tout à fait. Puis il l'aida à se retourner, sans défaire ses liens, et il la fit se mettre à genoux par terre.

Son membre, gorgé de désir, palpitait devant son visage.

— Ouvre la bouche, Keeley.

D'une main, il lui agrippa la nuque pour lui maintenir la tête et de l'autre, il empoigna son membre pour l'approcher de sa bouche.

Keeley ouvrit les lèvres. Au début, elle eut du mal à s'accommoder de la grosseur de son membre, mais Alaric se montra patient.

Désireuse de le satisfaire, la jeune femme voulut aller et venir sur son membre, mais il lui pressa la nuque, pour l'en dissuader.

— Non. Contente-toi de rester immobile.

Et, lui tenant le visage à deux mains, il s'enfonça dans sa bouche. Lentement, au début. Mais à mesure que Keeley s'habituait à son intrusion, il se fit plus exigeant, et commença à aller et venir, comme il l'avait fait tout à l'heure après l'avoir pénétrée.

Tout à coup, il se mit à gémir et Keeley sentit une goutte de semence toucher sa langue. Elle se prépara à en recevoir plus, mais il se retira d'un coup et commença à se caresser.

Soudain, sa semence chaude jaillit sur les seins de la jeune femme. Ils restèrent un moment immobiles, lui debout, elle à genoux, à reprendre leur respiration.

Keeley n'aurait jamais imaginé que de telles choses puissent être possibles entre un homme et une femme. Mais ce qu'ils venaient de faire avait réveillé des instincts primitifs profondément enfouis en elle. Elle s'était sentie pleinement possédée par son guerrier. Et c'est ce qu'elle voulait.

Alaric pencha la tête, pour lui embrasser le front, avant de l'aider à se relever. Puis il l'entraîna vers la cuvette, afin de lui laver les seins.

À la stupéfaction de Keeley, le membre d'Alaric était toujours érigé. Et à peine eut-il terminé de la nettoyer qu'il la ramena vers le lit, sans lui délier les mains, pour la prendre encore par-derrière.

Mais cette fois, il la pénétra avec plus de douceur. Comme s'il était repu et qu'il pouvait maintenant se montrer patient.

Il la pilonna jusqu'à ce qu'elle commence à répondre à ses assauts, pour en réclamer davantage.

Glissant une main sous son ventre, Alaric entreprit alors de caresser son bouton de rose tandis qu'il continuait à aller et venir en elle à un rythme parfaitement maîtrisé.

Keeley avait presque envie de pleurer, tant sa jouissance exigeait d'être enfin libérée. Mais Alaric ne voulait rien entendre. Il poursuivait ses coups de reins avec une lenteur exaspérante.

De ses doigts agiles, il exacerbait la tension de la jeune femme, lui donnant le sentiment d'être un arc tendu à se rompre...

C'est alors que l'arc, enfin, se rompit. La jouissance de Keeley éclata d'un coup, si violente qu'elle sentit sa vision se troubler quelques instants. Elle cria le nom d'Alaric, plusieurs fois, avant que sa voix ne meure dans un sanglot.

Quand elle eut repris ses esprits, elle réalisa qu'il était toujours en elle et qu'il n'avait pas cessé de bouger. Mais elle n'avait plus aucune force, sinon celle de rester accroupie, soumise à sa domination.

Cependant, il se montrait moins patient, à présent. Ses coups de reins devenaient plus violents. Et tout à coup, il l'agrippa violemment par les hanches.

— Tu es à moi, rugit-il. À moi !

Il se retira d'un coup, et Keeley sentit sa semence se répandre sur son dos.

Puis, quand ils eurent repris l'un et l'autre leur souffle, Alaric lui défit ses liens et lui massa les poignets.

— Ne bouge pas, dit-il, alors qu'il s'éloignait du lit.

Il revint avec un linge humide, pour lui nettoyer le dos et les fesses, partout où il avait répandu sa semence. Après quoi, ils roulèrent enlacés sur le lit.

— Je ne m'étais jamais comporté comme cela avec une femme, avoua-t-il. Mais j'étais mu par une sorte d'instinct, qui me commandait de marquer ma possession dans ta chair.

Keeley lui sourit.

— J'aime beaucoup ta façon de me faire tienne. J'ignorais que de telles choses pouvaient se passer entre un homme et une femme.

— Moi aussi, confessa Alaric. C'est toi qui m'inspires tout cela.

Il la serra plus fort contre lui, tandis qu'elle demandait :

— Qu'allons-nous devenir, Alaric ? Nous étions supposés ne passer qu'une seule nuit ensemble.

Alaric lui caressa les cheveux.

— Chaque chose en son temps. Pour l'instant, savourons notre plaisir d'être ensemble. Quand viendra le moment de nous séparer, toutes ces nuits nous rappelleront la force de la passion qui nous unissait.

27

Keeley était convaincue que la naissance de l'enfant de Mairin n'était pas seulement un événement attendu de tout le clan McCabe, mais qu'il était aussi béni par le Ciel. En plein mois de janvier, alors que d'ordinaire l'hiver était le plus froid, une douceur s'installa une quinzaine de jours avant la date prévue pour l'accouchement de lady McCabe.

C'était à croire que les Highlands tout entiers retenaient leur souffle avant la naissance de l'héritier de Neamh Alainn.

Certes, la température était encore froide. Mais la neige ne tombait plus et le vent avait cessé. Jour après jour, le soleil brillait dans un ciel toujours bleu. Même les nuits paraissaient moins sombres.

Mairin se montrait de moins en moins patiente. Chaque soir, Keeley, Maddie, Bertha et Christina lui tenaient compagnie pour la distraire et l'empêcher de trop penser à sa prochaine délivrance.

Même Ewan se joignait parfois à leur cercle, s'asseyant avec elles devant la cheminée de la grande salle. C'était une période paisible, détendue, et Keeley se sentait de plus en plus proche du clan McCabe.

En public, Keeley et Alaric prenaient garde de ne pas étaler leur liaison. Mais la nuit venue, une fois tout le monde couché, Alaric venait la retrouver dans l'intimité de sa chambre et il lui faisait souvent l'amour jusqu'aux premières lueurs de l'aube.

Keeley ne voulait pas lui refuser son lit. Elle savait qu'ils devraient bientôt se séparer et cette perspective lui brisait le cœur, mais elle tenait à profiter de tous les moments qu'ils pouvaient partager ensemble, dans l'espoir que le souvenir de ce bonheur lui tiendrait chaud pour le restant de ses jours.

Ce matin-là, ils s'attardèrent au lit. D'habitude, Alaric regagnait sa chambre avant que le reste de la forteresse ne s'éveille, mais pas aujourd'hui.

— Je devrais me lever, murmura-t-il sans conviction, avant d'embrasser la tempe de Keeley.

— Oui, tu devrais, acquiesça-t-elle, sans davantage de conviction.

Il ne fit pas un mouvement.

— À mesure que les jours passent, j'ai de plus en plus de mal à quitter tes bras.

Keeley ferma les yeux pour tenter de vaincre l'oppression qui lui serrait le cœur.

— Tu vas t'entraîner, aujourd'hui ? demanda-t-elle.

Il grogna.

— Oui. Comme tous les jours. Ce n'est pas parce que c'est l'hiver qu'il faut nous endormir. Avec la délivrance de Mairin qui approche, nous courons le risque d'être attaqués.

— Pauvre Mairin ! Ce n'est pas drôle, comme vie.

Ils gardèrent le silence pendant quelques minutes, avant qu'Alaric ne s'empare des lèvres de la jeune femme pour un baiser dévorant. Elle s'y attendait si peu qu'elle n'eut pas le temps de réagir. Déjà, Alaric roulait sur elle pour se positionner entre ses cuisses.

Contrairement à d'ordinaire, il la pénétra sans aucune douceur, comme s'il était mû par un sentiment d'urgence.

Keeley écarquilla les yeux en découvrant la lueur sauvage qui brillait dans ses prunelles. On aurait dit un fauve s'apprêtant à fondre sur sa proie.

— Je ne me rassasierai jamais assez de toi, murmura-t-il. J'ai beau me répéter, chaque fois, que c'est la dernière fois, je n'en ai toujours pas assez. Je n'en aurai jamais assez.

Keeley sentit son cœur fondre. Elle s'apitoyait si souvent sur son propre chagrin qu'elle ne pensait pas assez qu'il était en proie au même désespoir qu'elle.

Elle lui caressa la joue.

— Je t'aime, murmura-t-elle. Je m'étais juré de ne pas te le dire, mais c'est plus fort que moi. Il fallait que ça sorte de ma bouche. J'avais besoin que tu le saches.

Il semblait si bouleversé qu'elle avait envie de pleurer. Mais quand il voulut parler, elle posa un doigt sur ses lèvres, pour le réduire au silence.

— Non, ne dis rien. Ce n'est pas nécessaire. Je te sens en moi, et cela me suffit. Ne parle pas de choses qui nous sont interdites. Laisse-moi seule avec mes péchés.

Il roula sur le dos pour que Keeley se retrouve au-dessus de lui.

— Prends-moi, dit-il. Je veux t'appartenir.

Plaquant ses deux mains sur le torse d'Alaric, Keeley commença d'onduler sur lui avec sensualité.

Oui, il était à elle. Il était *son* guerrier. Personne ne pourrait lui retirer cela. C'est une autre femme qui prendrait son nom et qui porterait ses enfants, mais Keeley posséderait toujours son cœur, de même qu'il posséderait le sien.

— Je t'aime, répéta-t-elle. Je t'aime.

Ce fut comme une litanie sur ses lèvres. Un chant qui montait du plus profond de son âme. Et sa jouissance, quand elle arriva, fut presque douce, en tout cas beaucoup moins tumultueuse que les autres fois.

Elle resta sur lui encore quelques instants, pendant qu'il lui caressait le dos. Elle savait qu'il était trop tard –

ou trop tôt. Il aurait déjà dû être reparti, cependant elle n'avait pas le courage de le chasser.

Alaric finit cependant par s'étirer. Puis il roula de nouveau sur le côté, pour se retrouver sur elle. Et toujours en elle, car à aucun moment son membre ne s'était relâché.

— Moi aussi, je t'aime, Keeley, dit-il, rivant son regard à celui de la jeune femme. À défaut de pouvoir t'offrir autre chose, accepte au moins ces quelques mots de ma part.

Keeley se mordit la lèvre pour s'empêcher de pleurer, et s'efforça de sourire.

— Il faut que tu partes, à présent. Sinon, nous allons être découverts.

— Oui. Je vais te laisser te reposer. Mairin ne devrait pas avoir besoin de toi tout de suite.

Il sortit du lit, puis s'habilla en silence et quitta la chambre, non sans lui avoir jeté un dernier regard avant de franchir la porte.

Ce n'est que lorsqu'il eut disparu que Keeley s'aperçut qu'il avait déversé sa semence dans son ventre.

La jeune femme ferma les yeux, à la fois émerveillée et effondrée. Elle n'avait pas envie de donner naissance à un bâtard, cependant elle savait que si elle tombait enceinte, elle ne porterait aucun autre enfant après celui-là.

Elle roula sur le côté et agrippa les fourrures.

— Je ne sais pas quoi faire, murmura-t-elle, au bord des larmes. Je l'aime. J'ai envie de lui. Et j'ai envie de son enfant. Mais tout cela m'est interdit.

Maintenant qu'Alaric n'était plus là, elle donna libre cours à ses larmes. Elle s'était juré de se montrer courageuse et de ne pas pleurer. Mais plus le moment de leur séparation approchait et plus elle prenait conscience qu'elle s'illusionnait. Car le mariage d'Alaric avec Rionna la détruirait.

28

Keeley prit son temps pour s'habiller. Elle n'était pas pressée de descendre retrouver la cruelle réalité.

Elle se coiffa en fredonnant, puis elle refit son lit. Après avoir donné une dernière tape aux oreillers, elle quitta enfin sa chambre.

Il était franchement tard pour se lever, cependant elle s'accorda un bâillement lascif pendant qu'elle descendait l'escalier.

Elle n'était plus qu'à quelques marches du bas, quand elle perçut une étrange agitation dans la grande salle. Puis elle entendit un héraut annoncer à Ewan :

— Lord McDonald approche de nos portes.

Keeley termina sa descente d'un pas chancelant. Alaric et Caelen se trouvaient eux aussi dans la grande salle, et ils venaient d'apprendre la nouvelle.

— Il est venu avec sa fille, précisa le héraut. Et il vous demande de le recevoir en allié.

Ewan hocha la tête.

— Il peut franchir les portes, répondit-il. Dis-lui que je l'accueillerai dans la cour.

Puis il distribua quelques ordres aux servantes afin qu'elles préparent des rafraîchissements.

Keeley avait l'impression que le sol se dérobait sous ses pieds. Puis elle croisa le regard d'Alaric et elle vit, dans ses prunelles, qu'il était en proie à la même panique qu'elle.

Keeley avait beau se répéter qu'elle aurait dû se montrer forte et courageuse, elle ne s'en sentait pas l'énergie. Elle ne se voyait pas affronter l'homme qui l'avait agressée. Pas plus qu'elle n'avait envie de revoir son ancienne meilleure amie, venue pour lui ravir l'homme qu'elle aimait.

La jeune femme porta une main à sa bouche, pour retenir ses larmes, puis elle tourna les talons et remonta l'escalier.

Alaric la regarda s'enfuir avant de détourner la tête. S'il s'écoutait, il la suivrait pour la rejoindre.

— Que vient faire McDonald maintenant ? grommela-t-il. Il n'était censé arriver qu'au début du printemps, après l'accouchement de Mairin.

— Je l'ignore, répondit Ewan. Mais nous n'allons pas tarder à le savoir. Il est possible qu'il ait reçu une lettre du roi l'invitant à avancer la date du mariage.

Alaric se passa la main dans les cheveux. Il se faisait l'effet du pendu qui sentait la corde se resserrer autour de son cou. Ces dernières semaines, il avait vécu en niant la réalité. Mais à présent, la réalité le rattrapait.

Et Keeley ferait bientôt partie de son passé.

Cependant, il s'obligea à se ressaisir.

— Allons l'accueillir, dit-il.

Ewan attira Mairin dans ses bras.

— Reste ici au chaud, mon amour.

Il caressa son ventre rebondi et l'embrassa une dernière fois pour suivre Alaric.

Mairin fronça les sourcils dans le dos d'Alaric, tandis que les trois frères quittaient déjà la salle pour se porter à la rencontre du laird McDonald.

En chemin, Alaric se demanda comment il pourrait bien dissimuler le mépris que lui inspirait désormais cet homme. Il se voyait mal l'embrasser et lui promettre de prendre soin de sa fille, alors qu'il brûlait d'envie de lui cracher au visage et de lui enfoncer son épée dans le ventre. Quel homme pouvait être assez vil pour vouloir abuser d'une jeune fille à peine sortie de l'enfance, et ensuite lui faire porter le blâme de sa conduite pour céder à la jalousie de son épouse ?

Alaric préférait ne pas s'appesantir davantage sur la question, car sa colère s'avivait à chaque instant et menaçait de l'aveugler.

— Détends-toi, et essaie de sourire, lui murmura Caelen. On dirait que tu veux tuer quelqu'un.

— Ce qu'il a fait à Keeley est infâme.

Caelen fronça les sourcils.

— Que veux-tu dire ?

— Ça ne te regarde pas.

— J'aimerais quand même savoir quel genre d'homme je m'apprête à saluer, objecta Caelen.

Les trois frères s'étaient immobilisés à l'entrée de la cour, pour attendre les McDonald.

— Ce n'est pas toi, le laird, intervint sèchement Ewan. Et ce n'est pas toi qui dois épouser sa fille. (Et, pour Alaric, il ajouta :) Je sais que tu tiens à Keeley, mais oublie tes désirs. Ce mariage est trop important à de nombreux égards.

Ewan s'avança d'un pas dès que les cavaliers de la troupe McDonald apparurent de l'autre côté du pont de pierre. Alaric voulut le suivre, mais Caelen le retint par le bras.

— Mais de quoi parlais-tu, bon sang ?

Alaric plissa les lèvres.

— McDonald s'en est pris à Keeley alors qu'elle n'était encore qu'une toute jeune fille. Sa femme les a surpris avant qu'il n'ait pu la violer, mais elle l'a traitée de catin et elle l'a accusée d'avoir séduit son mari. Keeley a été bannie du clan et réduite à vivre par ses propres moyens.

Caelen serra les mâchoires, mais il ne répondit rien et se contenta de regarder les cavaliers approcher.

Alaric prit une profonde inspiration. McDonald et sa fille chevauchaient côte à côte. Celle-ci mit pied à terre la première et Alaric ne put s'empêcher de hausser les sourcils en constatant qu'elle était habillée en homme. Et qu'elle ne semblait pas concevoir la moindre honte de son attitude scandaleuse.

Gregor McDonald descendit à son tour de cheval.

— Bonjour, Ewan, dit-il, accompagnant son salut d'un signe de tête.

— Bonjour, Gregor, lui retourna Ewan.

Gregor se tourna ensuite vers Alaric :

— Voici ma fille, Alaric. Ta future femme.

— Bonjour, Rionna, dit poliment Alaric.

Rionna le gratifia d'une révérence maladroite.

Sachant qu'il était supposé lui faire la cour avant leur mariage, Alaric lui tendit sa main.

Rionna le regarda, interloquée, avant de lui accorder sa main, qu'il porta à ses lèvres pour la baiser.

— Soyez la bienvenue parmi nous, milady, dit-il.

Visiblement mal à l'aise, la jeune femme s'empressa de retirer sa main.

— Ma femme est impatiente de vous revoir, Rionna, assura Ewan. Elle vous attend au chaud. Elle a besoin de repos, mais elle vous fait dire qu'elle sera ravie de votre compagnie.

— Merci. J'ai moi-même hâte de la revoir, répondit Rionna.

Elle coula un autre regard gêné en direction d'Alaric, avant de se diriger vers l'entrée de la forteresse.

Dès qu'elle eut disparu à l'intérieur, Ewan croisa les bras et reporta son attention sur Gregor McDonald.

— Vous ne nous avez pas informés de votre arrivée prématurée, dit-il. Je ne vous attendais pas avant le début du printemps. En tout cas, pas avant la naissance de mon enfant.

Gregor eut la bonne grâce de paraître étonné par la sécheresse de son hôte.

— Avec ce beau temps qui s'est installé, j'ai pensé que nous pouvions en profiter pour avancer notre voyage. Le froid peut revenir et repousser l'arrivée du printemps. Or, j'avais hâte de sceller notre alliance. J'ai entendu dire que Cameron rassemblait des troupes et qu'il projetait de les fusionner avec celles de Malcolm. Le roi David ne pourra jamais gagner contre les armées conjuguées de Cameron et de Malcolm. Et si Cameron tourne ses visées sur mes terres, ou celles de nos voisins, nous ne pourrons pas espérer le vaincre à moins d'être unis contre lui. Je ne t'apprendrai pas, Ewan, que les Highlands retiennent leur souffle avant la naissance de l'héritier de Neamh Alainn. Ces terres sont au cœur du problème. Dès lors que les McCabe en auront le contrôle, nous formerons un rempart que même Cameron ne pourra pas anéantir.

Alaric avait écouté le discours du laird le cœur serré. Tout ce que disait McDonald était vrai et frappé au coin du bon sens. Son mariage avec Rionna revêtait une importance cruciale, car il scellerait non seulement l'alliance entre les McDonald et les McCabe, mais il pousserait les clans voisins à se ranger sous leurs étendards. Ils comprendraient que leur intérêt n'était pas de choisir le mauvais camp dans la bataille pour le trône.

— Alors, tu es venu pour précipiter le mariage, conclut Ewan.

Gregor acquiesça.

— Oui. Je crois qu'il faut aller vite, à présent.

— Rionna est d'accord ? demanda Ewan.

Gregor plissa les lèvres.

— C'est ma fille. Elle connaît son devoir. Elle sera d'accord.

Ewan scruta longuement Alaric, comme s'il cherchait à deviner ses pensées les plus secrètes. Furieux, Alaric eut l'impression que son frère le prenait en pitié.

— Et toi, Alaric, es-tu d'accord ? demanda Ewan.

Alaric avala sa salive. Puis il regarda son futur beau-père – l'homme qui lui transmettrait son statut de laird.

C'était la réponse la plus douloureuse qu'il aurait à donner de sa vie. Mais son frère, Mairin, son clan... tous dépendaient de ce qu'il allait dire maintenant.

Alors il fit la seule réponse que lui imposait le devoir – mais qui l'obligerait à se séparer de la femme qu'il aimait.

— Oui, je suis d'accord.

29

— Je ne peux pas l'affronter. Pas elle.

Keeley se retourna, pour regarder par la fenêtre de sa chambre.

Maddie soupira. Puis elle vint se planter derrière la jeune femme, pour lui passer un bras autour de la taille.

— Je sais que c'est douloureux pour vous, ma petite. Mais vous ne gagnerez rien en vous cachant. Il faudra bien, tôt ou tard, que vous vous montriez. Mairin doit accoucher d'ici à quelques jours. Vous ne pourrez pas manquer cela.

— Non seulement je l'ai crue mon amie, mais maintenant, je devrais sans broncher la voir épouser Alaric ! protesta Keeley. (Elle ferma les yeux et frissonna, avant d'ajouter :) Et le laird McDonald ! Comment pourrais-je le regarder en face, après ce qu'il m'a fait ?

Maddie lui prit un bras, pour l'obliger à se retourner.

— Venez vous asseoir, ma petite. Je voudrais vous parler.

Keeley accepta de la suivre et les deux femmes s'assirent côte à côte au bord du lit.

— Vous n'avez rien fait de mal, lui dit Maddie. Et vous n'avez rien à vous reprocher. Seul le laird a péché. Et un jour, il devra en rendre compte à Dieu.

— Je ne devrais pas être ici, gémit Keeley. Quelle situation impossible ! Je me suis donnée à un homme que je ne peux pas avoir. Un homme qui va épouser celle que je considérais comme une sœur…

Maddie l'enlaça, pour la bercer dans ses bras.

— Que votre situation soit impossible, je n'en disconviens pas. Mais vous savez bien que lord McCabe ne permettra pas qu'on vous fasse du mal. Alaric non plus. Vous êtes en sécurité, ici. Le laird McDonald ne peut plus rien contre vous. Je ne serais pas étonnée qu'il fasse mine de ne pas vous connaître.

— Je sais que vous avez raison, murmura Keeley, qui s'était mise à sangloter. Mais j'ai peur tout de même.

Maddie lui caressa le dos.

— Ressaisissez-vous, ma petite. Je ne peux pas vous blâmer d'avoir peur, mais n'oubliez pas que vous avez tout le clan McCabe derrière vous. Si vous aimez vraiment Alaric, facilitez-lui les choses. Ne lui montrez pas votre chagrin. Cela ne fera qu'ajouter à son fardeau.

Keeley s'écarta et sécha ses larmes d'un revers de main.

— Vous avez raison. Je me conduis comme une enfant gâtée.

Maddie lui sourit.

— Vous vous conduisez en femme amoureuse qui sait ce qu'elle s'apprête à perdre. Votre attitude est tout à fait normale.

Keeley s'obligea à sourire.

— Demain, je serai courageuse, je vous le promets. Mais pour aujourd'hui, je préfère rester dans ma chambre.

— C'est d'accord. Je vais prévenir Mairin. Elle comprendra. Elle s'inquiète beaucoup pour vous.

— Prévenez-moi, au cas où elle aurait besoin de moi. Je descendrai immédiatement.

Maddie hocha la tête et se leva, tandis que Keeley se renversait sur le lit pour contempler le plafond. Ce matin, encore, elle avait fait l'amour avec Alaric et elle lui avait dit qu'elle l'aimait. Il lui avait répondu qu'il l'aimait aussi.

De nouvelles larmes affluèrent à ses yeux. Il n'était pas prévu que ce serait leur dernière journée ensemble. Les McDonald étaient censés prévenir de leur arrivée. Alaric et Keeley auraient eu alors tout le temps de se faire leurs adieux.

Elle ferma les yeux.

— Je t'aime, murmura-t-elle. Je t'aimerai toujours.

Mairin McCabe se trémoussa pour la centième fois sur son banc, en réprimant tant bien que mal le bâillement qui menaçait de lui décrocher la mâchoire. Courtois, son mari écoutait Gregor McDonald raconter – pour la centième fois également – ses hauts faits. Mais Mairin préférait s'intéresser à Rionna et Alaric.

Le jeune couple n'avait pas échangé plus de quelques mots durant tout le dîner. L'indifférence d'Alaric à l'égard de sa fiancée inquiétait Mairin, cependant Rionna semblait se satisfaire qu'il ne lui adresse pour ainsi dire pas la parole.

Du reste, les quelques fois où Mairin essaya d'engager la conversation avec Rionna, elle se vit récompensée par un mutisme obstiné. Pourtant, elle savait que Rionna pouvait se montrer plus amicale, lorsque les femmes étaient entre elles. Rionna était déjà venue une fois à la forteresse, et elle s'était révélée de bonne compagnie.

Quant à Alaric, il paraissait parfaitement malheureux. Oh, il se montrait stoïque, bien sûr, et il se comportait en bon guerrier. Mais Mairin savait à quoi s'en tenir. Alaric n'avait jamais été aussi froid que Caelen, ni aussi orgueilleux qu'Ewan. C'était un homme très sociable, qui aimait la conversation et pourtant, ce soir, il restait silencieux la plupart du temps, se contentant de picorer dans son assiette comme s'il n'avait pas d'appétit.

Keeley, quant à elle, avait préféré ne pas se montrer. Mairin ne pouvait pas la blâmer de son absence. Si elle était descendue, elle aurait été forcée de regarder l'homme qu'elle aimait faire sa cour à une autre. De toute façon, les circonstances de son bannissement du clan McDonald suffisaient à justifier qu'elle reste dans sa chambre.

Mairin brûlait d'envie de se saisir d'un plat pour l'écraser sur le crâne du laird McDonald. Du reste, seule la certitude qu'Ewan l'empêcherait de mettre son geste à exécution la dissuadait de passer à l'action.

— Tu vas finir par tomber du banc, à force de te trémousser ainsi, lui murmura Ewan. Que se passe-t-il ? Tu ne te sens pas bien ?

Son mari semblait à la fois inquiet et exaspéré.

— Je vais me retirer, dit-elle. Je peux monter toute seule. Reste pour tenir compagnie au laird McDonald.

Ewan fronça les sourcils.

— Non. Je vais monter avec toi. Cela donnera une opportunité à Alaric de s'entretenir avec le laird et sa fille. Enfin, s'il le souhaite.

Et sans même attendre la réponse de Mairin, Ewan se tourna vers le laird McDonald et l'interrompit dans sa conversation.

— Si vous voulez bien m'excuser, ma femme désire se retirer. Elle se fatigue vite, ces temps-ci, et je ne voudrais pas qu'elle monte toute seule dans notre chambre.

Mairin eut beaucoup de mal à réprimer une grimace de dégoût devant le sourire lubrique du laird McDonald.

— Je vous comprends. Si j'avais une femme comme la vôtre, croyez-moi qu'elle ne monterait pas non plus se coucher toute seule.

Pauvre Keeley ! songea Mairin. Elle avait dû beaucoup souffrir. Cet homme n'était qu'un débauché. Et il mangeait trop.

— Viens, chérie, lui murmura Ewan.

Et il l'aida à se relever.

Il est vrai qu'elle se sentait fatiguée, mais ces derniers temps, elle était toujours fatiguée. Parfois, elle se demandait si elle ne porterait pas cet enfant pendant une éternité.

Elle dut s'arrêter au milieu de l'escalier, pour reprendre son souffle. Ewan la soutint et attendit patiemment qu'elle puisse repartir.

— Je commence à me lasser d'être enceinte, avoua-t-elle, alors qu'ils pénétraient dans leur chambre.

Ewan sourit et l'aida à se déshabiller.

— Il n'y en a plus pour longtemps. Pense au bonheur que ce sera de tenir enfin notre enfant dans nos bras.

Mairin soupira.

— Oui, tu as raison.

Dès qu'elle eut revêtu sa chemise de nuit, elle s'assit au bord du lit. Ewan se déshabilla à son tour et s'empressa de la rejoindre.

— Qu'y a-t-il, Mairin ? Tu parais soucieuse. Tu as peur de l'accouchement ?

Elle sourit.

— Non. J'ai toute confiance en Keeley.

— Alors, qu'est-ce qui te préoccupe ?

— C'est Keeley. Et Alaric, lâcha Mairin.

Ewan soupira. Quand il voulut se glisser sous les fourrures, Mairin le retint par le bras.

— Ils sont malheureux, Ewan. Ne peux-tu donc rien faire ?

Ewan grimaça.

— Hélas, non. Cette alliance représente trop d'enjeux. Alaric est adulte. Il a fait son choix.

Mairin laissa éclater son exaspération.

— Aurait-il fait le même choix, si notre clan n'avait pas eu désespérément besoin de cette alliance ?

— Il a choisi d'être laird, objecta Ewan. Ce dont il ne pourrait jamais rêver s'il restait ici. Cette union lui sera profitable.

— Est-il à ce point nécessaire de nous allier aux McDonald ? insista Mairin. Que je sache, ils ne sont pas si puissants que cela.

— Il ne s'agit pas seulement de puissance, mais de politique, expliqua Ewan. Le roi tient à cette alliance. Nous ne pouvons pas nous permettre que McDonald se tourne vers Cameron. Ce serait un désastre. N'oublie pas que ses terres séparent celles des McCabe de celles de Neamh Alainn.

Mairin hocha la tête.

— Alors, si je comprends bien, c'est d'abord une alliance stratégique ?

— Exactement, acquiesça Ewan. D'autant que si McDonald s'allie à nous, d'autres clans seront tentés de l'imiter. Et alors, Cameron n'aura plus aucune chance de l'emporter dans sa conquête du trône.

Mairin soupira.

— Tout cela me rend malade. Je voudrais que Keeley et Alaric soient heureux.

Ewan l'attira dans ses bras.

— Rien ne permet de dire qu'Alaric ne sera pas heureux avec son épouse. Rionna est une belle jeune femme. Elle lui donnera des enfants vigoureux.

— Mais Keeley ? murmura Mairin.

— Elle restera ici, avec nous. Les McCabe la protégeront. Et beaucoup d'hommes seraient ravis d'épouser une femme comme elle.

— À t'entendre, on jurerait que tout est facile. Aurais-tu pensé la même chose, si l'on t'avait interdit de m'épouser ?

Ewan secoua la tête.

— Ni rien ni personne n'aurait pu m'empêcher de te conquérir.

— Oui, et c'est bien pour cela que je t'aime. Mais je me demande si Alaric ne sera pas tenté de faire la même chose avec Keeley.

30

Keeley se leva à l'aube. Dehors, le temps s'annonçait toujours clément pour un mois de janvier et la neige avait désormais presque entièrement fondu. La jeune femme contemplait ce paysage d'un air morose. Elle n'avait pour ainsi dire pas dormi de la nuit et ses yeux étaient gonflés de fatigue.

Maddie avait raison. Il ne servait à rien que Keeley continue de se terrer dans sa chambre. Elle n'était plus la jeune fille terrifiée d'autrefois, qui ne pouvait même pas compter sur le soutien de son clan.

À présent, les McCabe la soutenaient. Et elle avait des amis. Des amis loyaux. Rionna et son père ne pourraient lui faire aucun mal.

Quand bien même souffrirait-elle le martyre, elle s'obligerait à sourire le jour du mariage d'Alaric. Elle renoncerait à lui sans pleurs. Leur histoire devait rester strictement privée, afin que nul ne puisse se servir contre Alaric de l'amour qu'elle éprouvait pour lui.

Elle se lava le visage avec soin, afin d'ôter toute trace des larmes qu'elle avait versées durant la nuit, puis elle se coiffa. Après quoi, elle prit une profonde inspiration pour se donner du courage et quitta sa chambre. Mais elle n'avait aucune idée de ce qu'elle ferait de sa journée. Ces derniers temps, les femmes de la forteresse avaient pris l'habitude de tenir compagnie à Mairin dans la grande salle, mais la présence de McDonald les obligerait sans doute à réviser leur emploi du temps.

La forteresse était silencieuse. Keeley comprit que la plupart des membres du clan dormaient encore, après avoir passé la soirée à divertir les McDonald.

Elle en profiterait pour s'autoriser une petite promenade dans la cour – à défaut de pouvoir sortir des remparts, puisque le laird l'avait interdit.

Keeley passa d'abord par les cuisines, pour saluer Gertie et lui demander si elle avait besoin d'aide. Gertie la renvoya d'un geste de la main, pestant contre ces gens qui venaient l'interrompre pendant qu'elle essayait de réfléchir.

Keeley, amusée, sortit dans la cour. Un petit vent frais l'accueillit aussitôt et souleva ses jupes, mais la jeune femme ne songea pas à s'en plaindre. Au contraire, elle ferma les yeux et inspira à pleins poumons. L'air semblait toujours plus pur, en hiver. Et sa morsure était revigorante.

La cour était presque déserte. Keeley décida de monter sur les remparts pour jouir d'une meilleure vue. Le loch brillait au soleil, tel un bouclier d'acier.

La jeune femme était si absorbée par sa contemplation qu'elle ne s'aperçut qu'on l'avait rejointe que lorsqu'elle entendit appeler son nom.

— Keeley ? Keeley McDonald, c'est bien toi ?

Keeley tourna la tête, une boule dans la gorge. Rionna la regardait avec stupéfaction.

— Oui, c'est moi, répondit Keeley, avec un mouvement de recul.

Rionna parut chagrinée de sa réaction. Ses yeux pailletés d'or s'assombrirent.

— Je te croyais morte, dit-elle. Je savais que tu avais disparu de ton cottage. J'espérais ton retour, mais comme les semaines s'écoulaient et que tu ne revenais pas…

— Je suis toujours vivante, comme tu peux le constater. Mais qui t'a dit que je n'habitais plus mon cottage ?

— Les femmes que j'envoyais régulièrement te visiter, pour s'assurer que tu allais bien. Comment es-tu arrivée ici ? Que fais-tu chez les McCabe ?

Keeley ne savait pas trop quoi lui répondre.

— Ils m'ont recueillie, lâcha-t-elle finalement.

Une nouvelle ombre traversa le regard de Rionna. Au même instant, un guerrier McDonald l'appela.

— Ton père te cherche, fit valoir Keeley. Il doit vouloir que tu te montres au petit déjeuner.

Rionna regarda le garde, puis Keeley.

— Il faut que j'y aille, dit-elle. Nous nous reverrons plus tard. J'ai beaucoup de choses à te raconter.

Et sans rien ajouter, Rionna repartit vers le donjon. Keeley, l'estomac noué, la regarda s'éloigner. Ses émotions étaient confuses. D'un côté, elle avait envie de serrer Rionna dans ses bras pour fêter leurs retrouvailles et lui dire combien elle avait embelli. Et combien, aussi, leur amitié lui avait manqué.

Mais, de l'autre côté, elle attendait des explications, et n'était pas certaine de pouvoir pardonner le mal qu'on lui avait fait.

Elle soupira et reporta son attention sur le loch et ses eaux cristallines. Elle avait toujours aimé contempler l'eau. L'eau ne trichait pas. Elle ne renvoyait que le reflet exact de ce qui se montrait à sa surface.

Keeley n'aurait pas su dire combien de temps elle resta ainsi perdue dans ses pensées, avant qu'une voix ne la ramène à la réalité.

— Il fait un peu trop frais, ce matin, pour rester aussi longtemps dehors, lui dit Gannon.

Keeley sursauta. Elle n'avait pas entendu approcher le guerrier.

— Je ne sentais même pas le froid, avoua-t-elle avec un sourire.

— C'est comme cela qu'on attrape du mal.

Elle aurait voulu lui demander si c'était Alaric qui l'envoyait, mais elle se refusa à prononcer son nom. Elle s'était juré de demeurer stoïque, quoi qu'il lui en coûtât.

— C'est encore une belle journée qui s'annonce, dit-elle, sur le ton de la conversation badine. La neige a presque entièrement fondu. C'est rare, à cette époque de l'année.

— Oui, mais vous n'êtes quand même pas assez habillée pour la température, insista Gannon.

Keeley soupira et jeta un dernier regard au loch. La tranquillité de ses eaux l'apaisait. Si seulement elle avait pu s'en revêtir comme d'une armure…

— Vous saviez que j'étais une McDonald ?

Elle n'aurait pas su dire pourquoi elle avait demandé cela. Gannon n'était pas le genre de personne qu'on prenait pour confident. Le guerrier aurait préféré se couper le bras plutôt que d'écouter des bavardages de femmes.

— Oui, je le savais, répondit-il.

Son ton était étrange, mais Keeley n'aurait pas été capable de le définir.

— Je ne le suis plus.

Gannon hocha la tête.

— Non. Maintenant, vous êtes une McCabe.

Keeley se surprit à sourire. L'assurance avec laquelle Gannon avait dit cela lui réchauffait le cœur. Pour un peu, elle se serait jetée à son cou pour l'embrasser.

La jeune femme sentit ses yeux s'embuer. Mais Gannon parut si horrifié, à la perspective de la voir pleurer devant lui, qu'elle éclata de rire.

— Merci, Gannon. Je crois que j'avais besoin d'entendre cela. Surtout ce matin. Je… je n'étais pas préparée à leur arrivée.

— Vous n'avez aucune raison de pleurer, grommela-t-il. Une McCabe ne pleure pas. Elle relève la tête et elle ne se laisse pas piétiner par les autres.

Cette fois, la tentation fut la plus forte. Keeley se jeta au cou de Gannon.

— Que... que... ? balbutia-t-il, avec un mouvement de recul.

Keeley lui sourit.

— Vous m'aimez bien, dit-elle.

Il renifla avec dédain.

— Je n'ai jamais dit une chose pareille.

— Avouez-le, vous m'aimez bien.

— Pour l'instant, je ne vous aime pas trop.

— Mais avant, si.

Il secoua la tête.

— Vous feriez mieux de rentrer, à présent.

— Merci, Gannon, pour votre affection. Je vous avoue que je n'avais pas trop le moral, ce matin. Mais les McCabe connaissent l'importance de l'amitié et de la loyauté.

Il parut offensé.

— Mais évidemment ! Il n'y a pas plus loyal que le clan McCabe. Et notre laird est le meilleur de tous.

— Je suis très heureuse d'être ici, dit Keeley, alors qu'ils repartaient vers le donjon.

Gannon hésita, avant de lui glisser :

— Je suis très heureux, moi aussi, que vous soyez là, Keeley McCabe.

31

Keeley revint dans la grande salle rassurée par la présence de Gannon à ses côtés. Toutefois, elle prit garde de ne pas regarder en direction de Rionna et de son père. Gannon l'accompagna jusqu'au banc où Mairin avait pris place, puis s'assit près d'elle. La jeune femme coula un regard de remerciement au garde, en même temps que Mairin lui étreignait la main, sous la table.

Sa nervosité lui serrait l'estomac. Rionna avait probablement déjà averti son père de sa présence ici. Oserait-il la traiter de catin devant tout le clan McCabe ? Essaierait-il de ruiner sa position au sein du clan ?

Et que pouvait bien avoir Rionna de si important à lui raconter ?

Elle mangea en silence, se contentant de hocher la tête quand Mairin lui disait quelque chose. À un moment, cependant, Gannon se pencha pour lui murmurer à l'oreille :

— Lady McCabe vient de vous demander si elle serait encore enceinte pendant des mois, et vous avez acquiescé de la tête.

Keeley ferma un instant les yeux et se retint de se frapper le front avec le poing. Puis elle se tourna vers Mairin pour s'excuser.

— Je suis désolée…

Mairin eut un sourire amusé.

— Je voulais juste vous faire marcher, dit-elle. Je savais que vous ne m'écoutiez pas ! (Et, baissant la voix, elle ajouta :) Le repas est presque terminé. Personne n'aura remarqué que vous n'étiez pas à votre aise.

Keeley lui sourit, de gratitude, mais quand elle tourna la tête, elle s'aperçut que le laird McDonald la regardait. Il avait froncé les sourcils et la jeune femme comprit qu'il venait de la reconnaître. Il écarquilla les yeux et tourna la tête en direction de Rionna, interloqué, avant de reporter son attention sur Keeley.

Mais ce n'était ni de la colère ni de la surprise, que la jeune femme lut dans son regard.

C'était du désir. Et cela la terrifia bien plus que s'il s'était levé de table pour lui crier « Catin ! ».

Elle avait tout à coup le sentiment de se retrouver aussi impuissante que bien des années plus tôt, quand elle avait cru qu'il allait la violer.

La jeune femme, au bord de la panique, était sur le point de quitter la table pour s'enfuir, quand elle réalisa qu'elle se laissait dominer par ses vieilles peurs. Elle s'obligea à se détendre et resta sagement assise sur sa chaise.

Elle n'était plus la fillette d'autrefois. À présent, elle était une femme adulte, capable de se défendre toute seule. Le laird ne pourrait plus la prendre pour cible.

— Vous n'êtes plus seule, lui murmura Gannon, comme s'il avait lu dans ses pensées.

Afin de ne pas l'embarrasser en se mettant à pleurer, Keeley s'obligea à ravaler les larmes qui lui montaient aux yeux.

— Non, je ne suis plus seule.

Il lui sourit.

— Si vous avez terminé, je vous raccompagne jusqu'à votre chambre.

Keeley soupira de soulagement. Elle savait bien que ni le laird ni Rionna ne pourraient la poursuivre jusque dans sa chambre sans causer d'esclandre, cependant elle avait peur de se faire remarquer en quittant la table.

— Merci de votre proposition, Gannon.

Mairin, qui avait écouté leur conversation, lui prit le bras.

— Gannon a raison, Keeley. Vous pouvez vous retirer, à présent.

Keeley se releva le plus discrètement possible, mais en dépit de ses efforts pour ne pas attirer l'attention, tous les regards se tournèrent vers elle et les conversations s'interrompirent.

Rionna, Alaric et le laird McDonald la regardaient différemment, bien sûr. Alaric semblait s'inquiéter pour elle. Rionna paraissait avoir du chagrin. Mais le laird la fixait d'un air lubrique.

— Venez, lui dit Gannon, à voix basse.

Keeley le laissa l'entraîner vers l'escalier. Ils gravirent les marches en silence, mais quand Keeley ouvrit sa porte, Gannon lui annonça :

— Je resterai dans le couloir, au cas où vous auriez besoin de moi.

Keeley fronça les sourcils, surprise.

— Votre devoir n'est-il pas de veiller sur Alaric ?

— Si. Mais pour l'instant, vous avez plus besoin de moi que lui.

Keeley comprit que Gannon avait dû être mis au courant de son agression par le laird McDonald. Elle piqua un fard et baissa les yeux, n'osant plus croiser le regard du guerrier.

— Merci, dit-elle, d'une voix faible.

Et avant qu'il ait pu répondre, elle s'engouffra dans sa chambre et referma la porte.

Elle se trouvait devant un affreux dilemme. Elle désirait que Rionna et son père retournent le plus vite possible chez eux. Mais quand ils repartiraient, Alaric, en tant que nouveau mari de Rionna, serait lui aussi du voyage.

La jeune femme s'allongea sur son lit avec un gros soupir. Elle resta longtemps immobile, à regarder les flammes se mourir dans la cheminée, faute d'être ranimées. Alaric pensait-il à elle, en ce moment, ou se familiarisait-il avec sa fiancée ?

Keeley s'était assoupie sans s'en rendre compte. Elle fut réveillée en sursaut par une intrusion dans sa chambre. Le cœur battant la chamade, elle s'imagina d'abord que son cauchemar était réalité, et que le laird McDonald venait l'agresser.

— Keeley, c'est moi, Ewan ! Dépêchez-vous ! Mairin a des contractions.

Keeley cligna plusieurs fois des yeux et sa vision s'éclaircit enfin. C'était bien Ewan.

— Oui, bien sûr. J'arrive !

Ewan était déjà reparti. Mais Gannon passa sa tête par la porte.

— Je peux vous aider ?

La jeune femme s'assit au bord du lit pour se masser les tempes et chasser les lambeaux de son cauchemar. Elle avait été ridicule de penser que le laird McDonald pourrait surgir dans sa chambre, alors que Gannon montait la garde dans le couloir. Il lui aurait défendu d'entrer.

Cette assurance lui redonna de l'énergie. Elle ferma un instant les yeux et prit une profonde inspiration.

— Oui, Gannon. Demande à Maddie et Christina de monter, avec de l'eau chaude et des linges propres. Je prends mes affaires et je vais dans la chambre du laird.

Gannon hocha la tête et s'éclipsa tandis que Keeley s'empressait de rassembler tout ce dont elle aurait besoin.

Quelques minutes plus tard, elle frappait à la porte de la chambre du laird. Ewan l'ouvrit aussitôt.

— Qui est-ce, Ewan ? demanda Mairin. C'est Keeley ?

Keeley s'engouffra à l'intérieur.

— Oui, c'est moi, dit-elle avec un sourire. Alors, vous êtes prête à nous le donner, ce bébé ?

Mairin était assise dans le lit, les mains jointes sur son ventre rebondi. Elle parut se détendre en voyant Keeley.

— Oui. J'avoue que je ne serais pas fâchée de le voir sortir…

Keeley s'esclaffa.

— Vous n'êtes pas la première à me dire cela !

Elle déposa son matériel sur la table, avant de venir s'asseoir à côté de Mairin.

— Quand vos contractions ont-elles commencé ? Et sont-elles régulières ?

Mairin fronça les sourcils et regarda Ewan d'un air coupable.

— Elles ont commencé juste après le petit déjeuner. Mais non, elles ne sont pas régulières.

Ewan étouffa un juron.

— Pourquoi ne m'as-tu pas prévenu tout de suite ?

— Je n'avais pas envie de passer toute la journée au lit, marmonna Mairin.

— Depuis quand sont-elles plus violentes ? demanda Keeley.

— Depuis environ une heure.

— Je ne peux pas vous dire combien de temps votre travail va durer. Parfois, c'est très rapide. Mais d'autres fois, le bébé s'ingénie à faire attendre tout le monde.

Mairin sourit.

— J'espère qu'il sera plutôt pressé de nous voir.

Son sourire se transforma en un gémissement douloureux. Ewan se précipita aussitôt à son chevet.

— Mairin, ça va ? Ce n'est pas trop douloureux ? demanda-t-il, avant de se tourner vers Keeley : que puis-je faire pour l'aider ?

Keeley comprit que le laird allait toutes les rendre folles s'il restait dans la pièce. Elle posa sa main sur le bras de Mairin et se leva.

— Je reviens dans une minute, dit-elle.

Elle sortit dans le couloir, juste au moment où Gannon arrivait.

— Allez chercher Alaric et Caelen. Il faut qu'ils réussissent à convaincre le laird de descendre avec eux. Une fois en bas, donnez-lui de la bière, pour le calmer.

— En d'autres termes, vous voulez que nous vous débarrassions de lui ? répliqua Gannon.

Keeley sourit.

— C'est exactement cela. Nous le rappellerons aussitôt que le bébé sera né.

Une fois Gannon parti chercher les deux frères du laird, Keeley revint auprès de Mairin. Elle venait juste de s'asseoir sur le lit, quand Maddie et Christina firent irruption avec l'eau et les linges. Mairin parut soulagée par leur renfort.

— Apparemment, dit Maddie, ce n'est pas encore pour tout de suite.

Mairin pesta.

Le regard fixé sur les quatre femmes, Ewan semblait perdu. Il était de toute évidence partagé entre le désir de s'enfuir et celui de rester pour aider sa femme. L'arrivée d'Alaric et Caelen lui épargna d'avoir à prendre une décision.

Il y eut une brève dispute entre les trois frères, avant que Mairin ne demande fermement à Ewan de la laisser. Caelen et Alaric prirent leur aîné chacun par un bras, pour l'expulser de la chambre.

Avant de franchir la porte, cependant, Alaric se retourna pour lancer un regard à Keeley. Ses lèvres esquissèrent un sourire, et la jeune femme fit de même. Puis les trois frères disparurent.

— Si vous avez besoin de moi, dit Gannon à Mairin, je serai dans le couloir.

Mairin lui sourit.

— Merci, Gannon.

Mais son sourire se mua une nouvelle fois en grimace de douleur et Gannon s'empressa de s'éclipser.

— Ah, voilà qui est mieux ! s'écria Maddie, d'un air satisfait. Les hommes n'ont pas leur place ici. Ils sont incapables d'affronter la douleur des femmes.

Christina eut un petit rire et Mairin acquiesça.

— Ewan voulait être là, dit-elle cependant. C'était important pour lui. Il doit être déçu.

— Il sera là le moment venu, assura Keeley. J'ai dit à Gannon de demander à ses frères de ne pas trop l'enivrer.

Pendant les deux heures qui suivirent, les femmes bavardèrent et plaisantèrent avec Mairin. De temps à autre, l'une d'elles essuyait avec un linge la sueur qui perlait à son front.

— Ce qu'il fait chaud, ici ! se plaignit Mairin, alors que Christina venait justement de lui essuyer le visage.

— Vous ne voudriez pas que le bébé ait froid quand il sortira du ventre chaud de sa mère, objecta Maddie.

— Je pense qu'il est temps d'enlever votre robe et de vous allonger, suggéra Keeley. Vos contractions se rapprochent et je voudrais m'assurer que le bébé est bien positionné.

— Et s'il ne l'est pas ? demanda Mairin, avec anxiété.

— Ne vous inquiétez pas, la rassura Keeley.

Elles aidèrent Mairin à se déshabiller puis à s'installer confortablement sur une couverture propre. Mairin était une femme svelte, mais ses hanches, au grand soulagement de Keeley, étaient larges. Elle ne devrait donc pas rencontrer de difficultés particulières pour accoucher.

Une demi-heure plus tard, les contractions étaient pour ainsi dire continues.

— Allez chercher le laird, dit Keeley. Le moment approche.

Christina écarquilla les yeux.

— J'y vais, dit-elle en se précipitant vers la porte.

À peine plus d'une minute plus tard, Ewan faisait irruption dans la chambre. Il s'agenouilla auprès du lit et prit la main de Mairin dans la sienne.

— Ça va, chérie ? Tu n'as pas trop mal ?

— Non, c'est parfait, répondit Mairin, qui serrait les dents. C'est juste insupportable !

— Je vois sa tête ! s'exclama Keeley. À la prochaine contraction, prenez votre respiration et poussez. Pas trop fort…

Mairin hocha la tête et serra plus fort la main d'Ewan.

— Oh ! gémit Mairin.

— Oui, voilà. Allez-y, maintenant !

Mairin poussa comme le lui avait recommandé Keeley, avant de laisser retomber sa tête sur l'oreiller.

— Reposez-vous, à présent. Et attendez la prochaine. Vous referez exactement la même chose.

— C'est insensé, marmonna Ewan. Pourquoi le bébé n'est-il pas encore sorti ?

Maddie roula des yeux.

— Ah, les hommes ! Ils s'imaginent qu'il leur suffit d'apparaître pour que tout soit terminé.

Pendant les minutes suivantes, Mairin et Keeley œuvrèrent de concert. Mairin respirait quand Keeley le lui demandait et elle poussait dès qu'elle en recevait l'ordre. La tête était à présent entièrement sortie et Keeley la tenait dans ses mains.

— Nous y sommes presque, Mairin ! s'exclama-t-elle. Encore une poussée, et ce sera bon.

Mairin se redressa, avec l'aide d'Ewan qui lui tenait le dos, puis elle ferma les yeux, pour mieux se concentrer.

— Allez-y ! lui ordonna Keeley.

Mairin poussa. Le bébé glissa dans les mains de Keeley.

— C'est une fille ! s'écria-t-elle. Vous avez une fille, Mairin !

Des larmes roulaient sur les joues de Mairin. Même les yeux du laird étaient mouillés.

— Une fille... répéta-t-il, d'une voix altérée par l'émotion.

Keeley coupa et noua le cordon. Puis elle nettoya le bébé et ses pleurs résonnèrent dans la chambre.

Les deux parents parurent tétanisés par ce premier son. Fascinés, ils regardèrent Keeley emmailloter le bébé dans une couverture avant de le tendre à Mairin.

— Elle est magnifique, murmura Ewan.

Il embrassa le front de Mairin, et lui caressa les cheveux, avant d'ajouter :

— Aussi belle que sa mère.

Mairin approcha le bébé de son sein et aussitôt, il se mit à téter.

Keeley était émue aux larmes de voir Ewan si heureux. Il serrait sa femme dans ses bras pendant que le bébé tétait. Ni l'un ni l'autre des deux parents n'était capable de détourner son regard du nouveau-né.

Maddie étreignit Keeley.

— Vous avez été parfaite, la félicita-t-elle. Je n'avais encore jamais vu un accouchement aussi paisible.

Keeley lui sourit. Puis les deux femmes se chargèrent de rassembler les linges souillés. Elles travaillèrent en silence, pour ne pas troubler ces instants de tendresse entre le laird et sa famille.

Elles partaient vers la porte, quand celui-ci se redressa soudain, pour les rattraper.

— Merci, dit-il à Keeley. Ma femme est tout pour moi. Je n'aurais pas supporté de la perdre. Ni qu'elle perde son bébé. Sachez que ma gratitude vous est éternellement acquise.

Keeley lui sourit.

— Je reviendrai la voir tout à l'heure.

Ewan hocha la tête et se hâta de rejoindre sa femme.

Alaric, Caelen et Gannon attendaient dans le couloir.

— Alors, demanda Caelen. C'est fini ?

— Oui, répondit Keeley. Le laird a une fille.

Alaric sourit.

— Une fille ! Voilà qui est parfait. Elle va le rendre aussi gaga que sa mère.

Gannon s'esclaffa.

— Et nous aussi.

— Et Mairin ? voulut savoir Caelen. Tout s'est bien passé pour elle ?

Keeley haussa les sourcils.

— Ma foi, Caelen, je vais finir par croire que vous avez un cœur ! Oui, Mairin va bien. Ewan est avec elles, et tout ce dont ils ont besoin, tous les trois, c'est d'un moment d'intimité.

Caelen marmonna quelque chose d'inintelligible, mais son soulagement se lisait dans ses yeux.

— Maintenant, messieurs, si vous voulez bien nous excuser, nous aimerions descendre donner ces linges à nettoyer, dit Keeley. Et pour ma part, j'aimerais bien respirer un peu d'air frais.

Sans même attendre de réponse, elle partit vers l'escalier, Maddie sur ses talons.

— Donnez-moi tous les linges, dit Maddie, quand elles arrivèrent en bas. Et allez respirer dehors. Vous l'avez bien mérité.

Keeley acquiesça. Elle était ravie de pouvoir sortir dans la cour et sentir la fraîcheur de l'air sur ses joues. Épuisée par l'épreuve, elle s'assit sur les marches. Un accouchement la terrifiait toujours. Tant de femmes mouraient en couches ! Elle n'aurait pas voulu que cela arrive à Mairin. Mais si elle avait su, elle se serait moins inquiétée. Pour une fois, tout s'était passé remarquablement bien.

— Keeley ? Ça va ?

Le soir tombait déjà, mais la jeune femme n'eut aucune peine à reconnaître Alaric dans la pénombre.

— Oui, ça va, murmura-t-elle.

Il s'approcha d'elle, mais s'arrêta à distance respectueuse.

— Keeley, je...

Elle se releva, intriguée par la nervosité qu'elle percevait dans sa voix.

— Non, ne dis rien, le coupa-t-elle, posant un doigt sur ses lèvres. Je savais depuis le début quel serait ton destin. Et le mien. N'aie aucun regret, Alaric. Tout se passera bien. Tu deviendras un grand laird. Et je serai fière de t'avoir eu pour moi, même si cela n'aura duré qu'un temps.

Alaric lui caressa la joue, avant de se pencher lentement pour poser un baiser sur ses lèvres.

— Tu es merveilleuse, Keeley McCabe. Mon clan a beaucoup de chance de t'avoir.

La jeune femme lui rendit son baiser, avant de se reculer, pour mieux fermer son cœur au chagrin qui la guettait.

— Je dois y aller. Il faut que je remonte voir si Mairin et le bébé n'ont besoin de rien.

Alaric tendit la main pour lui caresser les cheveux.

— Je t'aime. Ne l'oublie jamais.

Keeley lui sourit.

— Je ne l'oublierai pas.

Elle tourna les talons et rentra dans la forteresse sans un regard en arrière. Mais, alors qu'elle montait la première marche, une larme coula sur ses joues.

32

Le laird McCabe se tenait en haut des marches dominant la cour de la forteresse, le bébé serré dans ses bras.

— Je vous présente ma fille ! proclama-t-il, brandissant bien haut l'enfant.

Le clan, rassemblé au grand complet, cria sa joie. Le bruit en résonna jusque dans les collines environnantes.

Ewan serra de nouveau le bébé dans ses bras, et son expression était si tendre que Keeley en avala péniblement sa salive. Maddie, à côté d'elle, souriait aux anges.

— C'est un grand jour pour le clan McCabe, dit-elle, avant de s'essuyer les yeux.

Keeley réalisa tout à coup que la joie du clan était aussi la sienne. Elle était vraiment devenue une McCabe.

Et c'était merveilleux, parce qu'elle se sentait enfin acceptée.

L'ovation terminée, Ewan rentra à l'intérieur et chacun retourna vaquer à ses occupations. Maddie disparut dans les cuisines, et Keeley décida de rendre une petite visite à Mairin pour s'assurer que tout allait bien.

La jeune femme gravit l'escalier en fredonnant. Le couloir, étrangement, était désert. Pour une fois, Gannon ne montait pas la garde.

Keeley n'avait pas fait trois pas, depuis le palier, qu'une main surgit pour lui attraper le bras et l'attirer dans une chambre.

Avant qu'elle ait pu crier, ou se défendre, des lèvres s'emparèrent des siennes pour un baiser bestial. Puis la porte claqua derrière elle et la jeune femme se retrouva violemment plaquée, dos contre le battant.

Elle comprit que ça recommençait. Le laird McDonald ne se souciait pas plus, aujourd'hui qu'hier, de savoir si elle était consentante.

Dès qu'il libéra ses lèvres, elle voulut crier, mais il la réduisit au silence en la bâillonnant d'une main.

— Je n'en ai d'abord pas cru mes yeux, quand je t'ai vue ici, dit-il, la respiration haletante. C'était un signe du destin. J'ai toujours su que tu m'appartenais. J'ai attendu ce moment des années, Keeley. *Des années*. Cette fois, tu ne me diras pas non.

Sa main libre caressait les seins de Keeley avec rudesse. Puis il ôta la main qui la bâillonnait, mais ce fut encore pour l'embrasser.

Rassemblant toutes ses forces, la jeune femme lui donna un coup de genou dans l'entrejambe. Il se plia en deux de douleur, et Keeley le repoussa alors si violemment qu'il tomba le derrière par terre.

Elle se retourna ensuite pour ouvrir la porte, mais elle était verrouillée ! Elle eut tout de même le temps de crier à gorge déployée, avant que le laird ne l'attrape par les cheveux pour la jeter à travers la pièce.

Elle atterrit sur le plancher. Le laird se planta au-dessus d'elle, les yeux brillants de colère.

— Petite garce ! Tu vas me le payer.

Keeley, aveuglée par sa rage, se redressa d'un bond pour le frapper violemment. Il battit en retraite, sous l'effet des coups, mais aussi de la surprise.

Pendant des années, il avait terrorisé Keeley. Elle se l'était représenté comme une sorte de démon beaucoup trop puissant pour elle. Mais à présent, il lui apparaissait dans toute sa réalité pathétique.

— Vous n'êtes qu'un misérable pourceau qui s'attaque aux enfants ! lui cracha-t-elle au visage.

Elle le frappait avec ses poings, sans s'interrompre. À un moment, elle lui écrasa même le nez, faisant jaillir le sang de ses narines. Il finit cependant par se reprendre et contre-attaquer.

Keeley reçut un coup de poing en pleine mâchoire. Reculant sous l'impact, elle heurta le lit et tomba dessus à la renverse.

— Ah, te voilà enfin à ta place, grogna-t-il.

Et il s'avança vers le lit.

Au même instant, la porte vola en éclats. Le laird écarquilla les yeux de terreur, avant de voler littéralement à travers la pièce pour aller s'écraser contre un mur.

Keeley, médusée, regarda Caelen, écumant de rage, se jeter sur lui pour l'obliger à se redresser avant de lui asséner une volée de coups de poing. Elle n'avait encore jamais vu un homme aussi furieux. Si elle n'intervenait pas, Caelen tuerait le laird. Oh, sa mort ne la chagrinerait pas outre mesure, mais les conséquences du geste de Caelen seraient terribles pour lui et pour le clan.

Ignorant sa douleur à la mâchoire, la jeune femme courut vers Caelen pour retenir son bras.

— Caelen, arrêtez !

Caelen lâcha le laird et se retourna.

— Vous prenez sa défense, maintenant ?

Keeley était au bord des larmes. Elle secoua la tête.

— Non. Mais laissez-le, s'il vous plaît. Pensez aux conséquences de votre acte.

Il reporta son regard sur le laird écroulé à terre et eut une grimace de dégoût.

Soudain, Keeley accusa brutalement le choc de ce qui venait de se passer. Elle défaillit.

Caelen la rattrapa à temps dans ses bras, puis la porta jusqu'à sa chambre et la déposa sur son lit.

— Voulez-vous que j'appelle Maddie, ou Christina ?

Elle secoua la tête et massa sa mâchoire endolorie.

— J'aurais dû le tuer, marmonna Caelen, avant de tourner les talons et de lancer : Je vais chercher Alaric !

À ces mots, la jeune femme bondit du lit pour le retenir.

— Non, Caelen ! Ne dites surtout pas un mot de tout ceci !

Caelen la regarda avec incrédulité.

— Réfléchissez. Si vous en parlez à Alaric, il sera furieux. Il était déjà très fâché de ce qui s'était passé autrefois. S'il apprend que le laird a voulu recommencer aujourd'hui, je n'ose imaginer sa réaction.

— Et ça peut se comprendre. Aucun homme ne devrait tolérer qu'une femme puisse être maltraitée ainsi. McDonald méritait la mort. En vous agressant, il a insulté tout le clan McCabe. Ewan ne lui pardonnera pas.

— C'est bien pour cela qu'il ne faut rien dire. Cette alliance est trop importante pour votre... pour *notre* clan. Songez au dilemme d'Alaric. Il ne peut pas se permettre de s'en prendre au père de sa future épouse. N'oubliez pas qu'Alaric est destiné à devenir laird des McDonald.

Caelen se passa une main dans les cheveux et soupira d'exaspération.

— Alors, vous préférez que je garde le silence ?

Keeley se contenta de hocher la tête, de peur de fondre en larmes.

Caelen soupira encore, avant de s'asseoir à côté d'elle sur le lit. Puis, après un moment d'hésitation, il lui enlaça la taille.

— Vous savez, je comprendrais que vous pleuriez, dit-il d'un ton bourru.

Soulagée, Keeley s'abandonna dans ses bras et éclata en sanglots. Elle pleura, pendant qu'il tentait maladroitement de la consoler en lui tapotant le dos. Elle pleura jusqu'à en avoir la migraine. Peu à peu, ses larmes se réduisirent à une série de petits hoquets.

Elle se redressa alors, pour s'essuyer les yeux d'un revers de main.

Puis elle éclata de rire.

Caelen la regardait bizarrement, mais elle ne pouvait pas l'en blâmer. Il devait se demander si elle n'était pas devenue folle.

— Je l'ai fait saigner du nez, dit-elle.

Caelen sourit.

— Oui, j'ai constaté cela. Vous m'avez impressionnée, Keeley. Vous ne manquez pas de courage.

— Je l'ai aussi frappé entre les jambes.

Il hocha la tête en grimaçant.

— Avec ce que nous lui avons fait subir tous les deux, je crois qu'il ne sera pas en état d'agresser une autre femme avant un bon moment.

— Tant mieux ! À défaut de le tuer, nous pouvons au moins le faire souffrir.

Caelen s'esclaffa.

— Merci, Caelen, soupira Keeley. Je suis désolée d'avoir pleuré sur votre épaule. Votre tunique est toute mouillée, à présent.

— Je pouvais bien vous apporter ce réconfort, après tout ce que vous avez fait pour notre clan. Je reconnais qu'au début, je me méfiais de vous. J'estimais qu'Alaric avait tort de s'intéresser à vous et qu'il n'en sortirait rien de bon. Mais j'ai eu tort. Même maintenant, alors que vous pourriez chercher à saccager son mariage avec Rionna, vous ne pensez qu'au bien du clan. Vous êtes une sacrée femme, Keeley McCabe !

Keeley sentit ses yeux s'embuer de nouveau.

— Oh, arrêtez ! Je me mets à pleurer chaque fois qu'on m'appelle McCabe.

Caelen lui souleva doucement le menton, pour l'obliger à croiser son regard.

— Ça ira ? Il ne vous a pas fait trop mal ?

— Je crois que c'est plutôt moi, au contraire, qui l'ai fait souffrir. Il a juste réussi à me donner un coup de poing dans la mâchoire.

— Parfait. Voulez-vous que je demande à l'une des femmes de monter vous voir ?

— Non, tout ira bien. Vous les avez parfaitement remplacées.

Il parut si désarçonné qu'elle eut envie d'éclater de rire.

— Je plaisantais. Mais je ne vous remercierai jamais assez d'avoir accouru à mon secours.

Elle voulut se relever, mais voyant qu'elle chancelait sur ses jambes, Caelen lui prit le bras pour l'obliger à se rasseoir.

— Vous devriez rester un peu sur ce lit. Vous avez subi un choc très éprouvant.

— Je dois aller voir Mairin et son bébé. De toute façon, je préfère m'occuper, que de rester ici toute seule.

— D'accord, allez voir Mairin. Mais ensuite, vous reviendrez ici pour vous reposer, dit-il d'un ton ferme. Sinon, je raconterai à Alaric ce qui s'est passé.

Keeley comprit qu'il ne plaisantait pas.

— C'est entendu. Je me reposerai tout à l'heure.

Caelen la regarda quitter la chambre d'une démarche mal assurée. Elle s'illusionnait beaucoup si elle s'imaginait qu'il garderait le secret sur ce qui s'était passé. Ewan devait être informé qu'une vipère logeait sous son toit. En revanche, elle avait raison de le dissuader d'en parler à Alaric. Si son frère apprenait l'agression dont Keeley avait été victime, il deviendrait fou de rage contre Gregor McDonald. Ce serait la guerre, et tous les patients efforts des McCabe pour sceller cette alliance seraient réduits à néant.

Pour la première fois, Caelen s'attristait du sort de son frère. Il était évident qu'Alaric tenait beaucoup à Keeley et que celle-ci partageait ses sentiments. Et la jeune femme avait gagné toute son estime en ne profitant pas de cet incident avec le laird McDonald pour saboter le mariage de l'homme qu'elle aimait.

Alaric ne saurait jamais ce qui s'était passé, mais désormais, Caelen veillerait à la protection de Keeley jusqu'à ce que les McDonald soient repartis. Et le plus tôt serait le mieux. Caelen se voyait mal côtoyer le laird McDonald sans avoir envie de lui sauter encore à la gorge.

33

— Keeley, que vous est-il arrivé à la mâchoire ? demanda Mairin.

Keeley massa sa mâchoire endolorie.

— Ça se voit tant que ça ?

Mairin fronça les sourcils.

— Vous avez un bleu. Il se remarque plus ou moins selon que vous prenez la lumière. Que vous est-il arrivé ?

— Oh, rien, répondit Keeley, d'un ton léger. Sinon ma maladresse. J'ai trébuché dans l'escalier. Heureusement, personne n'a assisté au désastre.

Mairin ne parut pas convaincue par l'explication, mais elle n'insista pas.

— Comment vous sentez-vous ? voulut savoir Keeley.

— Fatiguée, mais sinon, tout va bien, assura Mairin. J'ai hâte de sortir du lit. (Et, jetant un regard implorant à Keeley, elle précisa :) Ewan va me rendre folle. J'ai beau lui répéter que la plupart des femmes se relèvent très vite après leurs couches, il refuse d'entendre raison.

Keeley sourit.

— Je ne vois pas en quoi il serait mauvais de vous étirer un peu.

— J'aimerais m'asseoir devant le feu pour donner le sein à Isabel. Je n'en peux plus d'être allongée.

— Ainsi, vous l'avez appelée Isabel... C'est vraiment un très joli prénom.

Mairin baissa les yeux sur son bébé endormi dans ses bras.

— Oui, dit-elle, le visage rayonnant de fierté et d'amour. Ewan l'annoncera officiellement à l'arrivée du roi.

Keeley avala sa salive.

— Le roi va venir ici ?

— Oui. Ewan l'a informé de la présence des McDonald. Comme il voulait assister au mariage d'Alaric, il ne devrait plus tarder.

S'efforçant de garder contenance, Keeley tendit les bras.

— Confiez-moi Isabel, que je la mette dans son berceau. Ensuite, je vous aiderai à vous installer devant le feu. Si vous le souhaitez, nous pourrions aussi en profiter pour faire votre toilette et vous changer.

— Oh, ce serait merveilleux ! s'extasia Mairin.

Après avoir couché le bébé dans son berceau, Keeley aida Mairin à sortir du lit, puis à se laver et à changer de robe.

— Finalement, je tiens très bien sur mes jambes ! décréta Mairin, d'un air de triomphe.

— Je crois que je vais être obligé de poster un garde dans la chambre, pour m'assurer que tu ne commets pas d'imprudences, intervint Ewan, depuis la porte.

Mairin sursauta si violemment que Keeley lui prit le bras, avant de se tourner vers le laird.

— Entrez ou sortez, mais fermez la porte et parlez moins fort, lui intima-t-elle. Le bébé dort.

Ewan n'aimait visiblement pas recevoir d'ordres, mais il s'exécuta cependant, refermant la porte derrière lui, avant de s'approcher de Mairin et de croiser les bras.

— Ne prenez donc pas cet air martial ! lui dit encore Keeley. Aidez-la plutôt à s'asseoir devant le feu. Elle voudrait allaiter le bébé à son aise.

— Elle ferait mieux de se reposer dans son lit, grommela Ewan.

Mais il prit Mairin avec lui et il l'installa avec beaucoup de douceur devant la cheminée. Après quoi Keeley récupéra le bébé pour l'apporter à sa mère. Puis elle s'affaira à nettoyer le lit et remettre de l'ordre.

— Cesse de froncer les sourcils, dit Mairin à Ewan, pour faire écho aux reproches de Keeley. Je me sens très bien. Mais si je devais passer une journée de plus dans ce lit, je deviendrais folle.

— Je m'inquiétais pour toi, se justifia Ewan. Je te veux en bonne santé. Et Isabel aussi.

Mairin lui tapota affectueusement le bras.

— Ne t'inquiète pas. Nous sommes toutes les deux en pleine forme.

Ewan s'assit à côté d'elle et la regarda donner le sein à Isabel avec un mélange d'amour et d'émerveillement dans les yeux.

— Tu as failli me faire oublier la raison de ma venue, dit-il soudain. Te voir debout m'a égaré l'esprit.

Mairin s'esclaffa.

— Ça ne t'arrive pas souvent.

— Le roi arrive dans deux jours. Son messager vient de me l'apprendre. Il sera ravi de célébrer le mariage d'Alaric en même temps que la transmission de Neamh Alainn à notre fille.

Keeley tressaillit, mais elle continua de vaquer à son nettoyage.

— Je ne peux quand même pas être au lit quand le roi sera là ! protesta Mairin.

— Je ne veux pas que tu t'épuises inutilement, insista Ewan.

— Il n'est pas question que je manque le mariage d'Alaric. De toute façon, j'en ai assez d'être couchée.

— Vous ne devriez éprouver aucune difficulté à descendre pour le mariage d'Alaric, intervint Keeley. À condition que vous vous reposiez bien d'ici là.

Ewan triomphait. Mairin se retourna pour fusiller Keeley du regard.

— Traîtresse !

Soudain, on frappa à la porte et Ewan se leva pour aller ouvrir. En découvrant Rionna McDonald, Keeley se figea et détourna le regard, tout en ayant conscience de la stupidité de sa réaction. Rionna l'avait forcément vue.

— Pardonnez-moi, laird, dit Rionna, mais je souhaitais saluer lady McCabe et son bébé, si du moins elle reçoit des visites.

Mairin fit à Ewan une grimace impuissante avant d'adresser à Keeley un regard d'excuse.

— J'ai presque fini de nettoyer, dit celle-ci à haute voix. Je reviendrai terminer plus tard.

Elle salua Ewan et Mairin et croisa Rionna à la porte.

— S'il te plaît, Keeley, dit Rionna, lui prenant le bras. J'aimerais te parler, tout à l'heure.

Keeley lui sourit.

— C'est inutile. J'ai appris que le roi serait là dans deux jours. Félicitations pour ton mariage. Tu dois être très impatiente.

Et elle s'éclipsa sur ces mots. Rionna la suivit du regard jusqu'à ce qu'elle ait disparu dans l'escalier.

Alaric fit décrire à son épée un arc de cercle, avant de l'abattre sur le bouclier de son adversaire. C'était le quatrième homme dont il se débarrassait en quelques minutes, et il se tournait déjà vers un éventuel prochain agresseur.

Mais c'est Caelen qui surgit devant lui avec un regard de défi.

— Tu cherches la bagarre, frangin ?

Alaric pesta.

— Je ne suis pas d'humeur à plaisanter, répliqua-t-il.

Et sans se préoccuper de savoir pourquoi Caelen désirait l'affronter, Alaric le chargea avec son épée. Caelen sauta de côté et para habilement le coup.

Le bruit des deux lames qui s'entrechoquaient résonnait dans la cour de la forteresse et bientôt un cercle de guerriers – McCabe et McDonald confondus – se forma autour des deux belligérants.

Au début, Alaric le prit à la légère. Il mesurait ses attaques pour ne pas frapper trop fort. Mais il réalisa très vite que Caelen ne voulait pas se contenter d'un simple entraînement.

Les yeux de son frère brillaient de rage et il se battait sans jamais desserrer les mâchoires. Alaric se jeta alors à corps perdu dans la bataille, heureux de pouvoir enfin libérer toutes les frustrations accumulées au cours des dernières semaines.

De toute façon, il n'avait pas à s'inquiéter. Son frère était un gladiateur aussi endurci que lui : il saurait se préserver des coups réellement dangereux.

Leur affrontement fit bientôt l'objet de paris. Deux clans se formèrent, parmi les spectateurs, chacun encourageant son champion par des cris.

Un peu en retrait, Ewan observait le combat en silence. Il n'interviendrait pas. Il n'était pas stupide. Ses deux frères avaient beau être furieux l'un et l'autre, il savait qu'ils ne s'entretueraient pas. Sans doute se blesseraient-ils, mais c'était une autre histoire. Ewan ne voulait pas risquer de prendre bêtement un mauvais coup en s'interposant.

Il ignorait ce qui avait provoqué la colère de Caelen. Mais il finirait bien par le découvrir.

À cette heure tardive, tout le monde ou presque au château dormait à poings fermés. Cependant, Keeley veillait dans son lit et revivait les événements de la journée. Nerveusement épuisée, elle ne savait pas combien de temps elle pourrait encore tenir sans craquer.

Comme elle n'avait entendu parler d'aucune dispute impliquant le laird McDonald, elle en déduisit que

Caelen avait tenu parole et qu'il n'avait pas ébruité ce qui s'était passé.

Keeley se raidit instinctivement au souvenir de son agression et elle dut faire appel à toute sa volonté pour se détendre et calmer sa colère. Elle aurait aimé tuer ce monstre. Elle était heureuse, en tout cas, de n'avoir pas été paralysée par la peur et de s'être défendue avec courage.

De toute façon, elle aurait encore préféré se jeter par la fenêtre, plutôt que de laisser le laird McDonald la violer !

Des coups discrètement frappés à sa porte la firent se redresser dans son lit. Craignant qu'il ne soit arrivé quelque chose à Mairin, ou au bébé, elle se drapa dans un châle et se dépêcha d'aller ouvrir.

Mais c'est une surprise qui l'attendait derrière la porte.

— Rionna ?

— Keeley, murmura Rionna, d'une voix douce, je peux entrer ?

Keeley s'agrippa à la porte pour se soutenir. Elle ne souhaitait pas avoir d'explication avec Rionna. Elle ne voulait même pas lui parler. Savoir qu'elle épouserait Alaric le surlendemain lui suffisait amplement.

D'un autre côté, elle ne pouvait pas éviter l'inévitable. Et mieux valait avoir cette explication en privé, pendant que personne ne pourrait les entendre.

La jeune femme ouvrit le battant en grand.

— Oui, entre.

Dès que Rionna eut franchi le seuil, Keeley referma la porte derrière elle et alla s'asseoir sur son lit. Elle ne voulait pas donner l'avantage à Rionna en lui montrant que sa visite la rendait nerveuse.

Du reste, c'était Rionna qui paraissait la plus gênée. Ses doigts trituraient les coutures de son pantalon d'homme.

— Je voudrais te dire tant de choses, Keeley. D'abord, que je suis heureuse que tu sois en vie et en bonne santé. Quand j'ai appris ta disparition, j'ai redouté qu'il te soit arrivé quelque chose de terrible.

Keeley ne put s'empêcher de répliquer. Son amertume était trop forte.

— Voilà un étrange discours, quand on sait comment j'ai été chassée de chez moi et obligée de survivre par mes propres moyens !

Rionna secoua la tête.

— Non. Pas uniquement par tes propres moyens.

Keeley se releva d'un bond. Mais ses jambes tremblaient.

— Tu n'as jamais cherché à me revoir, même après la mort de ta mère. Pourtant, tu savais la vérité, Rionna. *Tu savais*.

— Oui, je savais. Depuis le début. C'est terrible, pour une fille, de découvrir la véritable nature de son père. Pourquoi crois-tu que je préférais toujours aller jouer à l'extérieur de la forteresse, plutôt que dans la cour ? Parce que je voyais bien la façon dont mon père te regardait, Keeley. Je savais, et je le méprisais pour ça.

Keeley en resta bouche bée. Elle était si stupéfaite qu'elle ne savait pas quoi répondre.

Rionna lui prit le bras.

— Assieds-toi, s'il te plaît, et écoute ce que j'ai à te dire.

Keeley hésita.

— S'il te plaît, insista Rionna.

Keeley se laissa retomber sur le lit. Rionna s'y installa elle aussi, à distance respectueuse.

— J'étais anéantie, quand ma mère t'a traitée de catin et t'a chassée du clan. Je savais ce qui s'était passé réellement et je lui en voulais de t'en accuser. C'était une femme orgueilleuse. Elle n'aurait pas supporté que quelqu'un apprenne la vérité. Mais cela n'excusait pas pour autant son attitude. Je me suis souvent demandé quelle aurait été sa réaction si je m'étais trouvée à ta place ? M'aurait-elle traitée, moi aussi, de catin ? Aurait-elle préféré tourner le dos à sa propre fille plutôt que de sacrifier son orgueil ?

Keeley avala péniblement sa salive. Elle lisait un tel chagrin dans les yeux de Rionna qu'elle avait envie de la serrer dans ses bras pour la réconforter.

— Tu ne peux pas savoir combien je me suis inquiétée pour toi, ajouta Rionna.

— Pourtant, tu n'as rien fait, même après la mort de ta mère, lui rappela Keeley.

Rionna soupira.

— Les gens qui venaient réclamer ton aide et te laissaient ensuite quelques pièces ou un morceau de gibier, étaient tous envoyés par moi. C'était mon seul moyen de m'assurer que tu disposais de tout ce dont tu avais besoin.

— J'aurais surtout eu besoin de ton amitié, et du soutien de mon clan ! rétorqua Keeley. As-tu seulement idée de ce que l'on ressent lorsqu'on est chassé de chez soi sans possibilité de retour ?

Rionna lui prit la main avec beaucoup de douceur, comme si elle craignait que Keeley ne lui oppose une rebuffade.

— Je ne pouvais pas te laisser revenir, Keeley.

Keeley haussa les sourcils.

— Pourquoi ?

— Parce que tu l'obsédais, Keeley. Il ne t'aurait pas laissée tranquille un seul instant. La meilleure solution pour te protéger de mon père, c'était de te tenir le plus loin possible de lui.

Keeley accusa le choc. Elle réalisait que Rionna disait vrai. Elle l'avait vu, tout à l'heure, dans le regard du laird. Il la désirait avec une sorte de désespoir. Comme si toutes ces années n'avaient pas existé, et qu'il n'avait pas cessé d'attendre sa chance de la posséder.

— Oh, Rionna ! murmura Keeley.

— C'est en partie pour cela que j'ai accepté ce mariage avec Alaric McCabe, poursuivit Rionna. Dès lors que mon père n'aurait plus été laird, j'aurais pu te faire revenir dans notre clan. Les McCabe sont des gens honorables. Alaric n'aurait pas permis que mon père te fasse du mal. Nous serions redevenues des sœurs, comme autrefois.

Keeley sentit des larmes monter dans sa gorge. Elle avait envie de pleurer sur l'innocence perdue de deux jeunes filles rattrapées par le démon des hommes.

— Je ne t'ai jamais oubliée, Keeley. Il ne s'est pas écoulé un seul jour sans que je pense à toi. Mais j'ai bien conscience que tu avais toutes les raisons du monde d'être fâchée contre moi. Et je ne t'en voudrai pas si tu ne me pardonnes pas. Mais sache que j'ai fait ce qui me paraissait préférable pour ta sécurité.

Keeley attira Rionna dans ses bras. Les deux femmes s'étreignirent de longues minutes, ravalant toutes deux leurs larmes. Keeley ne savait pas quoi dire, mais elle comprenait, à présent, que Rionna avait souffert autant qu'elle.

— Comment t'es-tu retrouvée chez les McCabe ? finit par demander Rionna.

Keeley se sentit gagnée par la culpabilité. Elle ne pouvait évidemment pas raconter à Rionna la véritable nature de sa relation avec Alaric et ne voulait pas la blesser en lui apprenant que son futur mari en aimait une autre. Aussi préféra-t-elle inventer un mensonge. Elle en aurait moins de remords.

— Le laird McCabe avait besoin d'une guérisseuse en prévision de l'accouchement de sa femme. Il m'a offert un toit et une position dans son clan. Je ne pouvais pas refuser une telle opportunité.

Rionna fronça les sourcils.

— Es-tu heureuse, ici ? Et bien traitée ?

Keeley sourit.

— Oui. Les McCabe sont devenus ma nouvelle famille.

— Je suis contente que tu sois là pour assister à mon mariage avec Alaric. Je n'aurais pas voulu de meilleur témoin que toi.

Keeley prit sur elle pour ne pas réagir au commentaire innocent de Rionna.

— Cette fois, je ne veux plus te perdre, reprit Rionna, avant de serrer de nouveau Keeley dans ses bras. Promets-moi de venir souvent nous rendre visite. Et d'être là pour l'accouchement de mon premier enfant.

Keeley rendit l'accolade à son amie.

— Oui, dit-elle, d'une voix étranglée. Je te le promets.

34

Depuis la fenêtre de sa chambre, Keeley regardait Alaric se promener avec Rionna en bordure du loch. Ils auraient pu rêver à plus d'intimité pour se faire la cour : des guerriers McCabe et McDonald étaient postés en sentinelle non loin d'eux.

La température continuait d'être clémente pour la saison, favorisant les occupations extérieures. La cour de la forteresse commençait d'ailleurs de bruisser d'activités, en vue des préparatifs du mariage.

La nouvelle de l'arrivée du roi s'étant vite répandue à travers les Highlands, les clans voisins commençaient d'accourir et de se rassembler au pied des murs de la forteresse.

Gertie et les autres femmes travaillaient donc d'arrache-pied pour pouvoir nourrir tout cet afflux de visiteurs.

L'excitation était partout palpable à travers les Highlands. La guerre semblait imminente et chaque clan voulait s'assurer de sceller la bonne alliance.

Par sa venue, le roi manifestait son approbation au mariage d'Alaric et de Rionna. Cette cérémonie assoirait la nouvelle suprématie des McCabe, encore renforcée par la naissance de la fille d'Ewan, désormais héritière de Neamh Alainn.

Keeley observait attentivement Alaric. Celui-ci tendait l'oreille pour écouter ce que lui disait Rionna, qui semblait lui faire la leçon.

Keeley savait depuis le début qu'Alaric était appelé à une grande destinée. Devenu laird des McDonald il s'imposerait, avec Ewan, comme l'un des meilleurs défenseurs du trône d'Écosse.

À un moment, Alaric tourna la tête vers la forteresse et son regard accrocha celui de Keeley. Il grimaça, comme en proie à un violent chagrin.

La jeune femme s'écarta de la fenêtre afin que personne ne soit témoin de leur échange. Son cœur avait beau être brisé en mille morceaux, elle ne voulait surtout pas causer la moindre gêne à Rionna.

Quelqu'un frappa à sa porte, la tirant de ses rêveries. Elle s'empressa d'aller ouvrir, ravie de cette distraction.

C'était Caelen. Keeley fut si surprise qu'elle ne sut pas quoi lui dire.

Caelen ne semblait pas plus à l'aise qu'elle.

— J'ai pensé que... enfin, je me suis dit que vous préféreriez peut-être descendre accompagnée, pour le dîner.

— Vous m'offrez votre escorte ?

— Oui. Je me doute que les noces de demain doivent vous préoccuper, mais ce ne serait pas une bonne idée de passer la soirée seule dans votre chambre.

Keeley, très émue, lui sourit.

— J'espère que vous n'allez pas pleurer ! marmonna-t-il, effrayé à l'idée d'affronter une nouvelle crise de larmes.

Le sourire de Keeley s'élargit.

— J'accepte volontiers votre escorte.

Caelen lui tendit son bras.

Le dîner fut très animé et se prolongea tard dans la soirée. La grande table était occupée par les lairds des clans voisins, accourus pour rendre hommage au roi et se faire remarquer de lui.

Rionna, assise entre Alaric et son père, semblait s'ennuyer. Mairin tombait visiblement de fatigue, au point qu'Ewan, peu soucieux des convenances, la prit dans ses bras pour la soutenir.

Assis près de Keeley, Caelen observait tout le monde. Quoique peu loquace, il se penchait de temps à autre vers Keeley pour lui demander si tout allait bien.

La jeune femme lui était reconnaissante de sa sollicitude. Sous ses dehors bourrus, Caelen cachait une grande attention aux autres. Keeley ignorait ce qui l'avait rendu si méfiant pour manifester ses émotions, mais elle était convaincue que quiconque gagnait sa loyauté pourrait compter sur une dévotion sans faille.

— J'ai peur que la soirée ne s'éternise un peu trop pour Mairin, chuchota Keeley à Caelen. Mais à cause de la présence du roi, elle veut rester auprès de son mari et elle n'admettra jamais qu'elle est épuisée.

Caelen regarda en direction de Mairin et fronça les sourcils.

— Ewan aurait dû l'envoyer se coucher depuis longtemps.

— Je pourrais peut-être m'en mêler et dire que le bébé réclame sa mère ?

— Oui. Et je vous accompagnerai toutes les deux là-haut, pour qu'Ewan n'ait pas à quitter la table, décréta Caelen.

Keeley sourit.

— Excellente idée.

— Il n'aura pas d'autre occasion de se retrouver seul avec vous, ajouta Caelen, désignant du regard le laird McDonald.

Keeley se releva de table. Elle sourit à Rionna, sans même paraître voir son père, puis elle coula un regard furtif en direction d'Alaric, avant de détourner vivement la tête de crainte que ses émotions ne la trahissent.

Caelen l'escorta au bout de la table et Keeley fit sa révérence au roi, avant de s'adresser au laird McCabe :

— Si vous le permettez, laird, j'aimerais conduire lady McCabe auprès d'Isabel.

Ewan la remercia du regard. Puis il se leva pour aider Mairin à faire de même.

Même Mairin semblait soulagée de quitter la table.

Keeley s'apprêtait à gagner l'escalier quand le roi leva la main pour l'arrêter. La jeune femme se figea, angoissée. Avait-elle offensé le monarque en l'interrompant dans sa conversation ?

— Ewan m'a dit que vous étiez la guérisseuse qui avait présidé à l'accouchement de ma nièce ?

— C'est exact, Votre Majesté.

— Il m'a aussi précisé que vous aviez sauvé la vie d'Alaric McCabe.

Keeley hocha la tête. Elle était horriblement mal à l'aise, car à présent tout le monde, autour d'eux, les écoutait.

— Les McCabe ont beaucoup de chance de vous avoir. Si Ewan n'était pas un allié si précieux, je vous demanderais d'être ma guérisseuse personnelle.

Keeley n'en croyait pas ses oreilles.

— Mer... merci, Votre Majesté, balbutia-t-elle. Vos paroles m'honorent.

Le roi leva de nouveau la main, cette fois pour la congédier.

— Vous pouvez disposer. Ma nièce a besoin de se reposer. Je vous charge de sa santé, et de celle de sa fille.

Keeley fit une autre révérence, avant de suivre Caelen et Mairin, qui partaient déjà vers l'escalier.

— Comment vous sentez-vous ? demanda Mairin à Keeley, quand les deux femmes se retrouvèrent dans la chambre de Mairin.

Keeley écarquilla les yeux.
— C'est plutôt à moi de vous poser cette question. Vous paraissiez très fatiguée, durant le dîner.
Mairin grimaça.
— C'est vrai, je l'étais. Et je vous remercie d'être venue à mon secours.
Mairin s'assit. Keeley prit le bébé à la servante chargée de veiller sur lui pour le tendre à sa mère. Mairin congédia la servante et reporta son attention sur Keeley.
— Vous ne m'avez pas répondu. Comment vous sentez-vous ? Je me doute que ce doit être très pénible pour vous.
Keeley s'obligea à sourire.
— Ça va. Sincèrement. J'ai eu la chance de pouvoir parler avec Rionna. Toutes ces années ont été si douloureuses pour elle ! Elle est ma sœur de cœur et je n'ai aucune envie de lui nuire.
— Vous préférez souffrir toute seule, murmura Mairin.
Keeley soupira.
— Je souhaite le bonheur de Rionna. Et celui d'Alaric. Elle fera une épouse loyale et lui donnera de beaux enfants. Elle mérite d'épouser un laird.
— Vous aussi, Keeley.
Keeley sourit encore.
— Peut-être trouverai-je un jour un laird rien que pour moi ?
Mais en même temps qu'elle disait cela, elle savait pertinemment que personne ne remplacerait jamais Alaric dans son cœur.
— Restez avec moi, lui suggéra Mairin. Ewan montera se coucher très tard, ce soir. Je ne serais même pas étonnée qu'il ne me rejoigne qu'à l'aube.
Keeley acquiesça d'autant plus volontiers qu'elle ne se voyait pas se morfondre toute seule dans sa chambre.

La compagnie d'une amie l'aiderait à surmonter son chagrin.

Keeley fut réveillée par des coups frappés doucement à la porte de sa chambre. Désorientée, elle se frotta les yeux. Ce ne pouvait pas déjà être l'aube. Elle venait à peine de se coucher, après être restée auprès de Mairin une bonne partie de la nuit.

Espérant que rien de grave n'était arrivé, la jeune femme sortit du lit et entrouvrit sa porte.

Mais dès qu'elle reconnut Caelen, elle ouvrit le battant en grand.

— Caelen ? Que se passe-t-il ?

Il porta un doigt à ses lèvres, pour lui signifier de ne pas faire de bruit. Puis il se pencha, pour lui chuchoter :

— C'est Alaric qui m'envoie. Il aimerait vous voir. Mais il n'a pas voulu prendre le risque de monter jusqu'à votre chambre.

Keeley avala sa salive.

— Où est-il ?

— Habillez-vous chaudement. Il est au bord du loch.

— Accordez-moi un instant. Je vais faire vite.

Elle s'habilla à la hâte, retrouva Caelen dans le couloir et le suivit vers l'escalier.

Puis, soudain, elle s'arrêta au milieu des marches.

— Vous êtes conscient que si quelqu'un nous voit, nous donnerons l'impression de... enfin, vous et moi...

— Oui, répondit Caelen. Je sais.

Keeley se mordit la lèvre et reprit sa descente. Ils sortirent discrètement de la forteresse et gagnèrent un amas de rochers environné d'arbres surplombant le loch.

— Merci, Caelen, dit Alaric, surgissant de l'obscurité.

Caelen tournait déjà les talons.

— J'attendrai Keeley à la lisière des arbres, dit-il.

Keeley était nerveuse. Elle avait l'impression de ne pas avoir vu – ni touché – Alaric depuis une éternité.

Alaric prit les mains de la jeune femme et les serra dans les siennes.

— Je tenais à te voir ce soir. Une dernière fois, avant mon mariage. Car aussitôt que j'aurai prononcé mes vœux, j'y resterai fidèle. Je ne trahirai ni ma femme ni mon clan.

Keeley riva ses yeux embués de larmes à ceux de l'homme qu'elle aimait plus que tout au monde.

— Oui, je sais.

Il porta une main à ses lèvres.

— Je veux que tu saches que je t'aime, Keeley McCabe. Et je t'aimerai toujours. Mais je souhaite aussi ton bonheur. J'espère que tu trouveras un homme qui t'aimera comme je t'ai aimée et qui te donnera la famille que tu mérites.

Keeley ne put pas retenir davantage ses larmes.

— Je ne désire, moi aussi, que ton bonheur, Alaric. Rionna est parfaite. Elle fera une bonne épouse. Essaie de l'aimer. Elle mérite de l'être.

Alaric l'attira dans ses bras et la serra très fort contre lui.

— Je ferai tout ce que tu me demanderas, Keeley.

— Alors, sois heureux, murmura-t-elle. Mais garde-moi dans ta mémoire. Pour ma part, je n'oublierai jamais ces quelques semaines dont nous avons pu profiter ensemble. Je les chérirai toujours dans mon cœur. Tu es un fier guerrier, et un homme merveilleux, Alaric. Les McDonald auront beaucoup de chance de t'avoir pour laird.

Alaric relâcha son étreinte et Keeley comprit qu'elle devait à présent le laisser partir. Sa poitrine était si oppressée qu'elle respirait avec difficulté. Mais elle s'obligea à tenir bon et à vivre cette séparation avec dignité. Alaric le méritait. Il n'avait assurément pas besoin qu'une ancienne maîtresse sombre dans l'hystérie à la veille de son mariage.

Elle lui caressa la joue.

— Vis longtemps et sois heureux, mon amour.

Alaric lui reprit la main, pour lui embrasser la paume. Quand la jeune femme retira sa main, elle s'aperçut qu'il y avait versé une larme. Ce fut plus qu'elle ne pouvait en supporter.

Elle s'enfuit vers les arbres.

— Caelen ! appela-t-elle doucement.

— Je suis là, dit Caelen, surgissant de derrière un arbre.

— Raccompagnez-moi, s'il vous plaît.

Caelen lui prit le bras et l'escorta vers la forteresse. À chaque pas, la douleur de Keeley se faisait plus aiguë.

Ils rentrèrent dans la forteresse en silence. Caelen la conduisit jusqu'à sa chambre et ouvrit la porte. Keeley resta plantée sur le seuil. Elle ne se sentait même pas la force de gagner son lit.

— Ça ira ? lui demanda gentiment Caelen.

Comme elle ne répondait pas, il la poussa à l'intérieur et referma la porte derrière eux. Puis il la serra très fort dans ses bras.

— Pleurez, si vous le souhaitez. Personne ne vous entendra, à part moi.

Alors, Keeley enfouit son visage dans sa tunique et éclata en sanglots.

35

— Keeley, dépêchez-vous ! Le prêtre va me marier avec Cormac juste avant de célébrer le mariage d'Alaric et de Rionna, annonça Christina.

Keeley se frotta les yeux, priant le ciel pour qu'ils ne soient pas trop gonflés. Elle n'avait pas pu trouver le sommeil, après ses adieux à Alaric, et elle n'avait aucune envie de quitter sa chambre.

Mais elle ne voulait pas non plus gâcher la joie de Christina. Son amie était si excitée par son mariage avec Cormac qu'elle jaillissait presque de la jolie robe que Maddie et Bertha lui avaient offerte pour l'occasion.

— Vous êtes magnifique, assura Keeley, se forçant à sourire.

Et c'était la pure vérité. Christina rayonnait de bonheur.

— Merci, répondit Christina. Maintenant, dépêchez-vous ! Je ne voudrais pas faire attendre Cormac.

Christina prit Keeley par la main et l'entraîna vers l'escalier. Keeley s'était vêtue avec soin. Elle avait même natté ses cheveux. Elle ne voulait surtout pas que quiconque se doute qu'elle était anéantie.

Cormac attendait déjà Christina dans la grande salle et son soulagement, quand il la vit apparaître, amusa Keeley. Ewan était là, aussi, comme témoin de Cormac.

Christina prit Keeley à part.

— Mairin se repose avant le mariage d'Alaric, murmura-t-elle. Alors, j'aimerais que vous soyez mon témoin.

Keeley lui étreignit la main.

— Avec grand plaisir.

Christina s'approcha timidement de Cormac, mais son visage s'illumina dès qu'il lui prit la main. Puis ils se placèrent face au prêtre pour échanger leurs vœux. Leur amour était évident. Ils se dévoraient du regard, comme si personne d'autre n'existait à leurs yeux.

Quand finalement Cormac embrassa Christina, toute la pièce cria son enthousiasme.

Profitant de ce que les nouveaux mariés étaient félicités de toutes parts, Keeley recula pour regagner discrètement sa chambre.

Mais Ewan l'arrêta.

— J'aimerais vous dire un mot, Keeley, murmura-t-il.

Et il l'entraîna vers une alcôve.

— Caelen m'a appris ce qui s'était passé avec le laird McDonald.

Keeley tressaillit.

— Il n'aurait pas dû.

— Au contraire. Je suis désolée, Keeley. Le laird ne sera plus jamais le bienvenu chez moi.

Keeley hocha la tête.

— Merci.

— Pour ma part, je voulais vous remercier de n'avoir rien dit à Alaric. Je sais combien il tient à vous. Mais ce mariage est très important. Caelen m'a raconté que vous l'aviez supplié de ne pas alerter Alaric, de peur que cela nuise à l'alliance entre nos deux clans.

Keeley hocha encore la tête.

— Vous êtes courageuse, Keeley. Et ma femme vous aime beaucoup, ainsi que tout le clan. Si je puis faire quoi que ce soit pour assurer votre bonheur ici, n'hésitez pas à me le demander.

— Je suis heureuse de pouvoir me réclamer du clan McCabe. Cela me suffit. J'en suis très fière.

Ewan sourit.

— Vous pouvez disposer, à présent. Je ne vous retiens pas davantage.

Keeley décida finalement de rejoindre la cour, où devait être célébré le mariage d'Alaric.

La jeune femme resserra son châle sur ses épaules et elle s'assit avec d'autres dans l'herbe, qui n'était plus recouverte de neige depuis déjà plusieurs jours.

Le soleil brillait dans le ciel et lui réchauffait les os. C'était une journée idéale pour un mariage. Les conditions presque printanières semblaient signifier que cette union était bénie par Dieu en personne.

La foule s'était amassée en nombre. Les bannières d'une douzaine de clans flottaient au vent.

Aujourd'hui, tous les regards seraient braqués sur Alaric et Rionna. Quand Keeley et Rionna étaient petites, elles aimaient rêver qu'elles épouseraient chacune un prince charmant. Finalement, Rionna avait vu son rêve se réaliser. Elle le méritait. Alaric serait le meilleur des maris.

Keeley retint son souffle en voyant apparaître Alaric, magnifiquement vêtu pour ses noces. Il portait une tunique de velours bleu aux armes des McCabe. Ses cheveux tombaient jusqu'à ses épaules et le vent les soulevait de temps à autre, lui donnant l'air désinvolte.

Il s'arrêta devant le prêtre et attendit Rionna. Deux minutes plus tard, la mariée apparut à son tour dans la cour. Keeley fut frappée par sa beauté. Sa chevelure blonde miroitait au soleil.

Sa robe était un chef-d'œuvre de couture, et deux femmes la suivaient pour tenir la traîne. Ainsi parée, Rionna avait tout d'une reine.

Quand Rionna ne fut plus qu'à quelques mètres d'Alaric, celui-ci coula un regard en direction de

Keeley. Malgré la foule qui les entourait, elle fut certaine qu'il l'avait repérée.

La jeune femme riva ses yeux sur lui et porta une main à son cœur.

Alaric imita discrètement son geste, avant de reporter son attention sur Rionna.

Quand il prit sa main, et qu'ils se tournèrent ensemble vers le prêtre, Keeley sentit son cœur se briser. Cette fois, le moment était vraiment venu. Dans quelques minutes, Alaric en aurait épousé une autre, et Keeley l'aurait perdu pour toujours.

Douze tambours, alignés de part et d'autre des mariés, se mirent à battre en mesure, pour annoncer le début de la cérémonie. Le bruit en résonna jusque dans les collines environnantes.

Un mouvement, à la périphérie de sa vision, intrigua tout à coup Keeley. Elle tourna la tête et distingua une silhouette sur les remparts. L'homme tenait quelque chose qui brillait au soleil. La jeune femme frissonna d'horreur en réalisant que c'était un arc.

Elle bondit sur ses pieds et cria. Mais les tambours battaient de plus en plus fort et couvraient sa voix. Alors, Keeley se mit à courir à perdre haleine, bousculant tout le monde sur son passage.

Elle ignorait quelle était la cible de l'archer. Peut-être le roi, puisqu'il était là. Ou Ewan. Ou encore Mairin.

En revanche, elle savait qu'elle devait tous les alerter, avant qu'il ne soit trop tard.

Les tambours résonnaient sinistrement aux oreilles d'Alaric. Chaque nouveau roulement lui signifiait que l'échéance se rapprochait.

Il glissa un regard vers sa future femme. Elle était superbe. Elle serait une bonne épouse. Elle lui donnerait de vigoureux enfants et grâce à elle, il deviendrait laird.

Puis Alaric regarda son frère, debout entre le roi et Mairin. Son frère, qui s'était tant sacrifié pendant des années pour assurer la survie de leur clan.

Comment Alaric ne pourrait-il pas suivre son exemple ?

Il ferma les yeux. Dieu ce que sa situation lui pesait !

Les tambours cessèrent brutalement et le silence qui suivit fut si dense qu'il en était presque terrifiant. Puis Alaric entendit crier son nom.

Rionna se tourna vers la droite. Alaric l'imita. Juste à temps pour recevoir Keeley dans ses bras. Ses yeux étaient écarquillés – de surprise et de douleur. Elle ouvrit la bouche et la referma. Son visage avait perdu toute couleur.

Alaric ne comprenait pas ce qui arrivait. Mais il entendit qu'on criait derrière Keeley. Puis des guerriers dégainèrent leur épée.

Mais Alaric ne voyait que le visage de la jeune femme déformé par la douleur, tandis qu'il la serrait toujours dans ses bras. Puis Keeley s'affaissa légèrement, et alors il vit la flèche plantée dans son dos. Alaric sentit ses jambes défaillir. Il se laissa tomber au sol, en serrant toujours la jeune femme contre lui.

— Keeley ! Non ! Oh, mon Dieu, Keeley, non !

Il laissa échapper une larme, mais il n'en avait cure. Il n'avait plus ni honte ni orgueil. Alaric avait souvent vu la mort dans les yeux de guerriers blessés au combat. Et il retrouvait cette expression dans le regard de Keeley.

Rionna s'agenouilla à côté de lui. Elle avait pratiquement le même teint de cendre que Keeley.

— Keeley ? appela-t-elle, d'une voix qui reflétait l'angoisse d'Alaric.

Une intense agitation régnait autour d'eux. Des guerriers appelaient aux armes. Ewan entraînait le roi et Mairin en lieu sûr. Caelen et Gannon s'étaient postés près d'Alaric, leurs épées dégainées, pour prévenir toute attaque.

— Keeley, ne m'abandonne pas, mon amour, murmura Alaric. Tiens bon, s'il te plaît. Je vais m'occuper de toi.

Elle essaya de sourire. Mais ses traits étaient déformés par la douleur.

— Cela en valait la peine. Tu avais un destin à accomplir. Je ne pouvais pas…

La souffrance l'obligea à s'interrompre un instant, avant de compléter :

— Je ne pouvais pas permettre que tu meures aujourd'hui.

Alaric la berçait dans ses bras. Mais le regard de la jeune femme perdait de son éclat à chaque instant.

Alors, Alaric soutint le visage de Keeley d'une main, pour l'obliger à le regarder et de l'autre, il entrelaça ses doigts à ceux de la jeune femme.

— Moi, Alaric McCabe, je t'épouse, Keeley McDonald McCabe. Je te prends pour épouse et cela jusqu'à mon dernier souffle et jusqu'à ce que nos âmes soient réunies au ciel.

Le regard de Keeley se ranima – pour exprimer sa surprise. Elle ouvrit la bouche.

— Dis-le, Keeley. Dis que tu acceptes de m'épouser, devant tous ces témoins réunis.

La jeune femme ferma les yeux, comme pour rassembler ses forces, puis elle les rouvrit. Elle semblait avoir retrouvé un peu de sa détermination.

— Moi, Keeley McDonald, désormais McCabe, je t'épouse, Alaric McCabe. Je te prends pour époux et cela jusqu'à mon dernier souffle.

Sa voix s'était affaiblie à chaque mot, mais elle avait prononcé ses vœux. Et des centaines de témoins pourraient l'attester. Désormais, Keeley était sa femme. Elle lui appartiendrait aussi longtemps que Dieu accepterait de lui octroyer ce si fabuleux cadeau.

Alaric pencha la tête, pour lui embrasser le front.

— Je t'aime, murmura-t-il. Ne m'abandonne pas, Keeley. Pas maintenant, alors que j'ai trouvé le courage de faire ce qui était juste.

— Alaric…

La voix douce de Rionna s'était invitée dans son chagrin.

Alaric leva les yeux vers la femme qu'il avait failli épouser et il ne vit, dans son regard, ni effroi ni horreur. Ni jugement ni ressentiment. Simplement un chagrin égal au sien.

— Nous devons la rentrer à l'intérieur pour la soigner, dit-elle.

Alaric serra bien fort Keeley dans ses bras et se releva. La flèche dépassait toujours du dos de la jeune femme, comme pour rappeler le sacrifice qu'elle avait consenti pour lui.

— Par ici, Alaric, l'appela Ewan. Je vais regarder sa blessure.

Alaric s'avança très lentement. Ses mouvements semblaient suspendus dans le temps. Caelen et Gannon l'entouraient, leurs épées à la main.

Le sang de Keeley gouttait à chaque pas, s'écrasant au sol.

Alaric ferma les yeux.

« Ne me l'enlevez pas, Seigneur ! Pas maintenant. Faites en sorte qu'il ne soit pas trop tard. »

36

La chambre de Keeley était déjà pleine de monde quand Alaric la porta à l'intérieur.

Ewan se tenait près du lit, la mine sinistre. Mairin et Maddie avaient les yeux rouges d'avoir pleuré. Cormac réconfortait Christina tandis que Gannon et Caelen montaient farouchement la garde près de la porte.

Alaric déposa la jeune femme sur le lit, l'allongeant de côté, pour que la flèche ne s'enfonce pas davantage dans son corps. Puis il se tourna vers son frère.

— Peux-tu quelque chose pour elle, Ewan ?

Ewan se pencha sur la blessure.

— Je vais essayer, Alaric, mais tu dois te douter que ce n'est pas très bon. La flèche a pénétré profondément dans ses chairs. Il n'est pas impossible qu'elle ait atteint un organe vital.

Alaric ferma les yeux pour dominer la rage qui menaçait de submerger ses sens. Keeley avait besoin qu'il garde tout son calme, même s'il avait envie de hurler et de gesticuler contre le sort.

— Je vais devoir séparer la tête de la flèche du reste, dit Ewan. C'est la seule solution.

Alaric se retourna en percevant de l'agitation à la porte. Rionna, débarrassée de sa belle robe de mariée, essayait d'entrer, mais Gannon l'en empêchait.

— Laissez-moi passer ! protesta-t-elle. Keeley est mon amie. Je veux l'aider.

— Laisse-la entrer, dit Alaric à l'intention de Gannon. (Et quand Rionna eut rejoint le lit, il lui demanda :) Pouvez-vous la secourir ? Avez-vous des talents de guérisseuse ?

— Pas spécialement, mais j'ai une solide constitution. La vue du sang ne m'effraie pas et je suis déterminée à ce qu'elle survive.

— Qu'elle reste. Elle pourra m'aider, intervint Ewan, avant de lancer à Caelen : Éloignez-le d'ici. Il vaut mieux qu'il ne reste pas.

Alaric ne réalisa pas tout de suite que son frère parlait de lui. Mais quand Gannon et Caelen voulurent le prendre chacun par un bras, il comprit qu'ils avaient l'intention de le sortir de la chambre.

Il dégaina son épée et la pointa sur Caelen.

— Je tuerai quiconque essaiera de me séparer d'elle.

— Alaric, sois raisonnable, le tança son frère. Quitte cette chambre. Tu gênes tout le monde.

— Je ne partirai pas !

Mairin décida de s'en mêler.

— Alaric, s'il vous plaît. Venez avec moi. Je sais que vous l'aimez. Et Keeley sait que vous l'aimez. Laissez Ewan tenter de la sauver. Vous ne lui rendez pas service en vous conduisant ainsi à son chevet. Vous savez, ce ne sera pas un beau spectacle, quand Ewan tranchera la flèche. Ne vous torturez pas inutilement.

Alaric resta un instant interdit. Il avait conscience du chagrin de sa belle-sœur.

— Je ne peux pas l'abandonner, murmura-t-il. Je ne veux pas qu'elle meure seule.

— Bon sang, Alaric, sors d'ici ! tonna Ewan. Si ça tourne mal, je t'appellerai immédiatement, mais si nous voulons avoir une chance de la sauver, il faut agir vite.

Mairin lui prit la main.

— Venez, Alaric. Laissons-les faire.

Les épaules d'Alaric s'affaissèrent. Il se tourna vers Keeley et s'agenouilla devant le lit. Puis il lui caressa le visage.

— Je t'aime, Keeley. Sois forte. Vis. Pour moi.

Quand Gannon et Caelen le soulevèrent chacun par un bras, il ne leur opposa plus aucune résistance.

Mais quand il se retrouva dans le couloir, il abattit son poing sur le mur.

— Non ! Bon sang, non !

Caelen le prit par les épaules pour l'entraîner vers sa propre chambre. Il ouvrit la porte, le poussa sans ménagement à l'intérieur et l'obligea à s'asseoir sur son lit.

— Tu n'arriveras à rien de bon en te comportant ainsi, dit-il.

Alaric regarda son poing, qu'il avait écorché sur la pierre du mur. L'envie de frapper encore le démangeait. Et en premier lieu, il aurait voulu s'en prendre au bâtard qui avait osé faire cela à Keeley.

— A-t-on appréhendé celui qui a tiré la flèche ? demanda-t-il à Caelen.

— Oui, répondit Gannon, depuis la porte. Il est déjà enchaîné dans les caves du donjon.

— A-t-il agi seul ? voulut savoir Alaric.

— Nous l'ignorons pour l'instant. Nous attendons que le laird l'interroge.

Alaric respira par les narines.

— C'est à moi de le tuer.

Caelen s'assit sur le lit, à côté de son frère.

— Ne t'inquiète pas. Quand nous lui aurons extorqué ce que nous avons besoin de savoir, il sera à toi. Personne ne te refusera ce droit.

— Elle m'a encore sauvé la vie, murmura Alaric. La flèche m'était probablement destinée. Mais Keeley n'a pas hésité à risquer sa vie pour me protéger.

— Elle est très courageuse. Et elle t'aime.

Que Caelen puisse parler d'amour sans la moindre note de dérision dans la voix ne manquait pas d'être surprenant. Pourtant, il était manifestement sincère et de toute évidence, il admirait Keeley.

Alaric enfouit son visage dans ses mains.

— J'ai tout compromis.

— Cesse de te torturer, Alaric ! Tu étais dans une situation impossible. Mieux valait renoncer à ton mariage avec Rionna.

— J'ai épousé Keeley, murmura Alaric.

— Oui, je sais. Tout le monde en a été témoin.

— Mais cela ne me sera d'aucun réconfort si elle doit mourir.

— Ne broie pas du noir, Alaric. Keeley est solide. J'avoue que je n'ai jamais rencontré de femme comme elle. Elle a su gagner tout mon respect.

Alaric se releva.

— Je ne peux pas rester assis ici, à ignorer ce qui se passe là-bas. Si elle est assez courageuse pour prendre une flèche à ma place, le moins que je puisse faire est d'être à ses côtés pendant qu'elle endure le pire. Je sais qu'Ewan voulait bien agir, mais Keeley a besoin de moi.

Caelen soupira.

— Si c'était ma femme, je ne laisserais pas non plus quelqu'un m'écarter d'elle.

Gannon hocha la tête pour manifester son assentiment.

Alaric gagna la porte. Mais avant de la franchir, il se retourna vers son frère.

— Je ne t'ai pas remercié d'avoir veillé sur Keeley ces derniers jours. Je sais que c'était dur pour elle. J'aurais dû être là. Désormais, il n'y aura personne d'autre que moi.

Alaric quitta la pièce sur ces mots. Arrivé devant la porte de Keeley, il s'arrêta, effrayé à l'idée de pousser le battant. Aucun son ne provenait de l'intérieur. Pas même le moindre cri de douleur. Rien qui laissait supposer qu'elle respirait encore.

Il murmura une prière, avant d'entrer.

Ewan était penché sur le lit, le visage crispé par la concentration. Rionna caressait les cheveux de Keeley et lui murmurait des paroles réconfortantes.

Ewan jeta un bref regard en direction d'Alaric sans s'interrompre dans sa tâche. Quand Alaric s'approcha du lit, il constata qu'Ewan avait incisé les chairs autour de la pointe de la flèche, afin de l'extraire plus facilement.

Les linges entourant l'incision étaient imbibés de sang.

— Laisse-moi la tenir pour que tu puisses te consacrer à la flèche, proposa Alaric, qui reconnut à peine sa voix.

— Tiens-la bien. Elle ne doit surtout pas bouger.

Alaric hocha la tête et grimpa sur le lit. Ewan attendit qu'il se soit allongé à côté d'elle et qu'il l'ait agrippée solidement aux hanches et à la nuque.

— Pouvez-vous essuyer le sang, que je voie ce que je fais ? demanda Ewan à Rionna.

Keeley respirait faiblement. Mais quand Ewan retourna la pointe de la flèche dans ses chairs, elle tressaillit et un gémissement de douleur s'échappa de ses lèvres.

— Chut, mon amour, murmura Alaric. Je suis là, avec toi. Je sais que ça fait mal, mais sois courageuse. Bats-toi comme tu m'as demandé de me battre.

Ewan s'affaira encore pendant près d'une heure. Il s'inquiétait que Keeley ne perde trop de sang, aussi procédait-il avec précaution pour extraire la flèche. Mais quand il réussit enfin à libérer le fer, la blessure se mit à saigner abondamment.

Keeley avait depuis longtemps perdu connaissance et elle ne réagit même pas quand Ewan retira la flèche. Le sang coula jusque sur le plancher, tandis qu'Ewan et

Rionna appuyaient tous les deux sur la blessure, pour la comprimer.

Alaric préféra ignorer l'expression résignée de son frère pour se concentrer sur Keeley et lui ordonner de respirer, de vivre…

Après cela, il fallut encore plus d'une heure à Ewan pour recoudre la plaie. La tâche était d'autant plus malaisée que le sang coulait toujours. Le dernier point de suture posé, Ewan s'assit par terre, épuisé.

— Continuez d'appuyer sur la plaie, dit-il à Rionna. La blessure saigne un peu moins, mais si l'hémorragie ne s'arrête pas très vite, elle va perdre tout son sang…

Alaric ausculta le pouls de la jeune femme. Il était aussi faible qu'un battement d'ailes de papillon, mais elle vivait.

Quand la blessure ne saigna presque plus, Rionna la recouvrit d'un bandage puis elle se redressa.

— Maintenant, je voudrais tout nettoyer, Alaric, dit-elle.

— Non, je vais le faire ! Je ne veux pas l'abandonner. C'est mon devoir de m'occuper d'elle.

Rionna hocha la tête.

— Je suis désolée, Alaric. J'ignorais que vous l'aimiez. Et qu'elle vous aimait.

— Allez vous reposer, lui dit gentiment Alaric. Je m'occuperai d'elle.

Après le départ de Rionna, Ewan se lava les mains dans la cuvette, puis il revint vers le lit.

— J'ai fait tout ce que j'ai pu, Alaric. À présent, elle est dans les mains de Dieu.

— Oui, je sais.

— Je vais te laisser. J'ai des choses à régler.

Alaric hocha la tête.

— Merci de l'avoir sauvée…

Ewan se força à sourire.

— Ne m'accorde pas trop d'importance. Si elle survit, c'est parce qu'elle l'aura décidé.

Maddie arriva au moment où Ewan quittait la chambre. Alaric lui fut reconnaissant de son aide. À eux deux, ils lavèrent Keeley et changèrent la literie.

— Il serait sans doute préférable de la laisser dénudée, suggéra Maddie. La blessure est importante et nous aurons besoin de l'examiner régulièrement. Allongez-la sur le côté, et nous disposerons des oreillers derrière elle pour qu'elle ne roule pas sur le dos.

Alaric suivit les conseils de Maddie. Quand il estima que Keeley était confortablement installée, il s'allongea à côté d'elle et la prit dans ses bras.

— Je t'aime, murmura-t-il en lui embrassant le front.

37

Durant les jours suivants, Alaric ne quitta pas un seul instant le chevet de Keeley. La jeune femme n'avait pas repris connaissance, malgré tous les efforts d'Alaric pour la réveiller. Il la suppliait. Il la menaçait. Il lui promettait la lune. Tout cela en vain. Il s'inquiétait de ne pas la voir avaler quoi que ce soit. Avec tout le sang qu'elle avait perdu, elle avait forcément besoin de reprendre des forces.

Puis la fièvre s'installa. La peau de Keeley devint brûlante. La jeune femme s'agitait dans son sommeil, comme si des démons la pourchassaient. Alaric essayait de l'apaiser. Il la tamponnait avec des linges et il l'immergea même une fois dans un tub d'eau froide.

Au bout d'une semaine, Alaric commença de perdre espoir. Keeley ne se réveillait toujours pas, en revanche elle s'affaiblissait de jour en jour. Elle était si immobile qu'on aurait pu croire qu'elle était déjà morte.

Le septième jour, Ewan et Caelen vinrent le chercher. Alaric refusa de bouger, et il fallut que Cormac et Gannon joignent leurs efforts à ceux des deux frères pour l'obliger à quitter la chambre de Keeley.

Maddie et Rionna prirent sa place au chevet de la jeune femme.

— Où m'emmenez-vous ? pesta Alaric, alors que les quatre hommes l'entraînaient à l'extérieur de la forteresse.

La réponse lui arriva deux minutes plus tard : ses frères le jetèrent dans le loch.

L'eau glaciale le saisit et il s'enfonça vers les profondeurs du loch. Il songea un instant à se laisser couler, pour rejoindre Keeley. Il enrageait de la savoir seule dans une nuit sans fin, à la fois morte et encore vivante.

Mais ce fut l'instinct de vie qui l'emporta. Alaric battit des pieds et des mains pour remonter à la surface et une fois la tête hors de l'eau, il inspira une grande goulée d'air.

— Content que tu aies décidé de rester avec nous, lui lança Ewan, depuis le rivage.

Alaric fusilla ses frères du regard.

— Pourquoi m'avez-vous jeté à l'eau ?

— Ton attitude ne rime à rien, lui répliqua Caelen. Tu n'es pas sorti de la chambre de Keeley depuis une semaine. C'est à peine si tu te nourris. Tu ne te laves plus. Tu ne te changes même plus. Si Keeley survit à sa blessure, ton odeur la tuera à coup sûr !

Alaric nagea jusqu'au rivage et sortit de l'eau pour se jeter sur Caelen.

Les deux frères roulèrent sur la berge en se criblant de coups de poing. Profitant d'un moment où les deux combattants étaient séparés, Ewan décida d'intervenir pour plaquer Alaric au sol.

— Bon sang, auriez-vous décidé de me tuer ? pesta Alaric.

— Non, nous essayons simplement de te faire entendre raison, lui répondit Ewan. Es-tu décidé à nous écouter, cette fois ?

Alaric donna un coup de tête à son aîné et renversa la situation en roulant sur lui.

— Tu te fais vieux ! railla Alaric.

Caelen se jeta dans la mêlée et la bagarre se poursuivit furieusement entre les trois frères.

Au bout de quelques minutes, ils étaient tous les trois allongés par terre, à reprendre leur souffle.

— Ah, zut ! grommela Ewan.

Alaric leva les yeux et vit Mairin qui toisait son mari, les mains plaquées sur les hanches.

— Tu devrais te reposer, lui dit Ewan.

— Et toi, tu n'as pas mieux à faire que de te battre comme un vulgaire chiffonnier ? lui répliqua Mairin.

— Je crois que ça nous a rudement fait du bien à tous les trois, intervint Caelen, allongé près de son frère.

Alaric se redressa.

— Y a-t-il du nouveau, avec Keeley ?

L'expression de Mairin se radoucit.

— Non, elle dort toujours.

Alaric ferma un instant les yeux, avant de se tourner vers le loch. Peut-être qu'un bon plongeon finirait de lui changer les idées. Il pourrait aussi en profiter pour se laver. Ewan avait raison. Il devait réagir.

— Ewan, le roi et les autres lairds commencent à s'impatienter, dit Mairin. Ils veulent savoir ce que tu vas décider.

— Je sais, Mairin, répliqua Ewan, d'un ton impatient, comme s'il était contrarié que sa femme aborde le sujet en présence d'Alaric.

Les ignorant tous les deux, Alaric plongea dans l'eau glaciale. Il se doutait que le roi et les lairds attendaient que Keeley meure pour qu'il puisse épouser Rionna et sceller l'alliance prévue avec les McDonald.

Gannon lui tendit un morceau de savon et attendit sur la berge qu'il ait terminé de se laver. Ewan et Caelen rentrèrent dans la forteresse, avec Mairin, laissant Cormac et Gannon derrière eux.

Quand Alaric revint dans la forteresse, une demi-heure plus tard, Rionna se précipita à sa rencontre. Elle avait les yeux rougis. Alaric s'alarma aussitôt.

— Que se passe-t-il ?

— Venez vite ! Elle vous réclame. C'est mauvais signe, Alaric. J'ai peur qu'elle n'en ait plus pour longtemps. Elle est si faible qu'elle ne peut pas garder les yeux ouverts. Et la fièvre la fait délirer.

Alaric gravit l'escalier en courant. Quand il pénétra dans la chambre de Keeley, il sentit son cœur se serrer. La jeune femme était si immobile qu'il craignit qu'il ne fût déjà trop tard.

Mais tout à coup, ses lèvres bougèrent et elle murmura son nom.

Alaric se rua à son chevet.

— Je suis là, Keeley. Je suis là, mon amour.

Il lui caressa le visage pour la rassurer et lui prouver qu'elle n'était pas seule.

Elle semblait si fragile, si vulnérable ! Mais Alaric se refusait à l'idée de la perdre.

— Alaric ? murmura-t-elle de nouveau.

— Oui, chérie, je suis là.

— J'ai froid.

Alaric frissonna.

Elle se tourna, comme si elle cherchait son visage. Ses paupières se soulevèrent, mais elle ne parut pas le voir. Son regard paraissait sans vie.

— J'ai peur, dit-elle encore.

Cet aveu glaça les sangs d'Alaric. Il serra très fort la jeune femme dans ses bras, sans pouvoir retenir ses larmes.

— Je suis avec toi, Keeley. N'aie pas peur. Je ne te laisserai pas partir.

— Em... Emmène-moi... commença-t-elle, mais sa voix mourut dans sa gorge.

— Où cela, chérie ?

— Là où... nous nous sommes dit adieu. Là où tu... m'as embrassée pour la dernière fois.

Alaric sanglotait, à présent.

— S'il te plaît...

— Oui, Keeley. Je vais t'y conduire.

Elle esquissa un sourire et ferma les yeux, comme si les quelques mots qu'elle avait prononcés avaient épuisé ses maigres forces.

Alaric la souleva doucement dans ses bras. Il sortit de la chambre et remonta le couloir, serrant la jeune femme contre lui, tandis que des larmes ruisselaient sur ses joues. Personne n'essaya de l'arrêter. Mairin et Rionna ne purent retenir leurs sanglots à son passage. Maddie avait l'air effondré et Gannon inclina la tête avec respect.

Caelen se tenait en haut de l'escalier, les bras ballants, les poings serrés. Il abandonna quelques instants sa pose rigide pour caresser avec tendresse les cheveux de Keeley. C'était la première fois qu'Alaric le voyait manifester publiquement son affection pour une femme, depuis qu'il avait été trahi.

— Sois en paix, murmura Caelen, avant de se reculer pour laisser passer Alaric.

Le clan s'était rassemblé dans la cour. Alaric traversa la foule en silence, sortit des remparts et se dirigea vers les rochers bordant le loch. Il s'arrêta juste au bord de l'eau et déposa la jeune femme sur l'un des rochers.

— Nous y sommes, Keeley. Sens-tu le vent sur ton visage ? Respires-tu l'air frais ?

Elle battit des paupières et prit une profonde inspiration. Mais cet effort lui arracha aussitôt une grimace de douleur.

— Oui, répondit-elle quand elle eut repris son souffle. C'est merveilleux de sentir le soleil sur ma peau. Mais je suis fatiguée, Alaric. J'ai essayé de me battre, mais je suis fatiguée.

Elle savait que c'était la fin. Et son chagrin s'entendait à sa voix.

— Je veux que tu saches que je mourrai heureuse, reprit-elle cependant. Je ne pouvais pas rêver plus grand bonheur que d'être ta femme. Même pour quelques jours.

Alaric, accablé de chagrin, leva les yeux vers le ciel.

— Aucune femme n'avait jamais capturé mon âme et mon cœur comme tu l'as fait, Keeley. Et aucune autre ne te remplacera.

— Serre-moi dans tes bras. Et restons ici jusqu'à ce que le moment soit venu, pour moi, de m'en aller. Je sens que je m'affaiblis. Ça ne devrait plus être long.

La poitrine d'Alaric le brûlait comme s'il avait avalé des braises.

— Oui, Keeley, je vais te garder dans mes bras. Ne t'inquiète pas, je ne t'abandonnerai pas. Nous allons regarder ensemble le soleil se coucher sur le loch.

Elle sourit. Puis elle resta longtemps silencieuse avant de se redresser sur un coude, comme si elle avait une dernière chose à lui dire.

— Je t'aime, Alaric McCabe. Je t'ai aimé dès l'instant où ton cheval t'a déposé devant mon cottage. J'ai passé des années à me lamenter sur mon sort et à ruminer mon bannissement. Mais aujourd'hui, je ne voudrais rien changer à ma vie, car sinon, je n'aurais jamais eu la chance de te rencontrer.

Alaric pencha la tête pour l'embrasser. Leurs larmes se mêlèrent sur leurs lèvres.

Puis il ferma les yeux et il berça la jeune femme dans ses bras. Quand le soleil déclina et que la température commença de fraîchir, Gannon leur apporta des fourrures, pour les envelopper chaudement. Puis il repartit aussitôt, les laissant seuls.

Dans la forteresse, tout le monde se préparait déjà à l'inévitable. Personne ne pensait que Keeley passerait la nuit.

Alaric, pendant ce temps, ne cessait de faire la conversation à Keeley. Il lui expliquait tout ce qu'il aimait chez elle. Comment elle l'amusait, avec son caractère bien trempé et ses reparties cinglantes.

Combien il l'admirait pour savoir tenir tête à ses deux frères.

Il lui parla aussi des enfants qu'il aurait aimé avoir avec elle. Des garçons courageux comme elle. Et des filles qui auraient sa beauté.

La nuit tomba et le ciel se couvrit d'étoiles. La lune brillait au-dessus du loch, les éclairant de sa lumière argentée. Alaric continuait de tenir Keeley dans ses bras, se refusant à la lâcher un seul instant.

Au bout d'un moment, il abandonna son front contre celui de la jeune femme et ferma les yeux.

Quand il les rouvrit, une lueur grisâtre, annonciatrice de l'aube, éclaircissait déjà le ciel.

Alaric sentit la panique le gagner. Combien de temps avait-il dormi ? Il n'osait pas regarder Keeley. Et si elle était morte dans ses bras pendant qu'il dormait ? Il ne se le pardonnerait jamais.

— Keeley ? murmura-t-il, se redressant.

À sa grande stupéfaction, la jeune femme s'agita sur le rocher. Alaric approcha une main tremblante de son front. Sa peau était moins brûlante, signe que la fièvre commençait à retomber.

Par Dieu ! Alaric était si saisi, qu'il ne savait plus quoi faire. Il aurait dû rentrer à la forteresse, pour qu'Ewan examine Keeley, mais il n'osait pas la porter dans ses bras. Il était si excité qu'il aurait sans doute trébuché en chemin.

Il lui caressa fébrilement le visage.

— Keeley ! Keeley, réveille-toi ! Dis-moi quelque chose. N'importe quoi.

Elle ouvrit les lèvres. Elle voulait dire quelque chose, mais elle n'en avait pas la force. Ses paupières se soulevaient, mais elle ne parvenait pas à garder les yeux ouverts.

— Tant pis, dit-il. Ta fièvre est retombée. Tu m'entends ? Ta fièvre est retombée. C'est bon signe, Keeley. Tu ne vas pas mourir maintenant. Tu m'entends ?

Je refuse que tu te laisses mourir après m'avoir redonné espoir.

Elle murmura quelque chose, qu'il ne put pas comprendre. Il se pencha, pour coller son oreille contre ses lèvres.

— Qu'as-tu dit ?

— Espèce de brute, marmonna-t-elle.

Alaric renversa la tête en arrière et partit d'un énorme éclat de rire. Puis son rire se mua en larmes de soulagement.

— Alaric ? appela Ewan en se précipitant vers lui.

Il s'arrêta à quelques mètres. Il regarda Keeley, parfaitement immobile, puis il vit les larmes couler sur les joues d'Alaric.

— Je suis désolé, Alaric. Sincèrement désolé.

Alaric sourit.

— Elle est vivante, Ewan. Elle est vivante ! Sa fièvre est retombée et elle vient de me traiter de brute. C'est la preuve qu'elle n'a pas l'intention de mourir !

Ewan sourit à son tour.

— Oui, c'est très bon signe, en effet.

— Je ne peux pas la soulever, Ewan, confessa Alaric. Je suis tellement grisé que je n'aurai pas la force de marcher droit.

Ewan se pencha pour soulever Keeley et la prendre dans ses bras. Puis Alaric se releva et, d'une démarche titubante, il suivit son frère vers la forteresse.

— Ils croient tous qu'elle est morte, expliqua Ewan. La nouvelle s'est répandue que tu l'avais portée au bord du loch parce qu'elle avait réclamé d'y mourir.

— C'est un miracle, Ewan ! Un miracle que je ne peux pas m'expliquer, mais qui m'enchante. Elle se mourait. Je le sentais bien. Elle était de plus en plus faible. Je lui ai parlé pendant des heures, et puis j'ai fini par m'endormir. Quand je me suis réveillé, sa fièvre était partie.

— Je vais examiner sa blessure dès que nous l'aurons recouchée dans son lit, promit Ewan. Ensuite, il nous faudra décider comment régler notre alliance avec les McDonald. Le roi attend notre décision. Nous ne pouvons pas la différer davantage.

Alaric hocha la tête avec gravité. Il savait que l'avenir de leur clan était en jeu.

— Aussitôt que Keeley sera confortablement installée, je te suivrai pour voir le roi, répondit-il.

38

Alaric confia Keeley aux bons soins de Maddie et de Christina. Mairin aurait voulu les aider mais Cormac, qui gardait la porte, lui interdit de rester plus de quelques minutes dans la chambre.

Maddie éclata en sanglots en apprenant que la fièvre de Keeley était retombée.

— Je vais bien prendre soin d'elle, promit-elle à Alaric. Allez voir le roi sans crainte. D'ici à votre retour, je l'aurai lavée et nourrie.

Alaric lui sourit.

— J'ai toute confiance en vous, Maddie.

Il posa un dernier baiser sur les lèvres de Keeley avant de quitter la chambre et de gagner l'escalier.

Caelen l'accueillit en bas des marches.

— Je viens d'apprendre que Keeley allait s'en sortir.

Alaric sourit.

— Oui.

— Sache que tu peux compter sur mon appui, quoi qu'il soit décidé aujourd'hui.

Alaric reprit un air grave.

— Ton soutien est important pour moi, Caelen. Plus que tu ne peux l'imaginer.

Caelen hocha la tête.

— Allons voir ce que souhaite le roi, dit-il.

Alaric entra le premier dans la grande salle, suivi de Caelen. Le silence se fit immédiatement. Ewan et le roi étaient assis à la table d'honneur, ainsi que le laird McDonald et Rionna.

Les autres lairds avaient pris place autour de deux tables plus petites, qui flanquaient la table d'honneur.

Le roi fit signe à Alaric d'approcher.

— Votre Majesté, salua Alaric avant de s'immobiliser devant le souverain.

— Alaric McCabe, nous sommes en face d'une situation que nous devons trancher sans délai, dit le roi.

Alaric attendit la suite.

— Vous avez eu raison d'épouser la femme que vous aimiez alors qu'elle venait de vous sauver la vie et qu'elle se mourait dans vos bras. Le problème, c'est qu'elle va apparemment survivre.

— Non, pas « apparemment », corrigea Alaric. Elle *va* survivre.

— Vous vous trouvez donc marié à la mauvaise femme.

Le laird McDonald se leva d'un mouvement brusque et abattit son poing sur la table.

— Tout ceci est une insulte à notre clan. Il devait épouser ma fille Rionna. Pas une catin qui a été bannie du clan McDonald il y a plusieurs années de cela !

Alaric voulut se jeter sur le laird, mais Caelen fut plus rapide. Il saisit McDonald au col et l'obligea à se rasseoir. Celui-ci, visiblement intimidé, n'osa plus rien dire.

Alaric fronça les sourcils. Pourquoi Caelen semblait-il si furieux après le laird ? Et pourquoi le laird paraissait-il craindre Caelen ? Que s'était-il passé entre eux ?

— Taisez-vous, McDonald, le tança le roi. Cette « catin » dont vous parlez a sauvé deux fois la vie d'Alaric et elle a mis ma nièce au monde. Elle mérite le respect et je veillerai personnellement à ce qu'elle ne manque de rien.

Puis, reportant son attention sur Alaric, il ajouta :

— Comme je le disais, vous avez eu raison de l'épouser compte tenu des circonstances. Mais à présent, vous devez la répudier afin d'épouser Rionna. Nous avons ici une douzaine de lairds prêts à faire allégeance à la couronne et à s'allier aux McCabe aussitôt que vous serez devenu laird des McDonald.

Alaric n'en croyait pas ses oreilles. Comment le roi pouvait-il lui suggérer aussi tranquillement de répudier Keeley ? Il se tourna vers son frère, pour tenter de deviner son avis. Mais l'expression d'Ewan, assis à côté du roi, était indéchiffrable. Espérait-il, lui aussi, qu'il répudierait Keeley pour épouser Rionna ?

Alaric songea pour la centième fois à toutes les conséquences de cette union : la sécurité pour son clan, pour ses frères et pour Mairin, l'assurance de pouvoir battre Cameron… Tout cela reposait vraiment sur son seul mariage ?

Il secoua la tête.

— Non, je ne la répudierai pas.

Le roi écarquilla les yeux, et ce fut un beau vacarme dans la salle. Le laird McDonald était si furieux qu'il semblait au bord de l'apoplexie.

Alaric cria pour appeler au calme. Quand le brouhaha retomba enfin, il toisa l'assistance du regard.

— Seul un homme sans honneur répudierait la femme qu'il aime pour en épouser une autre. Seul un homme sans honneur répudierait sa femme alors qu'elle a failli mourir pour lui sauver la vie. Je ne suis pas et je ne serai pas cet homme. Je l'aime. Et elle mérite toute ma loyauté.

Puis il se retourna vers Ewan :

— Je sais que mon geste peut me coûter l'estime de ma famille. De mon clan. De mon roi. Mais je ne serais plus l'Alaric que vous avez toujours connu si je n'agissais pas ainsi. Il doit bien exister une autre façon d'allier nos deux clans.

Le roi laissa échapper un long soupir. Il paraissait furieux.

— Réfléchissez bien, Alaric McCabe. Cameron a failli détruire votre clan. Vous aviez une opportunité d'en finir une fois pour toutes avec lui.

— Avec ou sans alliance, Cameron est un homme mort, répliqua Alaric, d'une voix déterminée. En fait, vous cherchez à favoriser cette alliance uniquement parce qu'elle vous permettrait d'écarter la menace que représente Malcolm pour votre trône.

Les prunelles du roi étaient devenues noires.

— Je refuse de participer à ce plan, reprit Alaric. (Et, se tournant vers Rionna, il ajouta :) Pardon, Rionna. Je ne voudrais surtout pas vous humilier. Vous méritez d'épouser un mari qui ne soit pas déjà épris d'une autre femme.

— Moi, je vais l'épouser !

Un grand silence s'abattit dans la salle. Alaric se tourna. Il avait mal entendu. Ce ne pouvait pas être la voix de Caelen.

Pourtant si, c'était bien son frère qui avait parlé.

Rionna, médusée, porta une main à sa bouche.

Ewan fixa son frère.

— Je pense avoir mal compris, Caelen.

— J'ai dit que j'allais épouser Rionna, répéta Caelen. C'est la meilleure solution. Ainsi, c'est un McCabe qui deviendra laird des McDonald et scellera notre alliance. Tous ensemble, nous aiderons le roi à vaincre Cameron et Malcolm. Alaric restera marié à Keeley, et ainsi tout le monde obtiendra ce qu'il souhaite.

— Sauf toi, marmonna Alaric.

Caelen haussa les épaules.

— Peu importe ! Du moment que Rionna me donne de beaux enfants, cela me suffira.

Rionna avait blêmi. Son père était à peu près aussi blanc qu'elle.

— Non, c'est impossible, dit-il. L'accord stipulait que c'était Alaric McCabe qui devait épouser Rionna.

Le roi se caressait le menton d'un air songeur.

— Ewan, que pensez-vous de tout ceci ?

Ewan riva ses yeux sur Caelen, mais celui-ci ne cilla même pas.

— Je pense, commença Ewan, que c'est une issue raisonnable, dès lors que les deux parties en sont d'accord.

— Je ne suis pas d'accord ! hurla le laird McDonald.

— Père, asseyez-vous, lui dit Rionna, d'une voix dont l'autorité stupéfia tout le monde.

Puis elle se leva de table et rejoignit Alaric et Caelen, qui se tenaient debout devant le roi et Ewan.

— Quelles sont vos conditions ? demanda-t-elle à Caelen.

— Bravo ! la félicita Caelen. Il y a des conditions, en effet. D'abord, que votre père quitte immédiatement la forteresse McCabe et qu'il n'y revienne jamais tant que Keeley y vivra. Ensuite, que votre père renonce sur-le-champ à son titre de laird quand nous nous rendrons sur les terres des McDonald, aussitôt après notre mariage.

— C'est une insulte ! cria le laird McDonald.

Plusieurs guerriers McDonald, assemblés au fond de la salle, protestèrent avec véhémence.

Mais, à la grande surprise d'Alaric, Rionna resta parfaitement sereine.

— Vos conditions me paraissent raisonnables, approuva le roi.

Caelen haussa les épaules.

— Raisonnables ou pas, ce sont mes conditions.

— Je ne suis pas disposé à renoncer aussi vite à mon titre ! insista le laird McDonald. L'accord prévoyait que je céderais mon pouvoir après la naissance du premier enfant de Rionna.

Caelen eut un sourire mauvais.

— Je puis vous assurer que Rionna donnera naissance à un premier enfant neuf mois après notre mariage. Que sont neuf mois de plus ou de moins ?

Rionna piqua un fard. Le laird McDonald semblait prêt d'exploser.

Caelen reporta son attention sur le roi :

— J'avais promis de ne pas divulguer un incident qui s'est produit voici quelques jours, mais les circonstances ayant changé, je ne me sens plus tenu par cette promesse. Et je crois utile que vous sachiez tous quel genre d'homme est le laird McDonald. Cela vous permettra de mieux comprendre pourquoi j'ai imposé de telles conditions le concernant.

Le roi fronça les sourcils.

— Parlez...

— Quand Keeley était plus jeune, elle était une McDonald. Cousine de Rionna et nièce du laird McDonald. Un jour, le laird a essayé de la violer. Sa femme les a surpris. Elle a traité Keeley de catin et l'a bannie du clan. De ce jour, Keeley fut obligée de subvenir elle-même à ses propres besoins, sans aucune protection. C'est un miracle qu'elle ait survécu.

— Ce ne sont que des sornettes ! se récria le laird McDonald, bondissant de son siège. Tout s'est passé comme l'a dit ma femme. Cette catin a cherché à me séduire.

Rionna se tourna vers son père et lui jeta un regard qui le fit pâlir. Il se rassit.

— Ce n'est pas tout, reprit Caelen. Peu après son arrivée ici, quand il a découvert que Keeley vivait désormais chez nous, il l'a attirée dans sa chambre, pour tenter à nouveau de la violer.

Alaric sauta par-dessus la table et se jeta sur le laird McDonald avec une telle force que le laird tomba à la renverse sur sa chaise.

— Espèce de monstre ! lui cria Alaric. Tu as osé recommencer ! Je vais te tuer !

Il obligea le laird à se relever et il lui donna un coup de poing en plein visage. Le laird se mit à saigner de la bouche. Alaric s'apprêtait à frapper encore, mais Caelen lui retint le bras.

— Ça suffit, dit-il. Désormais, le laird dépend de moi.

— C'est toi qui les as trouvés, n'est-ce pas ? devina Alaric. Et tu ne m'as rien dit ! C'était *à moi*, de la défendre.

Caelen sourit.

— Keeley s'est plutôt bien défendue toute seule. Je me suis contenté de terminer le travail.

Le roi se leva de table, la mine sévère.

— Est-ce vrai, laird McDonald ? Avez-vous tenté de violer une jeune fille placée sous votre protection ?

Le laird ne répondit rien.

— Oui, c'est vrai, dit Rionna. J'étais là.

— Garce ! lui lança le laird. Ingrate !

Caelen s'avança vers lui.

— Vous insultez ma future épouse. Je ne saurais trop vous conseiller de mesurer vos paroles, à l'avenir.

Le roi se massa les tempes.

— Que pensez-vous de tout ceci, Ewan ? Pouvons-nous encore sauver cette alliance ?

Ewan désigna l'assemblée, devant eux, qui semblait compter les points entre les McCabe et les McDonald.

— Pourquoi ne leur demandez-vous pas ?

Le roi s'esclaffa.

— Pourquoi pas, en effet ?

Le roi leva la main pour appeler au silence.

— Qu'en dites-vous, lairds ? Si Caelen McCabe épouse Rionna McDonald, vous joindrez-vous à nous pour défaire Duncan Cameron et Malcolm ?

— Je refuse de m'allier à quelqu'un qui s'en prend aux enfants, dit l'un des lairds. Mais si Caelen McCabe le remplace après son mariage avec Rionna, alors oui, vous pouvez compter sur mon allégeance, Votre Majesté.

Les autres lairds manifestèrent bruyamment leur assentiment.

— Il reste une dernière question à régler, intervint Caelen.

Toutes les têtes se tournèrent dans sa direction, tandis que lui-même se tournait vers Rionna :

— Êtes-vous disposée à m'épouser, plutôt qu'Alaric McCabe, Rionna McDonald ?

Rionna croisa le regard de Caelen.

— Oui, Caelen McCabe. Vous venez de prouver la loyauté de votre amitié envers Keeley, ainsi que votre loyauté envers votre frère.

— Et acceptez-vous que je devienne laird aussitôt après notre mariage ?

Elle n'hésita même pas une seconde.

— Je ne veux plus de lui sur nos terres, répondit-elle, désignant son père du regard.

De nouveau, le vacarme envahit la salle. Blême, le laird McDonald se leva de table.

— Petite ingrate ! Et où veux-tu que j'aille ?

— Peu m'importe. Mais vous n'êtes plus le bienvenu chez les McDonald.

Caelen, surpris, haussa les sourcils, avant d'échanger un regard avec Alaric. Ni l'un ni l'autre ne s'était attendu à ce que Rionna répudie son père avec aussi peu d'émotion.

— Alors, c'est entendu, conclut le roi. Finalement, je serai quand même venu pour assister à un mariage !

39

Alaric croisa Caelen juste au moment où il s'apprêtait à entrer dans la chambre de Keeley.

— Transmets-lui toute mon affection, dit Caelen. Et dis-lui que je n'ai jamais douté d'elle.

— Je n'y manquerai pas, répondit Alaric. Pour ma part, je voulais te remercier, Caelen. Je ne sais même pas quoi dire. Nous ne pourrons jamais assez te remercier pour ce que tu as fait pour Keeley et pour moi.

Caelen sourit.

— J'ai beaucoup appris auprès de Keeley, Alaric. Je n'avais jamais rencontré quelqu'un d'aussi loyal et altruiste qu'elle. Elle refusait que je t'informe de l'agression du laird McDonald parce qu'elle se doutait de ta réaction et elle savait que cela ruinerait ton mariage avec Rionna. Elle mesurait l'importance de cette alliance pour notre clan et comme elle se considérait désormais comme une McCabe, elle ne voulait surtout pas nuire à sa nouvelle famille.

— Prends bien soin de Rionna, Caelen. Mairin s'inquiète à son sujet. Elle voudrait que nous respections sa différence. Je ne sais pas ce qu'elle entend par là, mais je suppose que cela a un rapport avec la manie de Rionna de s'habiller en homme et de brandir l'épée comme un guerrier.

— Rionna se conduira comme je le lui demanderai, assura Caelen.

— Je voudrais être là pour voir ça !

— Va retrouver Keeley, à présent.

Alaric claqua l'épaule de Caelen et entra dans la chambre de Keeley. Quel ne fut pas son étonnement de découvrir Gannon assis au chevet de la jeune femme, lui épongeant le front avec un linge.

Alaric faillit éclater de rire. Keeley avait su conquérir tout le monde et il n'aurait pas été surpris de voir tout le clan se relayer pour la soigner.

Gannon s'aperçut de sa présence.

— Maddie s'occupe du bébé avec Mairin alors j'ai pris le relais, en attendant que l'un de vous ne revienne.

Alaric hocha la tête et fit signe à Gannon de lui céder sa place.

— Comment va-t-elle ?

— Sa fièvre est encore importante. Et elle dort la plupart du temps.

— Tu peux disposer, à présent. Je vais m'occuper d'elle.

Gannon s'arrêta à la porte.

— Que s'est-il décidé, en bas ? J'ai entendu dire que le roi vous avait demandé de répudier Keeley ?

Alaric sourit.

— Oui, il me l'a demandé.

Gannon fronça les sourcils. Il semblait près d'exploser.

— Mais j'ai refusé, s'empressa de préciser Alaric.

Gannon écarquilla les yeux.

— Vous avez dit non au roi ?

— Oui, et ça s'est révélé beaucoup plus facile que je ne le pensais.

— Que va-t-il se passer, alors ?

— Ce serait un peu long à raconter, mais je suis sûr que Caelen sera ravi de tout t'expliquer. Pour ma part, je préfère dans l'immédiat me consacrer à ma femme.

Gannon sourit et s'éclipsa sans rien ajouter.

Alaric s'allongea auprès de Keeley et la serra contre lui, émerveillé de la sentir vivante dans ses bras.

C'était un miracle. Un miracle dont il remercierait Dieu pour le restant de ses jours.

— Alaric ? murmura-t-elle.

— Oui, chérie ?

— As-tu l'intention de me répudier ? Je préfère te prévenir que je ne te laisserai pas faire. Tu es mon mari, et je ne suis pas disposée à renoncer à mon mari pour qu'il en épouse une autre.

La virulence de ses propos le fit sourire. Elle semblait sincèrement ulcérée à l'idée qu'il puisse la répudier.

— Non, mon amour, dit-il en lui embrassant le nez. Tu restes avec moi. J'ai défié le roi, mon frère, une douzaine de lairds et même ce bâtard de McDonald.

— Tu as fait tout ça pour moi ?

— Oui, chérie.

Elle sourit dans son cou.

— Je t'aime. Tu sais, j'ai envisagé de mourir, mais je n'ai pas pu me résoudre à la perspective de ne jamais te revoir. Même si tu devais en épouser une autre.

Alaric lui souleva le menton, pour l'obliger à le regarder droit dans les yeux.

— Je t'interdis de mourir, c'est entendu ?

— Bon, dans ce cas, je vais m'efforcer de guérir.

Il s'esclaffa.

— Je t'aime, Keeley McCabe. Tu es vraiment une McCabe, désormais. Nous sommes mariés devant Dieu et devant le clan. Il ne nous reste plus qu'à consommer notre union.

Keeley poussa un soupir de frustration.

— Je crois qu'il va falloir attendre encore un peu pour cela.

Alaric la serra très fort dans ses bras, savourant à nouveau le plaisir de la savoir vivante, mais aussi le plaisir de pouvoir lui dire qu'il l'aimait.

— J'attendrai aussi longtemps qu'il le faudra, chérie. Nous avons tout le temps pour consommer notre mariage. En fait, je pense que nous pourrions le consommer chaque jour. Quand tu seras parfaitement rétablie, bien sûr.

Elle soupira et se nicha contre lui.

— Je t'aime, Alaric McCabe.

— Moi aussi, je t'aime.

Elle bâilla et ferma les yeux. Alaric la regarda s'endormir dans ses bras. Il ne pouvait pas rêver plus beau spectacle.

Découvrez les prochaines nouveautés des différentes collections J'ai lu pour elle

Le 2 mai

Inédit **_Abandonnées au pied de l'autel - 3 - L'esclandre_ ☙ Laura Lee Guhrke**

Héritière d'une forture considérable, la belle Américaine Annabel Wheaton a toujours été considérée comme une parvenue. Si aujourd'hui elle épouse le comte de Rumsford, ce n'est guère par amour mais pour réaliser son vœu le plus cher : intégrer l'artistocratie anglaise. Or un certain Christian Du Quesne va s'ingénier à déjouer ses projets...

Inédit **_Les Highlanders du Nouveau Monde - 3 - Plus fort que le destin_ ☙ Pamela Clare**

1755. S'il y a un homme que Connor MacKinnon méprise pardessus tout c'est son commandant, lord William Wentworth. Lorsque ce dernier lui ordonne de sauver sa nièce, Sarah Woodville, Connor s'attend à découvrir une femme tout aussi détestable que son oncle. À sa grande surprise, il découvre une jeune fille pleine de charme pour laquelle il est prêt à tous les sacrifices…

La ronde des saisons - 4 - Scandale au printemps ☙ Lisa Kleypas

Daisy Bowman est désormais la seule célibataire parmi ses amies. Son père lui lance un ultimatum : soit elle trouve un riche époux, soit il la marie à Matthew Swift, son associé. Ce Bostonien hautain et sans humour ? Plutôt convoler avec le premier venu ! Mais Matthew se révèle particulièrement troublant, et Daisy, peu à peu, se laisse charmer. Jusqu'au jour où il lui avoue ne jamais pouvoir l'épouser...

Le 22 mai

Inédit ***Les célibataires - 1 -Lord Scandale***

ଔ **Emma Wildes**

Lord Alexander n'est pas un voleur, et pourtant, il s'apprête à cambrioler la demeure de lord Hathaway ; il est à la recherche d'un objet ayant appartenu à sa famille. Lors de ce méfait, il rencontre lady Amelia Patton. Captivé par sa beauté et son esprit, Alexander ignore qu'en séduisant la jeune femme, il va exhumer un vieux scandale familial...

Inédit ***Les seigneurs des Highlands - 2 - Le faucon***

ଔ **Monica McCarty**

Début du XIVe siècle. Erik MacSorley est un marin écossais auquel ni les vents ni les femmes ne peuvent résister. Jusqu'au jour ou il sauve une jeune gouvernante de la noyade. Or les apparences sont trompeuses : Ellie est en réalité lady Elyne de Burgh, la fille du plus puissant noble d'Irlande. Fière et déterminée, elle tient tête à Erik, qui ne peut résister au défi de la séduire...

La saga des Montgomery - 1- Les yeux de velours ଔ

Jude Deveraux

À l'aube, Judith ne dort toujours pas. Est-elle réellement la femme de cet inconnu endormi à son côté ? Oui, elle s'est livrée tout entière à lord Gavin, et il est désormais son époux. Un époux froid, distant, qui lui a juré de jamais l'aimer... Judith le déteste ! Enfin, c'est ce qu'elle croit...

Le 22 mai

CRÉPUSCULE

Inédit **_Chasseuses d'aliens - 4 - Noire passion_**

ↇ **Gena Showalter**

Jeune vampire, Bride McKells survit avec difficulté dans le monde des humains, en guerre contre les aliens. À la recherche de ses congénères, elle apprend qu'un homme a les réponses à ses questions : Devyn, roi des Targons. Guerrier, séducteur-né, il ne fait pas mystère de l'attirance qu'il a pour elle. Or Bride comprend à quel point il peut lui être dangereux…

Romantic Suspense

Le 2 mai

Nocturne pour un péché ☙ **Tami Hoag**
Agent fédéral féminin, Megan O'Malley vient s'installer à Deer Lake, petite bourgade tranquille. Très vite, tout bascule : le mal règne en ville, et la vie d'un enfant est en danger. Obstinée, Megan enquête et doit collaborer avec Mitch Holt, le chef de la police locale. Il leur faudra se battre et qui sait, peut-être saisir la chance que leur offre le destin : aimer de nouveau…

Le 22 mai

Inédit ***Black OPS - 2 - Captive*** ☙ **Cindy Gerard**
Un emploi dans un casino de Las Vegas, des études et un jeune frère Cory qui a disparu… Abbie Hughes n'a guère de temps pour le flirt et les plaisirs. Un soir pourtant, quand l'homme le plus sexy qu'elle ait jamais vu s'installe à sa table de blackjack, tout bascule. Abbie est fascinée mais elle ignore que l'inconnu est venu dans un seul but : la capturer. Car il suspecte Cory de complicité de meurtre...

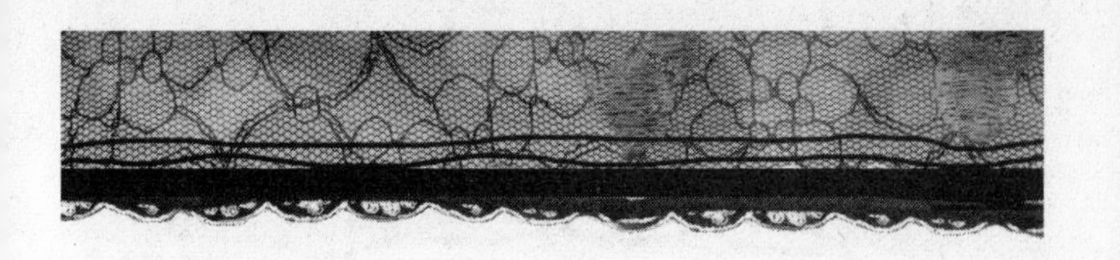

Passion intense

Des romans légers et coquins

Le 2 mai

La chambre des délices ☙ **Jaci Burton**
De l'aventure, de l'extravagance et du sexe ! Voilà le programme du séjour hédoniste réservé par Serena Graham sur une île tropicale. Hélas, l'hôtel est complet et sa chambre est déjà occupée par un certain Michael Donovan, un romancier hypersexy. Quand ce dernier lui propose de partager la chambre, Serena, sous le charme, accepte toutes ses conditions : du plaisir, uniquement du plaisir…

Le 22 mai

Inédit ***Houston, force spéciales - 1 - Douce reddition***
☙ **Maya Banks**
Flic à Dallas, Gray Montgomery n'a qu'une idée en tête : mettre la main sur l'assassin de son coéquipier. Une chose est sûre, il y a un lien entre le coupable et Faith Malone. Douce, sensuelle, Faith est le genre de femme que Gray recherche. Pourtant, malgré la relation torride qu'ils entretiennent, Gray éprouve l'étrange sensation qu'elle joue un rôle… Qui est-elle vraiment ?

Et toujours la reine du roman sentimental :

Barbara Cartland

« Les romans de Barbara Cartland nous transportent dans un monde passé, mais si proche de nous en ce qui concerne les sentiments. L'amour y est un protagoniste à part entière : un amour parfois contrarié, qui souvent arrive de façon imprévue.
Grâce à son style, Barbara Cartland nous apprend que les rêves peuvent toujours se réaliser et qu'il ne faut jamais désespérer. »

Angela Fracchiolla, lectrice, Italie

Le 2 mai
Sur les ailes de l'amour

10262

Composition
FACOMPO

Achevé d'imprimer en Italie
Par Grafica Veneta
le 17 mars 2013

Dépôt légal : mars 2013
EAN 9782290056943
L21EPSN000944N001

ÉDITIONS J'AI LU
87, quai Panhard-et-Levassor, 75013 Paris

Diffusion France et étranger : Flammarion